Archivi dell'Arte

Flaminio Gualdoni

Arnaldo Pomodoro

Catalogo ragionato della scultura
Tomo II

A cura di / Edited by
Flaminio Gualdoni

with English text

SKIRA

Catalogo ragionato a cura di
Annotated catalogue edited by
Flaminio Gualdoni

Archiviazione e schede
Archiving and information files
Laura Berra
Bitta Leonetti
Carlotta Montebello
con il contributo di
with the contribution of
Hanneke Heinemann

Cofanetto / Case
Porte dell'Edipo, 1988
Fotografia di
Aurelio Barbareschi
(cat. 836)

Copertina / Cover
Novecento, 2000-2002
Fotografia di Carlo Orsi
(cat. 1025)

Design
Marcello Francone

Editor
Marzia Branca

Redazione / Copy Editor
Emanuela Di Lallo

Impaginazione / Layout
Serena Parini

Traduzioni / Translations
Leslie A. Ray, Language
Consulting Congressi, Milano

Finito di stampare
nel mese di giugno 2007
a cura di Skira, Ginevra-Milano
Printed in Italy

www.skira.net

First published in Italy in 2007
by Skira editore S.p.A.
Palazzo Casati Stampa
via Torino 61
20123 Milano
Italy
www.skira.net

Printed and bound in Italy.
First edition

ISBN 978-88-7624-370-7

Distributed in North America
by Rizzoli International
Publications, Inc., 300 Park
Avenue South, New York, NY
10010, USA.
Distributed elsewhere in the
world by Thames and Hudson
Ltd., 181A High Holborn,
London WC1V 7QX, United
Kingdom.

Crediti fotografici
Photograph Credits
Marianne Adelmann
Danilo Allegri
Vincenzo Aloisi
Amoretti
Shigeo Anzai
Orazio Bacci
Aurelio Barbareschi
Antonio Bario
Renato Bencini
Gianni Berengo Gardin
Bitetto - Chimenti
Benjamin Blackwell
Boccardi
Marco Bonisoli
Giorgio Boschetti
Ruggero Boschetti
Bosio Press Photo
P. Bressano
Cameraphoto
Mimmo Capone
Carlo Carlevaro
Mario Carrieri
Ermanno Casasco
Studio Cianfarini
Ferdinando Cioffi
Pino Colla
Carlo Crespi
Dalda
Giorgio de Cesare
Alfio Di Bella
Mario Dondero
Ied Drzyzga
Agenzia Dufoto
Thomas Eicken
Dialmo Ferrari
Fotogramma
Danilo Franzini
Neva Gasparo
Gianfranco Gorgoni
Joe Green
Leo Holub
Mimmo Jodice
Dario Lasagni
Tommaso Lepera
Nino Lo Duca
Marcel Loli
Max Mandel
Claudio Mangiarotti

Edoardo Mari
Helaine Messer
Oscar Meyer
Paolo Monti
Antonia Mulas
Maria Mulas
Ugo Mulas
Paolo Mussat Sartor
Toni Nicolini
Colin O'Riordan
Carlo Orsi
Sergio Pagliaricci
Patrizio Parolini
Studio Perotti
Giuseppe Pino
Alberto Piovano
Teresa Pomodoro
Francesco Radino
Dino Sala
Giancarlo Scalfati
Vaclav Sedy
Gian Paolo Senni
Gaetano Silvestri
Gianni Ummarino
Luca Vignelli
Steve Williams
Fernando Zanetti

Sommario / Contents

Catalogo ragionato delle opere

Avvertenze

Questa catalogazione sistematica, che riorganizza e completa la pluriennale attività dell'archivio Arnaldo Pomodoro (la cui schedatura si indica nelle schede con la sigla AP seguita da numero), riporta tutte le notizie conosciute relativamente alle opere uniche dell'artista, presenti nell'archivio o ricevute dai rispettivi proprietari in occasione della preparazione di questa pubblicazione.

Le titolazioni delle opere sono state riviste complessivamente dall'artista, in taluni casi modificate o integrate da numerazioni e specifiche per ragioni di chiarezza documentaria nel caso di identità di titolo. La data riportata è quella della realizzazione dell'opera, non tenendo conto della data di fusione quando eseguita in un tempo immediatamente successivo. Nel caso di fusione eseguita in tempi significativamente diversi, vale l'indicazione di doppia data. In altri casi, intuitivamente riconoscibili, la doppia datazione riguarda il periodo di elaborazione dell'opera.

Le misure, salvo diversa specificazione, sono espresse in centimetri, nell'ordine altezza, larghezza, profondità, così come risultanti all'archivio.

Le distinzioni indicate all'interno della scheda con a), b), c) segnalano versioni della medesima opera realizzate in materiali diversi. Di alcune opere esiste un modello in fiberglass di proprietà dell'artista utilizzato per soli fini espositivi che non figura in scheda.

La numerazione delle opere riguarda sempre sia il numero totale degli esemplari previsti, sia il progressivo del singolo esemplare. Medesima caratteristica ha la numerazione delle prove d'artista, indicate con "p.a.".

Nell'elencazione delle collocazioni e in bibliografia si è indicato tutto quanto conosciuto in proposito, con la specificazione, nel caso di opere eseguite in materiali diversi e ove conosciuto, di quale versione si tratti.

Per i dati completi relativi alle mostre e alla bibliografia generale si rimanda agli apparati presenti alla fine del tomo I.

In scheda figurano le mostre a cui ha partecipato ciascuna opera con la sola indicazione della città e dell'anno di esposizione, in corsivo le personali e in tondo le collettive: la riproduzione dell'opera in catalogo è segnalata di seguito con l'abbreviazione "ill." posta tra parentesi.

Vengono poi riportati per ciascuna opera i riferimenti bibliografici abbreviati, relativi alla sezione *Bibliografia* unitamente alla sezione *Scritti e interviste* che sono poste negli apparati finali: viene citato il cognome dell'autore o il titolo se la pubblicazione non segnala l'autore; per gli articoli di periodici senza autore viene dato il nome della testata o della rivista. Seguono i riferimenti alle pagine e alle illustrazioni della pubblicazione. Sono altresì compresi per ciascuna opera i cataloghi delle mostre nei quali l'opera è riprodotta pur non essendo stata esposta, con la sola indicazione della città e dell'anno dell'esposizione (quando collettiva indicata con l'abbreviazione "coll.").

Per individuarne il titolo, la curatela e tutti gli altri dati utili, andrà dapprima identificata, nell'elenco finale delle personali e delle collettive, la mostra: tale informazione consentirà di trovare nella bibliografia generale la voce completa.

Naturalmente, ulteriori notizie hanno continuato a pervenire dopo la chiusura di questo catalogo. Esse, così come le correzioni e le integrazioni di eventuali errori e omissioni, figureranno nelle edizioni successive della pubblicazione.

Note to the Reader

This systematic cataloguing, which reorganises and completes the work conducted by the Arnaldo Pomodoro archive over many years (and the filing of which is indicated in the entries with the initials AP followed by a number), gives all the information known about the artist's individual works, either present in the archive or received from the owners at the time of preparation of this publication.

The titles of the works have been fully reviewed by the artist, in some cases modified or completed with added numbering and specifications for reasons of documentary clarity in the case of identical titles.

The date shown is that of the completion of the work, not taking into account the date of casting when this was performed immediately afterwards. In the case of casting carried out at a significantly different time, a double date is given. In other intuitively recognisable cases, the double dating shows the period of the work's preparation.

Unless otherwise specified, measurements are in centimetres, in height, width, depth order, just as in the archive.

The distinctions indicated within the entries with a), b), c) indicate versions of the same work made using different materials.

The artist owns fibreglass models of some works, used solely for exhibition purposes; these do not appear in the entries.

The numbering of the works always concerns both the total number of copies envisaged and the progressive number of the individual version. The same characteristics apply to the numbering of the artist's proofs, indicated with "p.a.".

In the listing of the locations and in the bibliography, everything known on the subject is indicated, with the specification, in the case of works made using different materials and where this is known, of which version is being referred to.

For complete information about the exhibitions and the general bibliography, please consult the appendix at the end of volume I.

The entries give the exhibitions in which each work has been shown with indication of the city and the year of exhibition, the solo exhibitions in italics and the group exhibitions in normal font: the reproduction of the work in the catalogue is indicated by the abbreviation "ill." in brackets.

The abbreviated bibliographic references for each work are then shown, relating to the *Bibliography* and *Writings and Interviews* sections that are placed in the appendix of volume I. The author's surname is indicated, or the title if the publication does not show the author's name. For articles in periodicals without the author's name, the name of the newspaper or magazine is given. There follow the references to the pages and illustrations of the publication. Also included are the exhibition catalogues where the work has been published although not featuring in that specific show, with the indication of the city and the year of exhibiting (shown by the abbreviation "coll." when it is a group exhibition). In order to identify the title, the curatorship and all other useful information, the exhibition must first be identified in the final list of solo and group shows: this information will make it possible to find the complete entry in the general bibliography.

Naturally further information has been received after the closure of this catalogue. This, like the corrections and the additions of any mistakes and omissions, will figure in the next editions.

1

Fecondazione, 1953
argento e velluto,
29,5 x 15 cm
esemplare unico
Washington, DC, Hirshhorn
Museum and Sculpture
Garden, Smithsonian
Institution, dono di Joseph
H. Hirshhorn, 1966
AP 0

Esposizioni: New York, NY
1962

2

Uomo macchina, 1954
argento e velluto, 30 x 20 cm
esemplare unico
collezione privata
AP 1

Bibliografia: AAVV 1974, ill.
p. 61; Hunter[1] 1995, ill. p. 37

3

*Macchina: omaggio
a Picabia*, 1954-1955
argento e acciaio, 45 x 26 cm
esemplare unico
collezione privata
AP 3

Esposizioni: Milano 1954;
Milano 1955; Venezia 1955;
Buenos Aires 1957

Bibliografia: Di Segni 1959,
pp. 27-28 (ill. p. 19); AAVV
1974, ill. p. 82

4

Energia meccanica, 1955
argento e velluto, 45 x 26 cm
esemplare unico
collezione privata
AP 7

Esposizioni: Venezia 1955;
Venezia 1956

Bibliografia: AAVV 1974,
ill. p. 85

1

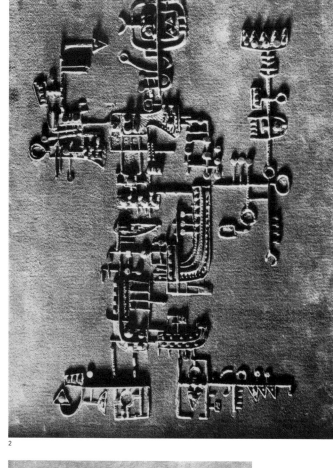

2

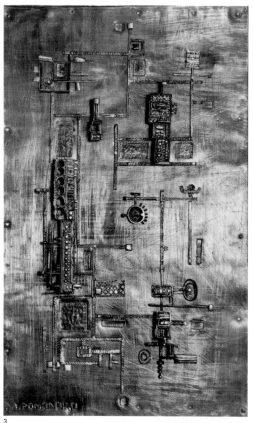

3

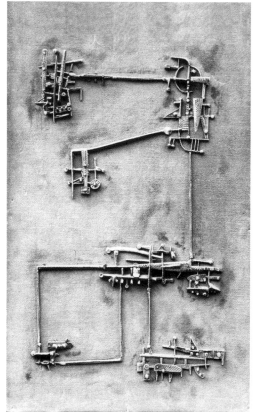

4

5
Scultura in ferro, 1954-1955
ferro, 150 x 85 x 10 cm
esemplare unico
Venezia, Galleria del
Cavallino
AP 12a

Esposizioni: *Venezia 1955*

6
Costruzione irradiante, II,
1955
ferro e ottone, 220 x 150 cm
esemplare unico
collezione privata
AP 19

Esposizioni: *Milano 1955*;
Venezia 1956

Bibliografia: "Das
Kunstwerk" 1956, ill. p. 45

7
Croce, 1955
ferro e ottone, 144 x 88 cm
esemplare unico
Milano, FAP
AP 10

Esposizioni: *Milano 1955*;
Buenos Aires 1957; *Milano²
1974* (ill. pp. 1-2); *Rimini 1995*
(ill. p. 81)

Bibliografia: AAVV 1974,
ill. p. 83; Barilli² 1995,
pp. 7-15

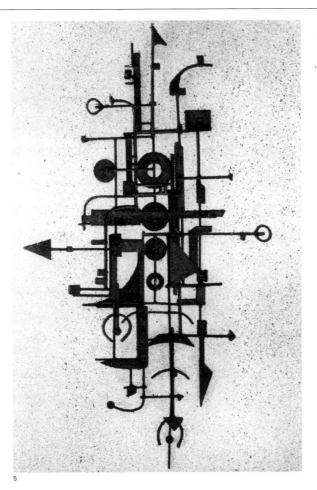

5

6

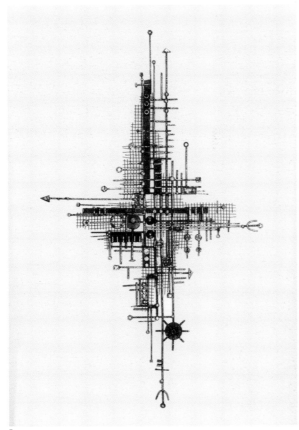

7

8
Città irradiante, 1955
argento e rete metallica,
35 x 50 cm
esemplare unico
collezione privata
AP 4

Esposizioni: Milano 1955;
Buenos Aires 1957

Bibliografia: AAVV 1974,
ill. p. 84

9
Costruzione irradiante, I,
1955
argento e tela, 26 x 36 cm
circa
esemplare unico
New York, NY, collezione
privata
AP 5

Esposizioni: Venezia 1956;
Firenze 1984 (ill. p. 54)

Bibliografia: Di Genova 1980,
ill. p. 79; D'Amico 1984, ill.;
Di Genova 1991, ill. tav. 198;
*Scritti critici per Arnaldo
Pomodoro* 2000, ill. p. 63

10
Orizzonte, 1955
argento e velluto,
44 x 64,5 cm
esemplare unico
collezione privata
AP 6a

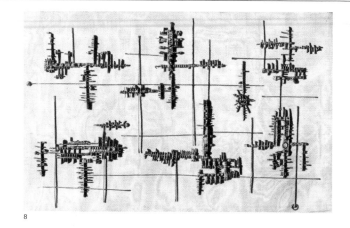

8

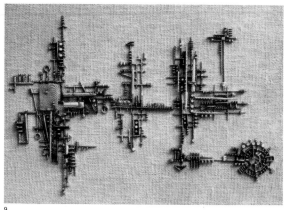

9

10

11
*Paesaggio con il sole
in basso*, 1955
a) argento e velluto,
28,5 x 45,5 cm
1 esemplare
collezione privata
b) argento e bronzo,
28,5 x 45,5 cm
2 esemplari
AP 8

Esposizioni: *Buenos Aires
1957* (ill. cat.)

Bibliografia: Mujica Lainez
1957, ill.

12
La luna il sole la torre, 1955
a) argento e velluto,
38 x 48 x 3 cm
1 esemplare
collezione dell'artista
b) argento e juta stuccata
e patinata, 38 x 48 x 3 cm
2 esemplari + 1 prova
d'artista in argento e rete
di ottone patinata
collezione dell'artista;
collezione dell'artista;
Stanford, CA, Cantor Center
for Visual Arts at Stanford
University (argento e rete di
ottone patinata, 03 p.a.),
dono dell'artista
AP 6

Riprodotta nel Tomo I a p. 80

Esposizioni: *Venezia 1956*
(ill. in copertina); *Firenze
1984* (ill. p. 57); *Rimini 1995*
(ill. p. 79)

Bibliografia: Gatto 1956;
AAVV 1957, ill. p. 109; AAVV
1974, ill. p. 86; Hunter 1982,
ill. p. 29; Quintavalle[1] 1990,
p. 20; Cerritelli 1995, p. 285;
Hunter[1] 1995, p. 30 (ill. p. 38);
Troisi[1] 1997, p.12 (ill. p. 13);
Prina[2] 1998, p. 45 (ill. p. 32);
Carrier 2000, ill. p. 59; *Scritti
critici per Arnaldo Pomodoro*
2000, ill. p. 177

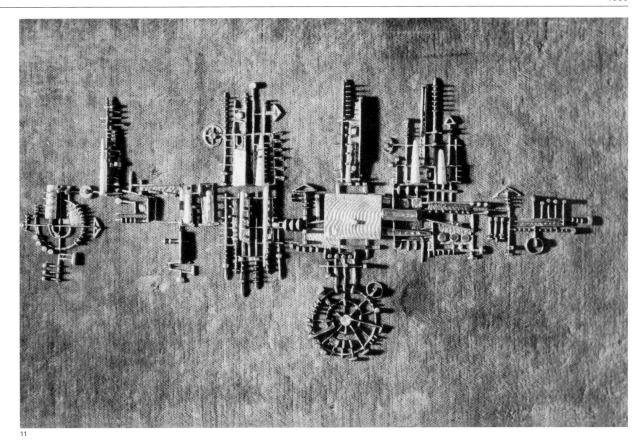

11

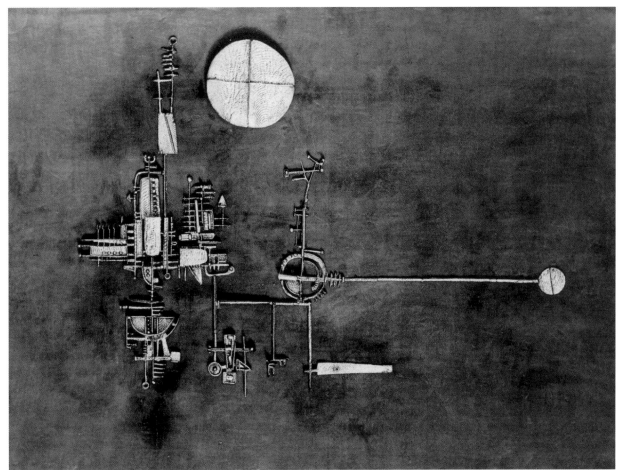

12

13
Costruzione, I, 1955
ferro, 145 x 43 cm circa
esemplare unico
collezione privata
AP 11

Esposizioni: *Buenos Aires
1957*; *Milano*[2] *1974*

Bibliografia: "Le Dauphiné
Libéré" 1964, ill.; AAVV 1974,
ill. p. 81; Giangaspro 1974, ill.

14
Costruzione, II, 1955
ferro, 116 x 28 x 26 cm
esemplare unico
Prato, asta Farsetti Arte 81 I,
29-30 maggio 1998, n. 314
AP 12

Esposizioni: *Buenos Aires
1957*

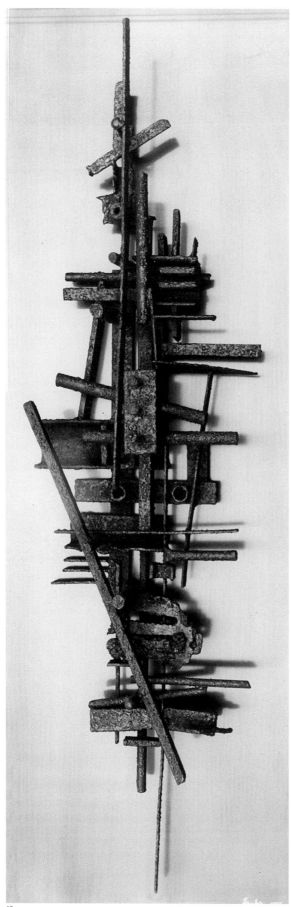

13

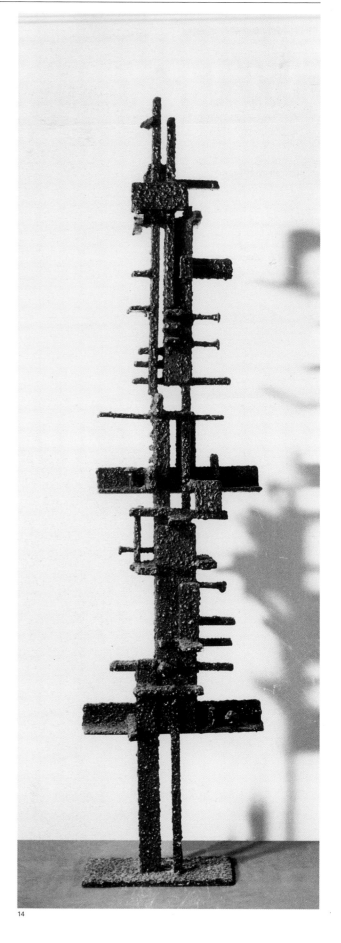

14

15
Personaggio con eco, 1955
ferro, 47 x 95 x 10 cm
esemplare unico
Milano, collezione
Lorenza Cingoli
AP 13

Esposizioni: *Venezia 1956*
(ill. cat.); *Buenos Aires* 1957
(ill. cat.); *Monaco 1957*
(ill. cat.)

Bibliografia: Gatto 1956;
Mujica Lainez 1957, ill.

16
Figurazione ipertrofica, 1955
bronzo (base in legno),
85 x 35 cm
esemplare unico
Denver, CO, collezione
Roi jr. e Ruth Davis
AP 23

17
I due lati di Habadon,
1955-1956
ferro, 100 x 45 cm circa
esemplare unico
collezione privata
AP 16

Esposizioni: *Buenos Aires
1957* (ill. in copertina)

15

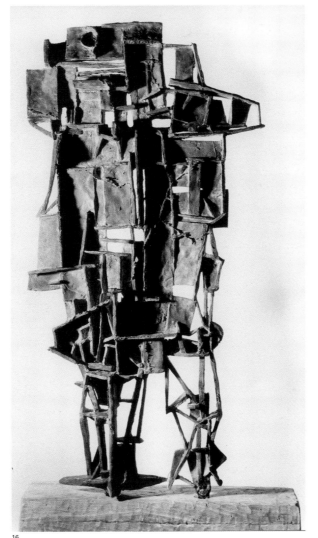

16

17

18
Uno, 1956
argento e cemento,
23 x 13 cm
esemplare unico
Milano, asta Christie's 2358,
17 novembre 1999, n. 48
AP 24

Bibliografia: cat. "Christie's
2358", Milano, 1999,
p. 25

19
L'incontro, 1956
a) argento e cemento,
40 x 24 cm
1 esemplare
collezione dell'artista
b) bronzo, 40 x 24 cm
2 esemplari
AP 5a

20
La città nera, 1956
argento, cemento e legno,
58 x 91 cm
esemplare unico
Washington, DC, Hirshhorn
Museum and Sculpture
Garden, Smithsonian
Institution, dono di Joseph
H. Hirshhorn, 1966
AP 20

Esposizioni: New York, NY
1959

21
Situazione vegetale n. 1,
1956
argento e cemento,
43,2 x 75,5 cm
esemplare unico
Lisbona, collezione Luis
Pereira Santos
AP 25a

22
Orizzonte, 1956, I, 1956
a) argento e cemento,
58 x 90 cm
1 esemplare
collezione privata
b) bronzo, 58 x 90 cm
1 esemplare
collezione dell'artista
AP 22

Esposizioni: *Milano*[2] *1974*
(ill. tav. 4); *Firenze 1984*
(ill. p. 55)

Bibliografia: AAVV 1974,
ill. p. 89; Hunter 1982, ill. p.
30; Quintavalle[1] 1990, pp. 20,
25, 42, 48, 58; Hunter[1] 1995,
p. 30 (ill. p. 39); Gualdoni
1998, p. 13

23
Orizzonte, 1956, II, 1956
a) argento e bronzo,
53 x 185 cm
1 esemplare
Milano, collezione privata
b) bronzo patinato,
53 x 185 cm

18

19

20

21

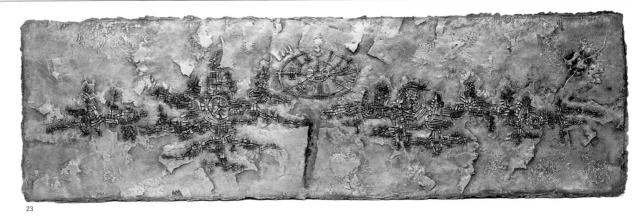

1 esemplare + 1 prova
d'artista
collezione dell'artista (2/2);
Parma, CSAC, Università
di Parma
AP 34b

Riprodotta nel Tomo I a p. 82

Esposizioni: *Columbus, OH
1983-1985* (ill. tav. 5); *Firenze
1984* (ill. pp. 17, 56); *Parma
1990-1991* (ill. pp. 68, 142)

Bibliografia: Bianchino 1990,
p. 139; Gualdoni 1998, p. 13;
*Scritti critici per Arnaldo
Pomodoro* 2000, ill. p. 307

23

24
I giardini di pietra, 1956
a) argento, velluto e legno,
51 x 67 x 3 cm
1 esemplare
collezione dell'artista
b) bronzo, 51 x 67 x 3 cm
2 esemplari
collezione privata; collezione
dell'artista
AP 22a

25
Il giardino nero, 1956
a) piombo, cemento
e stagno, 69 x 118 cm
1 esemplare
Milano, FAP
b) bronzo patinato,
69 x 118 cm
3 esemplari
Parma, CSAC, Università
di Parma; collezione privata;
Milano, collezione Ermanno
Casasco (3/3)
AP 25

Esposizioni: *Milano*[2] *1974* (ill.
pp. 3-4, 71); *Columbus, OH
1983-1985* (ill. tav. 2); *Ancona
1984*; *Firenze 1984* (ill. p. 57);
Malcesine 1987 (ill. tav. 1);
Zurigo 1988; *Parma 1990-
1991* (ill. p. 67); *Bolzano
1991*; *Mantova 1992* (ill.
p. 111); *Kanagawa 1994*
(ill. p. 41); *Milano*[1] *1995*
(ill. p. 285); *Rimini 1995*
(ill. pp. 76-77); *Finalborgo
1997* (ill. pp. 16-17)

Bibliografia: Hunter 1982,
ill. p. 34; Agosti 1987, ill.;
Pomodoro[8] 1988, ill. p. 65;
Quintavalle 1988, ill. p. 8;
Bianchino 1990, p. 139;
Quintavalle[1] 1990, pp. 24-25,
29, 42; Di Genova 1991, pp.
142-144; Corgnati 1992, p.
110 (ill. p. 111); Barilli[2] 1995,
pp. 7-15; Cerritelli 1995, pp.
285-286 (ill. p. 285); Hunter[1]
1995, p. 36 (ill. p. 41); Troisi[1]
1997, p.12 (ill. p. 12); Prina[2]
1998, p. 45 (ill. p. 35); *Scritti
critici per Arnaldo Pomodoro*
2000, ill. p. 306

22

24

25

26
Nutrimento solare, 1956
argento, 45 x 55 cm
esemplare unico
Bruxelles, collezione privata
AP 21

Riprodotta nel Tomo I a p. 81

Bibliografia: AAVV 1974, ill.
p. 87; Hunter 1982, ill. p. 31;
cat. Firenze 1984, ill. p. 56;
Quintavalle[1] 1990, p. 20;
Hunter[1] 1995, ill. p. 43; *Scritti
critici per Arnaldo Pomodoro*
2000, ill. p. 64

27
*Inferriata per casa Gaspero
Del Corso*, 1957
ferro e legno,
185 x 200 cm circa
esemplare unico
Milano, collezione privata
AP 15

28
Estensione vegetale n. 1,
1957
argento e cemento,
89 x 48 cm
esemplare unico
collezione dell'artista
AP 30

Esposizioni: *Milano*[2] *1974* (ill.
p. 6); *Firenze 1984* (ill. p. 60);
Rimini 1995 (ill. p. 73)

Bibliografia: Hunter 1982,
ill. p. 33 (tav. 19); Di Genova
1991, pp. 142-144

29
Estensione vegetale n. 2,
1957
a) piombo e cemento,
57 x 132 cm
1 esemplare
collezione dell'artista
b) bronzo, 56,5 x 131 x 6 cm
2 esemplari + 1 prova
d'artista
collezione privata;
collezione privata;
collezione privata
AP 40

30
Situazione vegetale n. 2,
1957
argento e cemento,
63,5 x 50,8 cm
esemplare unico
collezione privata
AP 28

Bibliografia: AAVV 1974, ill.
p. 88; Hunter 1982, ill. p. 33
(tav. 18); Gualdoni 1998,
pp. 13, 25

26

27

28

30

31
Situazione vegetale n. 3,
1957
argento e cemento,
62 x 102 cm
esemplare unico
collezione privata
AP 28a

Bibliografia: cat. "Sotheby's
L03023", Londra, 2003,
n. 217, ill. p. 128

32
Situazione vegetale n. 4,
1957
argento e cemento,
65 x 100 cm
esemplare unico
Milano, FAP
AP 29

Esposizioni: *Milano*[2] *1974* (ill.
pp. 5-6); *Firenze 1984* (ill. p.
61); *Rimini 1995* (ill. pp. 74-75)

Bibliografia: AAVV 1974, ill.
pp. 90-91; Di Genova 1991,
pp. 142-144; Pirovano 1993,
p. 270; Barilli[2] 1995, pp.
7-15; Gualdoni 1998, pp. 13,
25; *Scritti critici per Arnaldo
Pomodoro* 2000, ill. p. 311

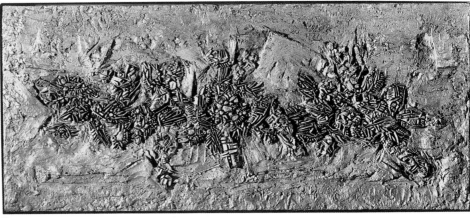

29

31

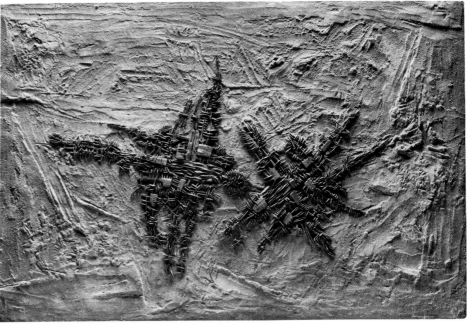

32

33
Movimento e sole, 1957
argento e cemento,
55,8 x 96,5 cm
esemplare unico
New York, NY, asta Sotheby's
4263, 15 giugno 1979, n. 129
AP 31

Bibliografia: cat. "Sotheby's
4263", New York, NY, 1979,
n. 129; Hunter[1] 1995, ill. p.42;
Prina[2] 1998, p. 45 (ill. p. 35)

34
Congiunzione, 1957
argento e cemento,
58 x 28 cm
esemplare unico
collezione privata
AP 32

35
Memoria vegetale, 1957
piombo, rame, stagno
e zinco, 120 x 110 cm circa
esemplare unico
collezione privata
AP 39

36
Studio, 1957
a) piombo, 16 x 27 x 6 cm
1 esemplare
collezione privata
b) bronzo, 15 x 25 x 5 cm
2 esemplari
collezione privata; Parma,
CSAC, Università di Parma
AP 59

Esposizioni: Parma 1990-1991
(ill. p. 74)

Bibliografia: De Angelis 1990,
ill. p. 24

38

33

35

34

37
Senza titolo, 1957
piombo, 40 x 30 cm
esemplare unico
collezione privata
AP 58

Esposizioni: Roma 1957

Bibliografia: Ballo[2] 1962,
ill. p. 26

38
Senza titolo, 1957
a) piombo, 10 x 23 x 5 cm
1 esemplare
collezione dell'artista
b) bronzo, 10 x 22 x 5 cm
2 esemplari + 1 prova
d'artista
collezione privata; collezione
privata; collezione privata
AP 50b

39
Cattedrale, 1957
a) piombo e stagno con
sferetta in oro, 103 x 37 cm
1 esemplare
collezione privata (03 p.a.)
b) bronzo, 103 x 37 cm
3 esemplari
Milano, FAP (1/3); collezione
privata (2/3); collezione
dell'artista (3/3)
AP 64

Esposizioni: Roma 1957;
Bari 1971 (ill. p. 75); Milano[2]
1974 (ill. p. 17); Rimini
1995 (ill. p. 63)

36

37

39

40
Tutto solo, 1957
piombo, cemento e stagno,
160 x 90 cm
esemplare unico
collezione privata
AP 57

Esposizioni: Torino 1957

41
La folla, 1957
piombo e cemento,
109 x 66 cm
esemplare unico
Milano, collezione
Maurizio Giobbio
AP 38

Esposizioni: Roma 1957

Bibliografia: AAVV 1974, ill.
p. 105; Gualdoni 1998, p. 13;

42
L'impronta, 1957
piombo, cemento e stagno,
130 x 80 cm
esemplare unico
collezione privata
AP 42

Esposizioni: Bruxelles 1958

43
Dentro la terra, 1957
piombo e cemento,
110 x 65 cm
esemplare unico
collezione privata
AP 51

Esposizioni: Bruxelles 1958

40

42

41

43

44

Sortita, 1957
bronzo, 118 x 108 cm
esemplare unico
Parma, CSAC, Università
di Parma
AP 55

Esposizioni: *Bruxelles 1958*;
Colonia 1958; Saint-Étienne
1960 (ill. tav. 109); *Milano*[2]
1974 (ill. p. 37); *Parma
1990-1991* (ill. p. 92)

Bibliografia: AAVV 1974,
ill. p. 108; Bianchino 1990,
p. 141

45

Il seme, 1957
piombo, cemento, stagno,
rame e legno, 117 x 47 cm
esemplare unico
Parma, CSAC, Università
di Parma
AP 43

Esposizioni: *Parma 1990-1991*
(ill. p. 76)

Bibliografia: Quintavalle[1]
1990, p. 58; Cerritelli 1995,
p. 286

46

Tempo sospeso, 1957
piombo, cemento e stagno,
60 x 47 cm
esemplare unico
Parma, CSAC, Università
di Parma
AP 50

Esposizioni: *Torino 1957* (ill.
cat.); *Bruxelles 1958*; *Parigi
1959*; Parigi 1963; *Milano*[2]
1974 (ill. p. 102); *Parma
1990-1991* (ill. p. 99)

Bibliografia: Bianchino 1990,
p. 141; Quintavalle[1] 1990,
pp. 58, 60; Cerritelli 1995,
p. 286

47

Tempo fermo, 1957
piombo, cemento e stagno,
58 x 47 cm
esemplare unico
Parma, CSAC, Università
di Parma
AP 46

Esposizioni: *Roma 1957*
(ill. cat.); *Torino 1957*; *Parigi
1959*; *Milano*[2] *1974* (ill. p. 72);
Roma 1976 (ill. cat.); *Parma
1990-1991* (ill. p. 98)

Bibliografia: E. Villa 1959,
ill. p. 13; AAVV 1974, ill. p. 7;
Bianchino 1990, p. 141;
Quintavalle[1] 1990, p. 58;
Cerritelli 1995, p. 286

44

46

45

47

48
Presenza interrotta, 1957
piombo, stagno e rame,
120 x 110 cm
esemplare unico
collezione privata
AP 44

Esposizioni: Anversa 1959;
Parigi 1963

Bibliografia: D'Arquian 1965,
ill. p. 32

49
Senza titolo, 1957
piombo, rame e stagno,
informazioni sconosciute
esemplare unico
ubicazione sconosciuta
AP 44a

50
Sul lato del cuore, 1957
piombo, 26 x 61 cm
esemplare unico
Milano, asta Christie's 2296,
20 maggio 1996, n. 140
AP 61a

Esposizioni: Macerata 1988
(ill. n. 66)

Bibliografia: cat. "Christie's
2279", Milano, 1995, n. 126,
ill. p. 24; cat. "Christie's
2296", Milano, 1996, n. 140,
p. 23

51
Memorie di un colonizzatore,
1957
piombo, cemento, stagno
e rame, 90 x 200 cm
esemplare unico
Parma, CSAC, Università
di Parma
AP 60

Esposizioni: Torino 1957;
Parma 1990-1991 (ill. p. 79)

Bibliografia: Ballo[2] 1962,
p. 26; Bianchino 1990,
pp. 140-141

52
Una scelta, 1957
a) piombo, cemento e
stagno, 48 x 124 cm
1 esemplare
collezione dell'artista
b) bronzo, 48 x 124 cm
2 esemplari
AP 45

Esposizioni: Torino 1957

Bibliografia: Goerres 1960,
ill. p. 21

51

48

50

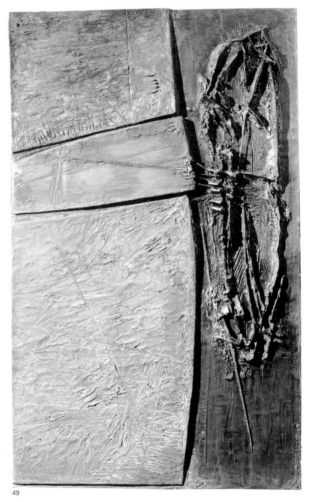
49

53
*"Lo stagno" omaggio
a Kafka*, 1957
piombo, cemento e stagno,
121 x 110 cm
esemplare unico
Parma, CSAC, Università
di Parma
AP 34

Riprodotta nel Tomo I a p. 83

Esposizioni: *Milano*[2] *1974*
(ill. p. 16); *Roma 1976* (ill.
cat.); *Firenze 1984* (ill. p. 58);
Parma 1990-1991 (ill. pp. 78,
142)

Bibliografia: Ballo[2] 1962, ill.
p. 35; AAVV 1974, ill. p. 102;
Hunter 1982, ill. p. 36;
Bianchino 1990, pp. 140-141;
Gualdoni 1998, p. 11
(ill. p. 24); Gualdoni[1] 2001,
p. 76; Gualdoni[2] 2001, p. 9
(ill. p. 11)

54
*"Morte per acqua" omaggio
a T.S. Eliot*, 1957
piombo, zinco e stagno,
120 x 130 cm
esemplare unico
collezione privata
AP 33

Esposizioni: *Roma 1957*;
San Francisco, CA 1959
(ill. cat.)

Bibliografia: Goerres 1960, ill.
p. 20; AAVV 1974, ill. p.104;
Gualdoni[2] 2001, ill. p. 14

55
Colloquio, 1957
piombo e stagno,
125 x 55 cm
esemplare unico
Colonia, Museum Ludwig,
dono di Andreas e Lore
Becker
AP 61

Esposizioni: *Roma 1957*;
Colonia 1958

52

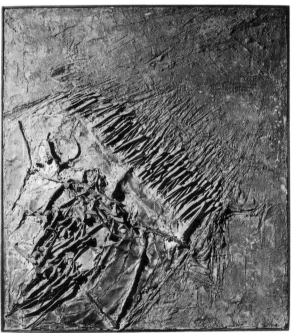

53

54

55

56
La finestra, 1957
piombo, cemento, stagno
e legno, 160 x 90 cm
esemplare unico
Parma, CSAC, Università
di Parma
AP 54

Riprodotta nel Tomo I a p. 86

Esposizioni: *Roma 1957*;
Torino 1957; *Bruxelles 1958*;
Colonia 1958; *Parigi 1959*;
Milano[2] *1974* (ill. p. 103);
Parma 1990-1991 (ill. p. 77)

Bibliografia: Hoctin 1960,
ill. p. 62; Ballo[2] 1962, ill. p.
26; Bianchino 1990, p. 141;
Quintavalle[1] 1990, p. 58;
Cerritelli 1995, p. 286

57
Vuoto della memoria, 1957
piombo, cemento, stagno
e rame, 89 x 37 cm
esemplare unico
Parma, CSAC, Università
di Parma
AP 53

Esposizioni: *Roma 1957*
(ill. cat.); *Bruxelles 1958*;
Londra[1] *1961* (ill. tav. 20);
Milano[2] *1974* (ill. p. 103);
Parma 1990-1991 (ill. p. 100)

Bibliografia: Bianchino 1990,
p. 141; Quintavalle[1] 1990, pp.
58, 60; Cerritelli 1995, p. 286

58
Il muro, 1957
a) piombo, rame e legno,
151,7 x 302 x 12 cm
1 esemplare
Milano, Meliorbanca S.p.a.
b) bronzo,
151 x 297,5 x 12 cm
2 esemplari
Parma, CSAC, Università di
Parma; collezione dell'artista
AP 66

Riprodotta nel Tomo I alle
pp. 84-85

Esposizioni: *Parigi 1959*;
Venezia 1959-1960 (ill. cat.);
Torino 1964 (ill. cat.); *Milano*[2]
1974 (ill. pp. 46-47); *Parma
1990-1991* (ill. p. 75)

Bibliografia: "Civiltà delle
Macchine" 1958, ill.
(illustrazione dell'opera non
finita); Ballo[2] 1962, ill. p. 42;
Ballo[1] 1964, pp. 72-73; Ballo[3]
1964, p. 244; Carluccio[2] 1964,
ill.; Ballo 1965; AAVV 1974,
ill. p. 106; Hunter 1982, ill p.
38; Ballo 1984, ill. p. 91;
Bianchino 1990, pp. 140-141;
Cerritelli 1995, p. 286 (ill.
p. 284); Hunter[1] 1995, p. 36
(ill. pp. 46-47)

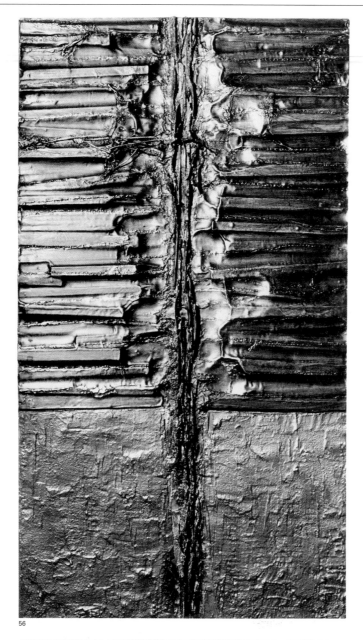

56

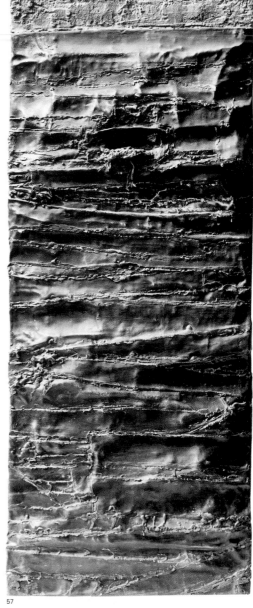

57

59

59
"Luogo di mezzanotte", 1957
piombo, rame e legno,
105 x 200 x 11 cm
esemplare unico
Milano, FAP
AP 67

Esposizioni: *Roma 1955*;
Roma 1957; *Torino 1957* (ill.
cat.); *Bruxelles 1958* (ill. cat.);
Colonia 1958; Liegi 1961;
Parigi 1963; *Rimini 1995*
(ill. pp. 60-61); Sondrio 1997
(ill. p. 63); Ancona[2] 1998
(ill. p. 191)

Bibliografia: Ballo[2] 1958, ill.;
Corgnati[2] 1997, ill. p. 63;
*Scritti critici per Arnaldo
Pomodoro* 2000, ill. pp. 308-
309

60
Studio n. 1, 1957
a) piombo e legno,
25 x 36 x 12 cm circa
1 esemplare
San Francisco, CA,
collezione Paule Anglim
b) bronzo, 36,5 x 47,5 x 2,5 cm
(base in legno,
4,5 x 47,5 x 11 cm)
2 esemplari + 1 prova
d'artista
collezione privata; collezione
privata; collezione Carlo Orsi
(p.a.)
AP 65

61
Senza titolo, 1957
a) piombo e legno,
26 x 44 cm
1 esemplare
collezione dell'artista
b) bronzo, 35 x 54 x 5 cm
(base in legno,
3 x 55 x 9,5 cm)
2 esemplari + 1 prova
d'artista
collezione privata (1/2);
collezione privata; Milano,
collezione privata
AP 49b

62
Bassorilievo, 1957
a) piombo e legno,
41 x 31 x 12 cm
1 esemplare
Mountainville, NY, Storm
King Art Center, dono della
Ralph E. Ogden Foundation,
Inc.
b) bronzo e legno,
41 x 31 x 12 cm
3 esemplari + 1 prova d'artista
Mountainville, NY, Storm
King Art Center, dono della
Ralph E. Ogden Foundation,
Inc. (1/3); collezione privata;
collezione privata; collezione
privata
AP 68a

58

60

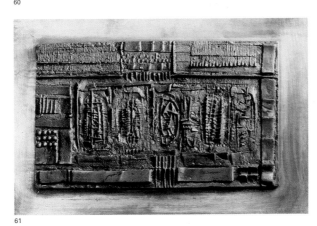
61

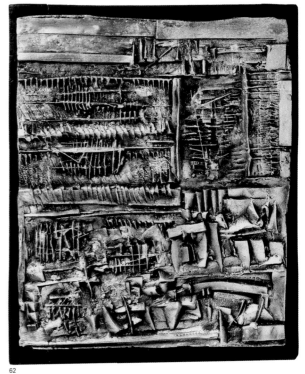
62

63
Bassorilievo, 1957
zinco nichelato, 21 x 49,5 cm
esemplare unico
collezione privata
AP 69b

Bibliografia: cat. coll. New
York, NY 1957, ill. p. 35; cat.
"Butterfield & Butterfield
5125U", San Francisco, CA
1992, n. 2290, ill. p. 35

64
Studio per orizzonte, I, 1957
argento e ferro,
15,3 x 18,4 x 5 cm
2 esemplari + 2 prove
d'artista
Milano, collezione privata
(1/2); collezione privata,
courtesy galleria Giò
Marconi, Milano; collezione
dell'artista (02 p.a.); Parma,
CSAC, Università di Parma
AP 35b

Esposizioni: *Parma 1990-1991*
(ill. p. 91)

Bibliografia: Gualdoni 1998,
p. 13

65
Studio per orizzonte, II, 1957
argento e ferro,
13 x 17,5x 5 cm
2 esemplari + 2 prove
d'artista
collezione privata; collezione
privata, courtesy galleria Giò
Marconi, Milano; collezione
dell'artista (02 p.a.); Parma,
CSAC, Università di Parma;
AP 35a

Esposizioni: *Parma 1990-1991*
(ill. p. 90)

Bibliografia: Gualdoni 1998,
p. 13

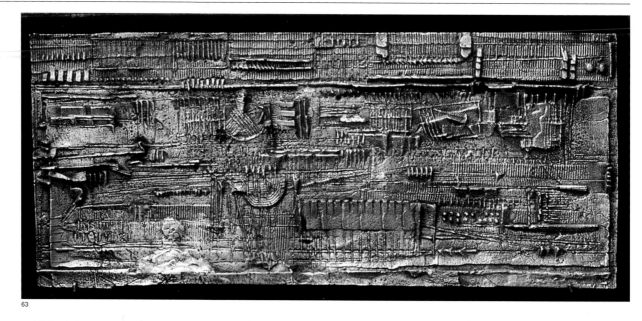

63

64

65

66
Orizzonte, 1957, I, 1957
piombo e cemento,
57 x 131 cm
esemplare unico
collezione privata
AP 27

Bibliografia: Gualdoni 1998,
p. 13

67
Orizzonte, 1957, II, 1957
a) piombo, cemento
e stagno, 68 x 113 x 7 cm
1 esemplare
Milano, FAP
b) bronzo, 65 x 110 x 6,5 cm
3 esemplari
Parma, CSAC, Università di
Parma; Stanford, CA, Cantor
Center for Visual Arts
at Stanford University (2/3)
c) fiberglass,
65 x 110 x 6,5 cm
1 esemplare
Milano, collezione
Bitta Leonetti
AP 35

Riprodotta nel Tomo I a p. 87

Esposizioni: *Roma 1957*;
Bruxelles 1959 (ill. cat.);
Parigi 1959 (ill. cat.); *Milano[2]*
1974 (ill. pp. 10-11, 71);
Columbus, OH 1983-1985
(ill. tav. 6); *Firenze 1984*
(ill. p. 62); *Parma 1990-1991*
(ill. p. 82); *Kanagawa 1994*
(ill. p. 42); *Rimini 1995*
(ill. pp. 70-71); *Finalborgo*
1997 (ill. pp. 18-19); Sondrio
1997 (ill. p. 61); Ancona[2] 1998
(ill. p. 190)

Bibliografia: Ballo 1959, ill.;
D'Arquian 1959, ill.;
Di Genova 1980, ill. p. 79;
Di Genova 1991, pp. 142-144
(ill. tav. 197); Corgnati 1992,
ill. p. 61; Gualdoni 1998,
p. 13; Carrier 2000, ill. p. 60;
Quintavalle[1] 2000, p. 139
(ill. p. 82)

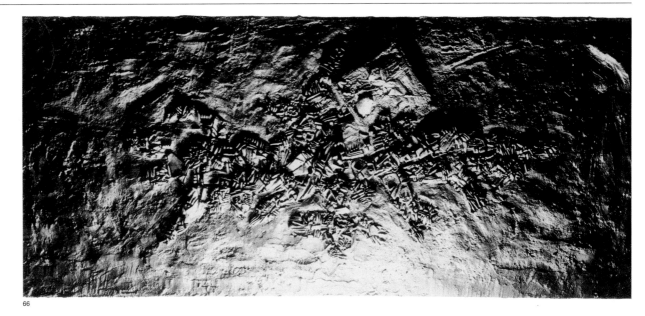

66

67

68
Orizzonte, 1957, III, 1957
piombo, rame e stagno,
67 x 107 x 8 cm
esemplare unico
collezione Anna Cesati
Giobbio
AP 36

Esposizioni: Torino 1957

Bibliografia: Gualdoni 1998,
p. 13

69
Orizzonte, 1957, IV, 1957
a) piombo e stagno,
57 x 125 cm
1 esemplare
Milano, FAP
b) bronzo, 57 x 125 cm
2 esemplari
Parma, CSAC, Università
di Parma; collezione
dell'artista (2/2)
AP 62

Riprodotta nel Tomo I a p. 88

Esposizioni: Bruxelles 1973;
Milano[2] *1974* (ill. p. 72);
Parma 1990-1991
(ill. p. 83); *Rimini 1995*
(ill. pp. 66-67)

Bibliografia: Goerres 1960, ill.
p. 21; AAVV 1974, ill. p. 101;
Gualdoni 1998, p. 13

68

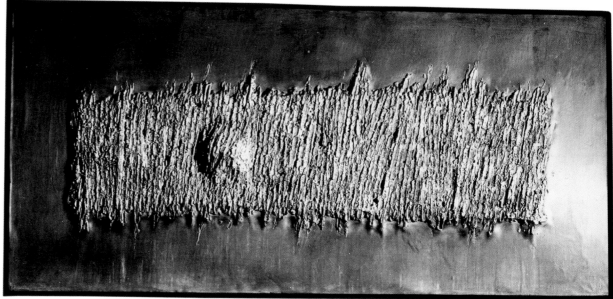

69

70

Orizzonte, 1957, V, 1957
a) piombo e stagno,
57 x 125 cm
1 esemplare
Milano, FAP
b) bronzo, 57 x 125 cm
2 esemplari
Parma, CSAC, Università
di Parma; collezione
dell'artista (2/2)
AP 63

Esposizioni: *Bruxelles 1958*;
Colonia 1958; *Milano² 1974*
(ill. p. 72); *Parma 1990-1991*
(ill. p. 84); *Rimini 1995*
(ill. pp. 64-65)

Bibliografia: E. Villa 1959, ill.
p. 13; AAVV 1974, ill. p. 101;
Bianchino 1990, p. 141;
Gualdoni 1998, p. 13

71

Orizzonte, 1957, VI, 1957
a) piombo e legno,
107 x 66 cm
esemplare distrutto
b) bronzo, 107 x 66 cm
esemplare unico
Parma, CSAC, Università
di Parma
AP 37

Esposizioni: *Parma 1990-1991*
(ill. p. 85)

Bibliografia: Gualdoni 1998,
p. 13

72

Orizzonte, 1957, VII, 1957
piombo, stagno e legno,
110 x 70 cm
esemplare unico
ubicazione sconosciuta
AP 63a

70

71

72

73
Orizzonte, 1957, VIII, 1957
piombo, zinco, stagno
e legno, 150 x 300 cm
1 esemplare
Colonia, Schiller-Gymnasium
AP 56

Riprodotta nel Tomo I alle
pp. 90-91

Esposizioni: *Colonia 1958*;
Milano² 1974 (ill. p. 72)

Bibliografia: Schiller-
Gymnasium 56-62, 1962, ill.;
Trier 1962, ill.; AAVV 1974, ill.
p. 109; Gualdoni 1998, p. 13

74
Orizzonte, 1957, IX, 1957
a) piombo, 104 x 178 cm
esemplare distrutto
b) bronzo, 104 x 178 cm
2 esemplari
Parma, CSAC, Università di
Parma; collezione privata,
courtesy galleria Giò
Marconi, Milano
AP 26

Esposizioni: Milano² 1957;
Milano² 1974 (ill. p.103);
Milano¹ 1980 (ill. p. 125);
Firenze 1984 (ill. p. 59);
Parma 1990-1991 (ill. p. 81)

Bibliografia: Gualdoni 1998,
p.13

75
Paesaggio, 1957
argento e cemento,
52,5 x 40 cm
esemplare unico
Milano, collezione privata
AP 41

Esposizioni: *Firenze 1984*
(ill. p. 58)

Bibliografia: Di Genova 1991,
pp. 142-144

76
Paesaggio n. 6, 1957
argento e cemento,
55,3 x 79,4 cm
esemplare unico
Washington, DC, Hirshhorn
Museum and Sculpture
Garden, Smithsonian
Institution, dono di Joseph
H. Hirshhorn
AP 41a

Esposizioni: New York, NY
1962

77
Tavola dei segni, 1957, I,
1957
a) piombo, 39,5 x 40 x 5 cm
1 esemplare
collezione privata
b) bronzo, 43 x 43 x 5 cm
3 esemplari
collezione privata; San
Francisco, CA, collezione

73

74

Mr. e Mrs. Stephen Wirtz;
collezione dell'artista
AP 49

Esposizioni: *Milano*[2] *1974*
(ill. p. 8); *Columbus, OH
1983-1985* (ill. tav. 4); *Firenze
1984* (ill. p. 63)

Bibliografia: AAVV 1974,
ill. p. 8; Hunter 1982, ill.
p. 35; cat. coll. Milano 1984,
p. 94; Di Genova 1991, pp.
142-144; Hunter[1] 1995, ill. p.
49; Gualdoni 1998, p. 13

78
Tavola dei segni, 1957, II, 1957
a) piombo e legno,
34 x 51 x 5,5 cm
1 esemplare
Milano, FAP
b) bronzo, 33 x 49,5 x 5,5 cm
3 esemplari
collezione dell'artista;
Roma, asta Finarte 993, 19
novembre 1996, n. 147 (2/3);
Roma, Galleria Obelisco
AP 67a

Riprodotta nel Tomo I a p. 89

Esposizioni: *Rimini 1995*
(ill. p. 59)

Bibliografia: cat. "Finarte
993", Roma, 1996, n. 147, ill.
p. 43; Gualdoni 1998, p. 13;
*Scritti critici per Arnaldo
Pomodoro* 2000, ill. p. 310

79
Tavola dei segni, 1957, III,
1957
a) piombo, 36 x 39 x 6,5 cm
1 esemplare
Milano, asta Finarte 1058,
15 dicembre 1998, n. 361
b) bronzo, 45 x 47 x 14 cm
2 esemplari + 1 prova d'artista
Milano, Galleria d'arte
Il Castello (1/2); collezione
privata; collezione Ornella
Vigliani Dogliotti (02 p.a.)
AP 99

Bibliografia: Dorfles 1959,
ill. p. 17; "Sele Arte"[2] 1960,
ill. n. 228; cat. "Finarte 936",
Milano, 1995, n. 20, ill. p. 17;
cat. "Finarte 1058", Milano,
1998, n. 361, ill. p. 69;
Gualdoni 1998, p. 13; cat.
"Christie's 2399", Milano,
2001, n. 244, ill. p. 120

80
Tavola dei segni, 1957, IV,
1957
piombo e legno, 40 x 32 cm
esemplare unico
collezione privata
AP 65a

Esposizioni: Firenze 1970;
Hannover 1970 (ill. p. 209)

Bibliografia: Gualdoni 1998,
p. 13

75

76

77

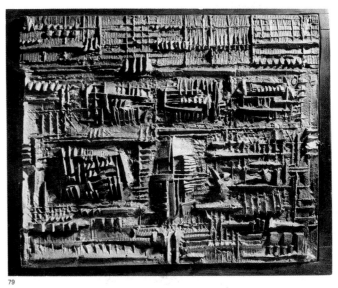

79

80

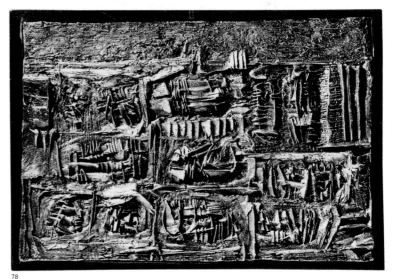

78

81
Tavola dei segni, 1957, VI,
1957
piombo, h 40 cm circa
informazioni sconosciute
ubicazione sconosciuta
AP 49a

Esposizioni: New York[2], NY
1960 (ill. cat.)

82
Tavola dei segni, 1957, V,
1957
piombo, 21 x 53 x 1 cm
esemplare unico
collezione Grimm
AP 68b

83
*Piccola tavola
dell'agrimensore*, 1957
a) piombo, cemento
e stagno, 59 x 42,5 cm
1 esemplare
Parma, CSAC, Università
di Parma
b) bronzo, 59 x 42,5 cm
3 esemplari
collezione privata; Milano,
collezione privata (2/3);
collezione privata
AP 47

Esposizioni: Torino 1957;
Parma 1990-1991 (ill. p. 101)

Bibliografia: cat. coll. Venezia
1959-1960, ill. con didascalia
dell'opera cat. 100 (AP 82);
Gualdoni 1998, p. 13

84
*Tavola dell'agrimensore,
1957*, 1957
a) piombo e cemento,
46 x 46 cm
1 esemplare
Parma, CSAC, Università
di Parma
b) bronzo, 46 x 46 cm
2 esemplari + 1 prova
d'artista
Milano, FAP; collezione
dell'artista
AP 48

Esposizioni: Roma 1957;
Milano[2] 1974 (ill. p. 9);
Malcesine 1987 (ill. tav. 2);
Parma 1990-1991 (ill. p. 73);
Rimini 1995 (ill. p. 69)

Bibliografia: Ballo[2] 1962,
ill. p. 26; Gualdoni 1998,
p. 13; Gualdoni[1] 2001, p. 76

81

84

83

85

99
*Tavola dell'agrimensore,
1958, I*, 1958
a) piombo, zinco e stagno,
78 x 58 cm
1 esemplare
collezione R.S.
b) bronzo, 78 x 58 cm
3 esemplari + 1 prova
d'artista
Parma, CSAC, Università di
Parma; collezione dell'artista
(2/3); collezione privata;
Milano, FAP (03 p.a.)
AP 83

Riprodotta nel Tomo I a p. 96

Esposizioni: Bari 1971 (ill.
pp. 48, 75); *Milano*[2] *1974* (ill.
p. 49); Parigi 1977 (ill. p. 32);
Columbus, OH 1983-1985
(ill. tav. 3); *Firenze 1984*
(ill. p. 63); *Parma 1990-1991*
(ill. p. 103); Mantova 1992
(ill. p. 113); *Kanagawa 1994*
(ill. p. 43); *Rimini 1995* (ill.
p. 57); Cantù 1996 (ill. p. 66)

Bibliografia: Ballo[2] 1962, ill.
p. 37; Ballo[1] 1964, p. 72;
AAVV 1974, ill. p. 9; Rovera[2]
1978, ill.; Hunter 1982, ill.
p. 41; Bianchino 1990, pp.
140-141; Cavazzini 1990;
Corgnati 1992, p. 112 (ill.
p. 113); Barilli[2] 1995, pp. 7-15;
Hunter[1] 1995, p. 36 (ill. p. 45);
Troisi[1] 1997, p. 12 (ill. p. 12);
Gualdoni 1998, p. 13
(ill. p. 25)

100
*Tavola dell'agrimensore,
1958, II*, 1958
a) piombo, zinco, stagno,
rame e ottone, 206,5 x 130 cm
1 esemplare
Parma, CSAC, Università
di Parma
b) bronzo, 206,5 x 130 cm
1 esemplare
Hartford, CT, Wadsworth
Atheneum
AP 82

Esposizioni: Alessandria
d'Egitto 1959-1960; Venezia
1959-1960 (ill. dell'opera
n. 83, AP 47); *Parigi*[2] *1960*;
Milano[2] *1974* (ill. p. 48);
Parma 1990-1991 (ill. p. 102)

Bibliografia: "Domus"[2] 1959,
ill.; Goerres 1960, ill. p. 22;
Trier 1960, p. 53 (ill. n. 177);
Ballo[2] 1962, ill. p. 39; Braga
Nalbone 1963, ill. p. 28;
"Tages-Anzeiger" 1969, ill.;
Szabó 1971, ill.; AAVV 1974,
ill. p. 113; cat. Columbus, OH
1983, ill. tav. 51; Bianchino
1990, pp. 140-141; "Gazzetta
di Parma"[1] 1990, ill.;
de Gioia, Quintavalle 1991,
ill. p. 37; Gualdoni 1998, p. 13

97

99

100

101
*Tavola dell'agrimensore,
1958, III*, 1958
piombo e stagno,
55 x 45 cm
esemplare unico
collezione privata
AP 84

Bibliografia: Gualdoni 1998,
p. 13

102
Tavola dei segni, 1958, I,
1958
ottone, 35,5 x 32 cm
esemplare unico
Pesaro, collezione privata
AP 70a

103
Tavola dei segni, 1958, II,
1958
ottone, 36 x 32 cm
esemplare unico
Pesaro, collezione privata
AP 70b

104
Tavolette, I, II, III, 1958
piombo, 9 x 9 cm ognuna
esemplare unico
Milano, collezione
Benigno Chierichetti
AP 90a

Bibliografia: "Domus"[1] 1959,
ill. p. 14

102

103

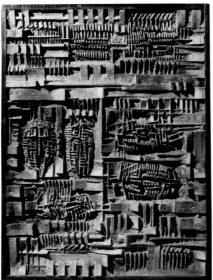
106

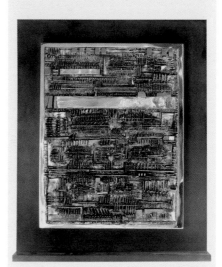
107

101

105
Senza titolo, 1958
ottone, piombo e stagno,
170 x 70 x 40 cm
esemplare unico
Milano, collezione
Benigno Chierichetti
AP 91a

Bibliografia: "Domus"[1] 1959,
ill. pp. 13, 17, 18; "Abitare"
1963, ill. pp. 2, 8, 10

106
Tavola dei segni, 1958, III,
1958
a) piombo, 47,5 x 38 cm
1 esemplare
collezione privata
b) bronzo, 58 x 49 x 5,5 cm
2 esemplari + 1 prova
d'artista
collezione privata; collezione
Conte Aldo Brachetti Peretti
(2/2); collezione privata
AP 88

107
Tavola dei segni, 1958, IV,
1958
a) piombo, 49,5 x 39,5 x 6 cm
1 esemplare
collezione dell'artista
b) bronzo, 61 x 50 x 12 cm
3 esemplari + 1 prova
d'artista
collezione dell'artista;
collezione privata (2/3);
collezione privata (3/3);
collezione privata (03 p.a.)
AP 88a

Esposizioni: New York[2], NY
1960 (ill. cat.)

105

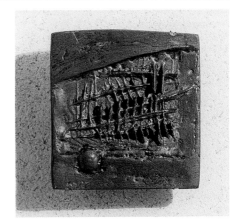

104

108
Tavola dei segni, 1958, V,
1958
piombo, 44 x 32 x 4 cm
esemplare unico
collezione O. Guggenberg
AP 88b

109
Studio, 1958
bronzo, 51 x 42 cm
2 esemplari + 1 prova
d'artista
collezione privata; collezione
privata; collezione privata
(02 p.a.)
AP 89

110
Tavola dei segni, 1958 circa
piombo, 56 x 36 cm
esemplare unico
collezione famiglia Santi
AP 88c

111
Bassorilievo, 1958
bronzo, 70 x 42 cm
2 esemplari + 2 prove
d'artista
collezione privata
(con supporto e base in
legno, 71 x 43 x 14,5 cm);
collezione privata; collezione
privata; collezione Francesca
Valente
AP 423

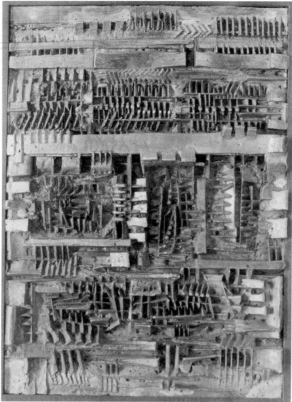

108

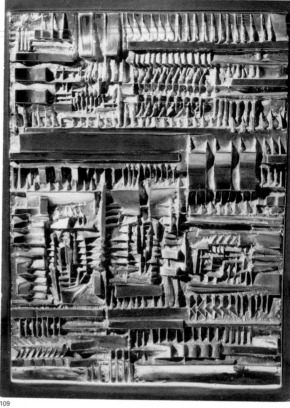

109

110

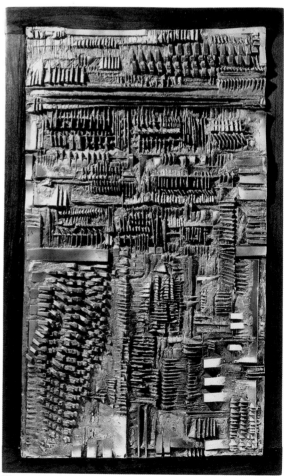

111

112
La storia del rame, 1958
opera realizzata in
collaborazione con
Giò Pomodoro, composta
di 12 rilievi di varie
dimensioni
rame, bronzo ramato,
ottone e piombo
esemplare unico
Milano, Museo Nazionale
della Scienza e della
Tecnologia "Leonardo
da Vinci"
AP 71

Bibliografia: Braga Nalbone
1963, ill. pp. 23-26

112

113
Bassorilievo, 1958
argento e ottone cromato,
20,7 x 24,5 x 7,9 cm
2 esemplari + 2 prove
d'artista
Milano, collezione Mauro
Pejla; collezione privata;
collezione privata; collezione
privata (p.a.)
AP 90

114
Tavola dei segni, 1958, VI,
1958
a) piombo argentato,
38,5 x 38,5 x 4,5 cm
1 esemplare
Milano, collezione privata
b) bronzo, 38,5 x 38,5 x 4,5 cm
2 esemplari + 1 prova d'artista
AP 101

Esposizioni: San Francisco,
CA 1961 (ill. cat.)

Bibliografia: "Sele Arte"[2]
1960, ill. n. 229; Hunter 1982,
ill. p. 44 (tav. 29)

115
Bassorilievo, 1958-1959
bronzo, 30 x 160 cm
esemplare unico
collezione privata
AP 84a

Bibliografia: cat. "Sotheby's
MI219", Milano, 2003, n. 220,
ill. p. 85

116
Altro orizzonte, 1958-1959
a) zinco, ferro, rame e ottone,
139 x 227 cm
esemplare distrutto
b) bronzo, 139 x 227 cm
esemplare unico
Parma, CSAC, Università
di Parma
AP 92

Esposizioni: Alessandria
d'Egitto 1959-1960 (ill. cat.);
Parma 1990-1991 (ill. p. 117)

Bibliografia: Goerres 1960,
ill. p. 22; cat. coll. Parigi[2]
1960, tav. 27; "Vernissage"
1964, ill. p. 2; AAVV 1974, ill.
p. 112; Gualdoni 1998, p. 13

113

114

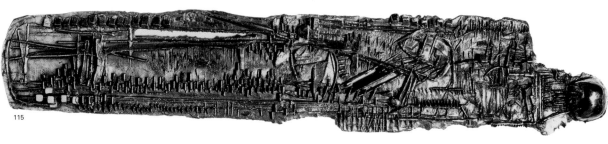

115

119

117
Porta, 1958-1959
piombo, rame, ottone
cromato e vetro, 200 x 80 cm
esemplare unico
collezione privata
AP 94
[Quest'opera è stata ideata
e realizzata espressamente
come porta interna della
Galerie Internationale Helios
Art di Bruxelles]

Bibliografia: "Sele Arte"[2]
1960, ill.

118
Tavola dei segni, 1958/59, I,
1958-1959
a) piombo, 36 x 42 x 5 cm
1 esemplare
Parma, CSAC, Università
di Parma (02 p.a.)
b) bronzo, 36 x 42 x 5 cm
2 esemplari
collezione privata (2/2)
AP 93

Esposizioni: Genova 1965;
La Chaux-de-Fonds 1965;
Roma 1965 (ill. p. 5); Bari[1]
1966 (ill. fig. 78); *Milano*[2]
1974; *Parma 1990-1991*
(ill. p. 105)

Bibliografia: Quintavalle
1990, p. 60

119
Bassorilievo, 1959
bronzo, 32 x 182 x 5 cm
2 esempari + 2 prove
d'artista
Ancona, Università degli
Studi, Facoltà di Ingegneria
(1/2); collezione privata (2/2);
collezione privata (02 p.a.);
collezione privata (p.a.)
AP 95

116

117

118

120
*Rilievo per Cornigliano
(Sintesi della laminazione)*,
1959
acciaio, rame, ottone
e stagno, 98 x 78 cm
esemplare unico
collezione Cavo
AP 103

Esposizioni: Genova
1963-1964 (ill. cat.)

Bibliografia: "Cornigliano
rivista di formazione
aziendale" 1960,
ill. in copertina

121
Successioni del tempo, 1959
lamiera zincata, ottone,
piombo e stagno,
200 x 300 cm
esemplare unico distrutto
AP 104

Esposizioni: *Parigi 1959*;
Liegi 1961; Parigi 1963;
Colonia 1965

Bibliografia: "Azimuth" 1959,
ill.

122
Studio, 1959
bronzo, 18,5 x 5,5 x 7 cm
3 esemplari
collezione privata (1/3)
AP 98a

Bibliografia: cat. "Finarte
1032", Milano, 1997, n. 422,
ill. p. 128

121

120

122

123
Rilievo, 1959
bronzo dorato,
42 x 33 x 3 cm
esemplare unico
Milano, collezione Paolo
Consolandi
AP 114b

124
Studio, 1959
bronzo, 27 x 35 cm
2 esemplari + 1 prova
d'artista
collezione privata (1/2);
collezione privata; collezione
privata
AP 97

125
Studio, 1959
a) piombo, 42 x 34 cm
1 esemplare
Milano, collezione privata
b) bronzo, 42 x 34 cm
2 esemplari + 1 prova
d'artista
collezione privata; collezione
privata; collezione privata
AP 96

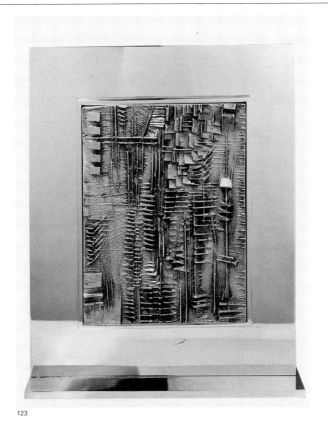

123

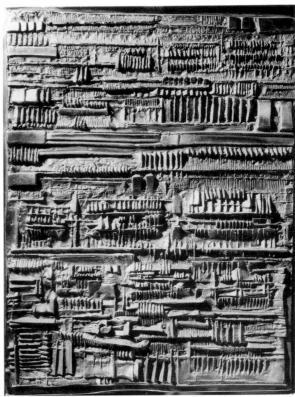

125

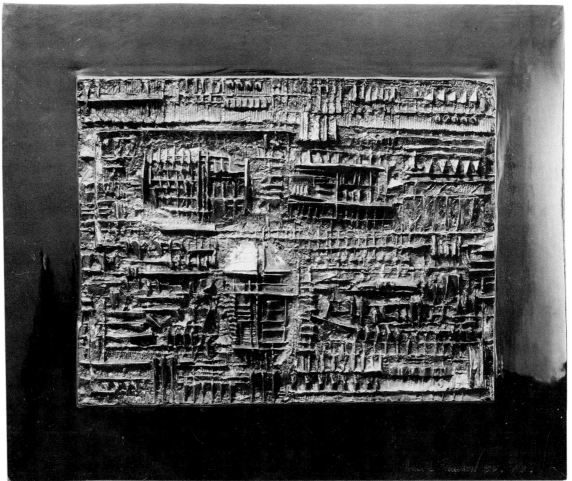

124

126
I segni del cuore, 1959
bronzo, 30 x 38 cm
2 esemplari + 1 prova
d'artista
collezione privata (1/2);
collezione privata; collezione
privata
AP 98

127
Tavola dei segni, 1959, I,
1959
piombo, 38 x 42 cm
esemplare unico
collezione privata
AP 100

128
Tavola dei segni, 1959, IV,
1959
a) piombo, 43,7 x 36 x 4,5 cm
1 esemplare
b) bronzo, 43,7 x 36 x 4,5 cm
1 esemplare
collezione Alberto Pasti
AP 102a

129
Tavola dei segni, 1959, II,
1959
bronzo, 41 x 34 cm
2 esemplari + 1 prova
d'artista
collezione privata; collezione
privata; collezione privata
AP 102

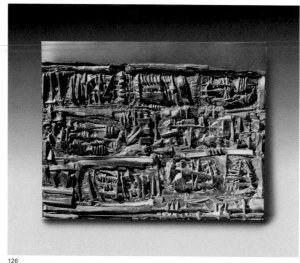

126

127

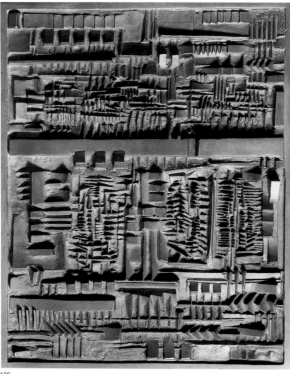

128

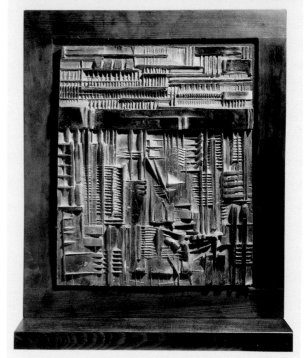

129

130
Tavola dei segni, 1959, III,
1959
bronzo, 116,5 x 64 x 4,5 cm
2 esemplari + 1 prova
d'artista
collezione privata (2/2, con
base e supporto in bronzo,
165 x 64 x 31,5 cm)
AP 164

Esposizioni: Roma 1966

131
La Colonna del viaggiatore,
1959/89, 1959-1989
bronzo, 230 x 32 x 19 cm
2 esemplari + 1 prova
d'artista
collezione privata (1/2);
collezione privata (2/2);
collezione dell'artista (02 p.a.)
AP 104b

Esposizioni: Rimini 1995
(ill. pp. 54, 55); Carrara 1996
(ill. pp. 151-152); Milano[1]
2000 (ill. p. 127)

Bibliografia: Bucarelli 1967,
p. 14; Hunter 1982, pp. 52,
120-124, 160-165; Carandente
1994, p. 22; Hunter[1] 1995, pp.
44, 70, 76, 80; Troisi[1] 1997, p.
12; Gualdoni 1998, pp. 20, 24;
Prina[2] 1998, p. 49; *Scritti*
critici per Arnaldo Pomodoro
2000, ill. p. 315; cat.
"Christie's 6536", Londra,
2001, n. 623, ill. pp. 36-37

132
La Colonna del viaggiatore,
1959, I, 1959
piombo e legno, 194 x 30 cm
esemplare unico
Milano, FAP
AP 104a

Riprodotta nel Tomo I a p. 97

Esposizioni: Finalborgo 1997;
Milano[2] 1999

Bibliografia: Bucarelli 1967,
p. 14; Hunter 1982, pp. 52,
120-124, 160-165; Carandente
1994, p. 22; Carandente 1995,
pp. 16-17; Hunter[1] 1995, pp.
44, 70, 76, 80; Troisi[1] 1997, p.
12; Gualdoni 1998, pp. 20, 24

130

131

132

133
*La Colonna del viaggiatore,
1959, II*, 1959
bronzo, 250 x 26 x 18 cm
2 esemplari + 1 prova
d'artista
Milano, asta Finarte 952,
26 ottobre 1995, n. 202,
già collezione Umberto
Severi, Pozza di Maranello;
collezione Dr. Gabrielle H.
Reem e Dr. Herbert Kayden
(2/2); collezione privata
AP 109

Esposizioni: *Verona 1970*

Bibliografia: "Il Popolo"
1961, ill. p. 103; AAVV 1974,
ill. p. 117; Telò, Zanetti 1992,
p. 149; cat. "Finarte 952",
Milano, 1995, n. 202, ill. p.
103; Caprile[3] 1997, pp. 10-13;
Gualdoni 1998, pp. 20, 24

134
*La Colonna del viaggiatore,
1959, III*, 1959
a) piombo e ottone,
248 x 30 x 30 cm
1 esemplare
collezione privata (1/1)
b) bronzo, 248 x 30 x 30 cm
1 esemplare
Cento, Galleria d'Arte
Moderna Aroldo Bonzagni
(01 p.a.)
AP 111

Esposizioni: *Genova 1973*

Bibliografia: Caprile[3] 1997,
pp. 10-13; Gualdoni 1998,
pp. 20, 24

135
*La Colonna del viaggiatore,
1959/60, I*, 1959-1960
piombo e legno, 220 x 41 cm
esemplare unico
Roma, collezione privata
AP 105

Esposizioni: *Bruxelles 1963*
(ill. cat.); *Firenze 1984*
(ill. p. 64)

Bibliografia: Ballo[2] 1962, ill.
tav. 8; Gertz 1964, ill. p. 197;
AAVV 1974, ill. p. 119 (tav.
98); Hunter 1982, ill. p. 54
(tav. 43); Hunter[1] 1995,
pp. 40, 70 (ill. p. 53);
Gualdoni 1998, pp. 20, 24

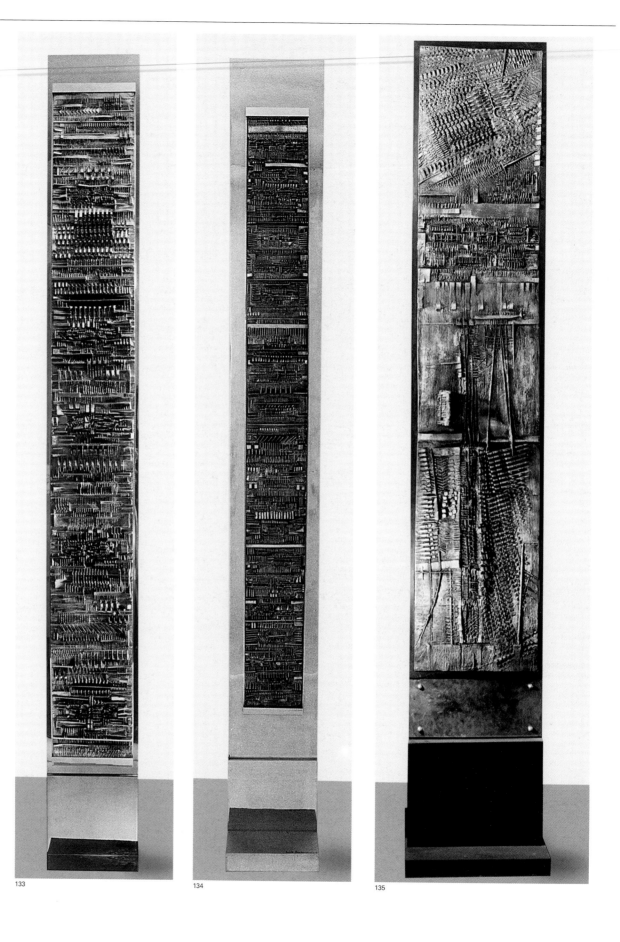

133   134   135

136
*La Colonna del viaggiatore,
1959/60, II*, 1959-1960
a) piombo, 186 x 42,5 cm
1 esemplare
collezione privata
b) bronzo, 186 x 42,5 x 10 cm
2 esemplari + 1 prova
d'artista
collezione privata;
collezione privata;
collezione privata
AP 106

Riprodotta nel Tomo I a p. 98

Esposizioni: Liegi 1961
(ill. cat.); *Bruxelles 1963* (ill.
cat.); *Parigi*[1] *1976* (ill. tav. 2);
Firenze 1984 (ill. p. 64)

Bibliografia: Gertz 1964, ill.
p. 197; V.C. 1977, ill.; Hunter
1982, ill. p. 54 (tav. 42);
Troisi[1] 1997, p. 12 (ill. p. 11);
Gualdoni 1998, pp. 20, 24

137
*La Colonna del viaggiatore,
1959/60, III*, 1959-1960
bronzo, 205 x 41 x 10,5 cm
2 esemplari + 1 prova
d'artista
Londra, asta Christie's 6008,
20 maggio 1998, n.118;
Londra, asta Christie's 26
giugno 1984, n. 532 (2/2);
collezione privata
AP 107

Esposizioni: *Firenze 1984*
(ill. p. 64)

Bibliografia: Accame 1976,
ill. p. 49; Ritter 1979, ill. pp. 5,
11; cat. "Christie's 2926",
Londra, 1984, n. 532, ill.
p. 40; cat. "Christie's 6008",
Londra, 1998, n. 118,
ill. p. 119; Gualdoni 1998,
pp. 20, 24

138
*La Colonna del viaggiatore,
1959/60, IV*, 1959-1960
piombo e legno, 220 x 50 cm
esemplare unico
collezione privata
AP 108

Riprodotta nel Tomo I a p. 99

Esposizioni: *Bruxelles 1963*
(ill. cat.)

Bibliografia: Gertz 1964,
ill. p. 197; AAVV 1974, ill.
p. 119 (tav. 99); Hunter 1982,
ill. p. 54 (tav. 41); Gualdoni
1998, pp. 20, 24

136

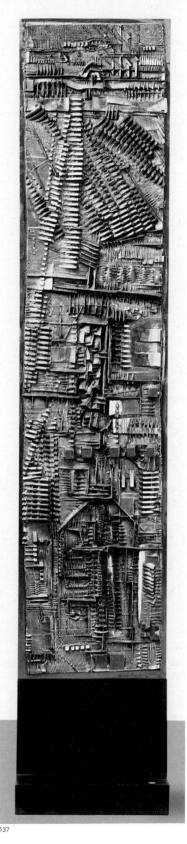

137

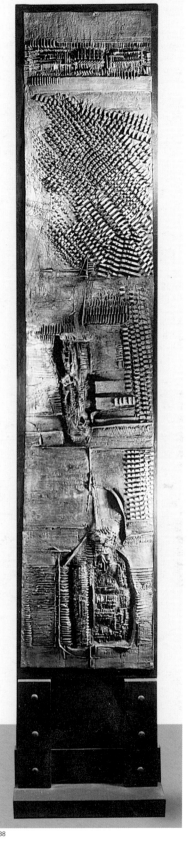

138

139
La Colonna del viaggiatore,
1959/60, V, 1959-1960
a) piombo, 220 x 20 cm
esemplare distrutto
b) bronzo, 220 x 20 cm
2 esemplari + 1 prova
d'artista
collezione privata; collezione
privata; collezione privata
AP 110

Esposizioni: San Francisco,
CA 1961; *Los Angeles, CA*
1962

Bibliografia: Gualdoni 1998,
pp. 20, 24

140
Lato destro, 1959-1960
piombo, 32 x 46 cm
esemplare unico
collezione privata
AP 113

141
La porta, 1959-1960
a) piombo e stagno,
198 x 92 x 20 cm
1 esemplare
collezione privata
b) bronzo, 200 x 90,5 x 20 cm
3 esemplari
collezione privata (2/3);
collezione privata; collezione
privata
AP 114

Esposizioni: *Atlanta*[1]*, GA*
1978 (ill. cat.); *Miami, FL*
1979; *San Francisco, CA 1981*
(ill. pp. 8, 10)

Bibliografia: Muti 1991,
ill. p. 380

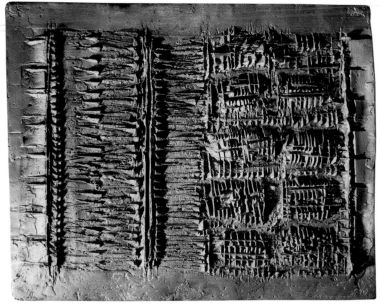

140

139

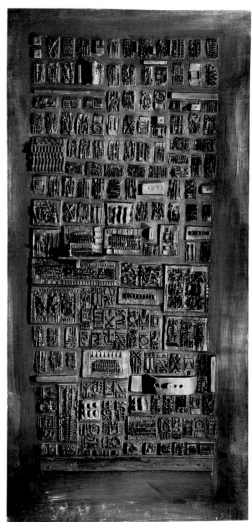

141

142

*Grande tavola della
memoria*, 1959-1965
a) piombo, bronzo, legno
e stagno, 225 x 325 x 60 cm
1 esemplare
collezione dell'artista
b) bronzo, 225 x 325 x 60 cm
2 esemplari + 1 prova
d'artista
Darmstadt, Städtische
Kunstsammlung, PL 1255
(2/2); collezione privata;
New York, NY, Cavaliero Fine
Arts
AP 115

Riprodotta nel Tomo I alle
pp. 102-103

*Esposizioni: New York, NY
1965* (ill. cat.); *Berkeley, CA
1970-1971* (ill. p. H);
Darmstadt 1972 (ill. fig. 1);
Milano[2] 1974 (ill. p. 30);
Parigi[1] 1976 (ill. tav. 1); *Cento
1977; Columbus, OH 1983-
1985* (ill. tav. 7); *Firenze 1984*
(ill. pp. 66, 67, particolare);
*Venezia[2] 1988; Milano[1] 1990-
1991* (ill. p. 109); *Kanagawa
1994* (ill. p. 44); *Rimini 1995*
(ill. pp. 50-51); *Terni 1995-
1996* (ill. p. 47); *Finalborgo
1997* (ill. p. 22); *Palma di
Maiorca 1999* (ill. pp. 84-85)

Bibliografia: Signorini 1965,
ill. pp. 27, 28; Olten 1970, ill.;
Seldis 1970, ill.; "Oggi"
1972, ill.; *Maestri
contemporanei* 1978, ill. p. 6;
Di Genova 1980, ill. p. 80;
Hunter 1982, pp. 156-157;
"Columbus Museum of Art"[3]
1983, ill.; Rosenthal 1983, p.
6; "Happenings"[2] 1984, ill.;
Mussa[1] 1984, ill. p. 53; Risset[1]
1984, p. 20; Cochran 1985,
ill. p. 16; Agosti 1987, ill.;
Corradini 1987, ill. p. 3;
Mussa 1988, p. 54;
Quintavalle 1988, ill. p. 8;
De Maio 1990, ill. p. 51;
Di Genova 1991, p. 144
(ill. tav. 199); De Maio 1993,
ill. p. 34; Kaneko 1993, ill.
p. 58; Carandente 1995, p. 16
(ill. p. 47); Hunter[1] 1995, ill. p.
54; Caprile[3] 1997, p. 11; Cerri[2]
1997, ill. p. 93; Troisi[1] 1997, p.
13 (ill. p. 13); Gualdoni 1998,
p. 22 (ill. p. 21); *Scritti critici
per Arnaldo Pomodoro* 2000,
ill. pp. 316-317; Gualdoni[2]
2001, p. 10 (ill. p. 11)

142

143
Una porta per K., 1960
piombo e legno,
200,5 x 90 x 7,5 cm
esemplare unico
Caracas, Museo de Bellas
Artes
AP 117

*Esposizioni: Humlebæk 1965;
La Chaux-de-Fonds 1965*
(ill. cat.); *Caracas² 1978-1979*
(ill. n. 1)

Bibliografia: Argan 1965, ill.
p. 29; Hernández 1991, p. 104
(ill. p. 105)

144
Tavola della memoria, 1960
a) piombo, 241 x 120 cm
1 esemplare
Milano, collezione privata
b) bronzo, 241 x 120 cm
2 esemplari + 1 prova
d'artista
collezione privata; collezione
privata; collezione privata
AP 116

*Esposizioni: La Chaux-de-
Fonds 1965; Genova 1966;
Stoccolma 1968*

Bibliografia: Apollonio 1965,
ill.; Pomodoro, Leonetti 1966,
ill.; AAVV 1974, ill. p. 11

145
Studio, 1960
bronzo, 43 x 45 cm
2 esemplari + 1 prova
d'artista
collezione privata; collezione
privata; collezione privata
AP 142

146
Studio, 1960
argento, 13,5 x 14,5 x 2 cm
informazioni sconosciute
ubicazione sconosciuta
AP 155b

147
Tavola dei segni, 1960, IX,
1960
a) piombo e legno,
66,5 x 36,5 cm
1 esemplare
collezione privata
b) bronzo, 68 x 36 x 13,5 cm
2 esemplari + 1 prova
d'artista
Parma, collezione privata (1/2)
AP 149a

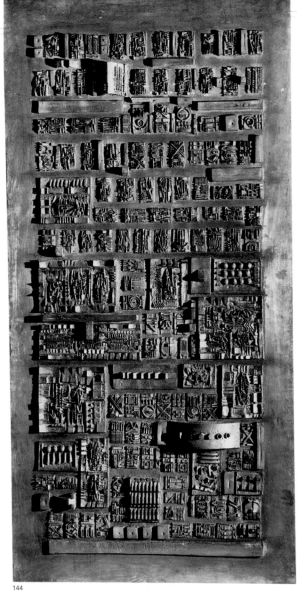

144

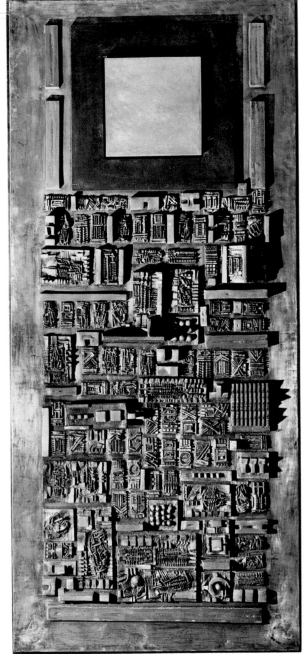

143

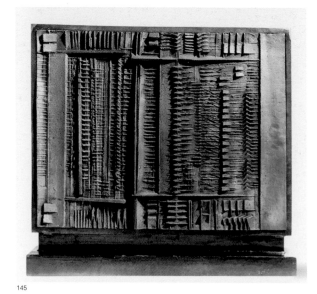

145

148

Tavola dei segni, 1960, VIII,
1960
a) piombo e legno,
44,8 x 37,5 x 3,8 cm
1 esemplare
collezione privata "dell'Orso"
b) bronzo, 43,5 x 36,5 x 3,8 cm
2 esemplari + 2 prove
d'artista
collezione privata "dell'Orso"
(1/2); collezione privata;
San Francisco, CA, collezione
Mr. e Mrs. Stephen Wirtz;
Milano, Galleria d'arte Il
Castello (p.a., 52 x 44,5 x 5 cm)
AP 155c

Esposizioni: Genova 1966

Bibliografia: Fagiolo
Dell'Arco 1966, pp. 127-130;
Quintavalle[1] 1990, p. 60;
Gualdoni 1998, p. 13

149

Tavola dei segni, 1960, II,
1960
a) piombo, 41,5 x 42,5 cm
1 esemplare
ubicazione sconosciuta
b) bronzo, 43,5 x 42,5 cm
2 esemplari + 1 prova
d'artista
Londra, asta Christie's 8963,
1 dicembre 2000, n. 151 (2/2);
collezione Dr. Mark Haimann
(02 p.a.)
AP 133

Esposizioni: Auckland
1965-1966 (ill. cat., piombo)

Bibliografia: cat. "Christie's
8963", Londra, 2000, n. 151,
ill. p. 49

148

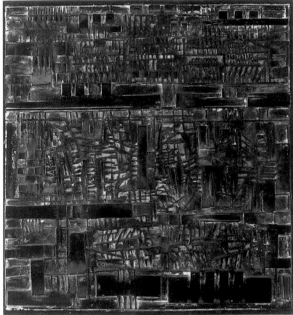
149

147

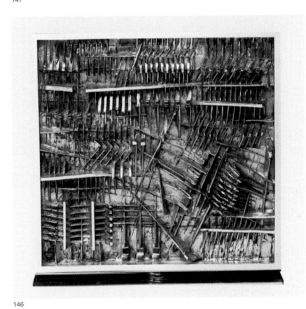
146

150
Tavola dei segni, 1960, IV,
1960
a) piombo, 42,5 x 49,5 cm
1 esemplare
collezione privata
b) bronzo, 52 x 58,5 cm
2 esemplari + 1 prova
d'artista
collezione privata (1/2);
collezione privata; collezione
privata
AP 135

151
Tavola dei segni, 1960, III,
1960
a) piombo e legno,
64,5 x 51,5 cm
1 esemplare
collezione privata
b) bronzo, 62,5 x 51 cm
2 esemplari + 1 prova
d'artista
collezione privata; collezione
privata; collezione privata
AP 134

Esposizioni: Genova 1966

152
Tavola dei segni, 1960, VII,
1960
a) piombo, 37 x 30 x 3,5 cm
1 esemplare
collezione dell'artista
b) bronzo, 37 x 30 x 3,5 cm
1 esemplare + 2 prove
d'artista
collezione privata
(1/2, con base e supporto,
41 x 30 x 10,5 cm); collezione
privata (02 p.a., con base e
supporto, 49 x 41 x 12 cm);
collezione dell'artista
AP 153b

153
Tavola dei segni, 1960, V,
1960
piombo, 50 x 43 cm
esemplare unico
collezione privata
AP 138

Bibliografia: Kaisserlian 1964,
p. 59

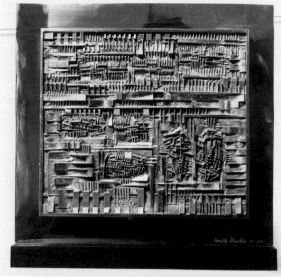

150

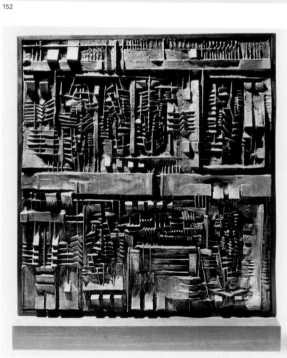

152

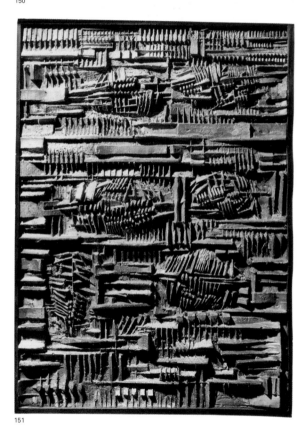

151

153

154
Tavola dei segni, 1960, VI,
1960
bronzo dorato, 58 x 87 cm
2 esemplari + 2 prove
d'artista
collezione privata; collezione
privata; collezione privata
(02 p.a.); Milano, collezione
privata (03 p.a.)
AP 153a

Esposizioni: Amsterdam 1963
(ill. p. 136)

Bibliografia: cat. "Finarte
1225", Milano, 2003,
ill. n. 191

155
Tavola dei segni, 1960, I,
1960
a) piombo, 34 x 40,6 cm
1 esemplare
Genova, collezione
Alessandro Dupont
b) bronzo, 36 x 42 cm
2 esemplari
collezione privata; collezione
privata
AP 131d

Bibliografia: cat. "Farsetti
Arte 81 I", Prato, 1998,
ill. n. 259

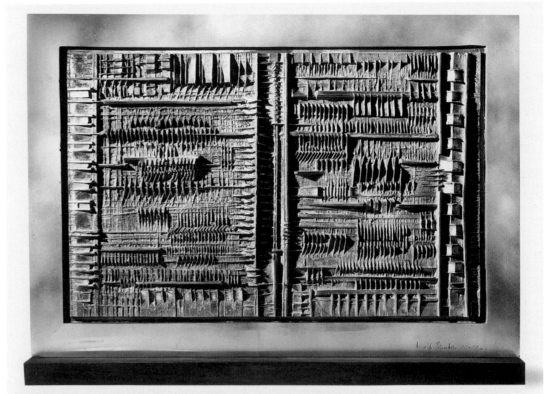

154

155

156
Tavola dei segni, 1960, X,
1960
a) piombo, 48,5 x 32,5 cm
1 esemplare
collezione dell'artista
b) bronzo, 48,5 x 32,5 cm
2 esemplari + 1 prova
d'artista
AP 138a

157
Tavola dei segni, 1960, XI,
1960
bronzo, 45 x 30 cm
informazioni sconosciute
ubicazione sconosciuta
AP 153c

Bibliografia: Rotzler 1966,
ill. p. 92

158
Senza titolo, 1960
argento e ottone cromato,
18 x 10 cm circa
esemplare unico
collezione privata
AP 130c II

159
Senza titolo, 1960
argento e ottone cromato,
14,5 x 7 x 2 cm
esemplare unico
Milano, asta Finarte 1044,
16 giugno 1998, n. 333
AP 140b

Bibliografia: cat. "Finarte
1044", Milano, 1998, n. 333,
ill. p. 114

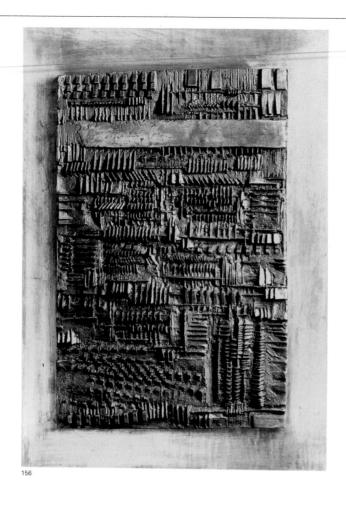

156

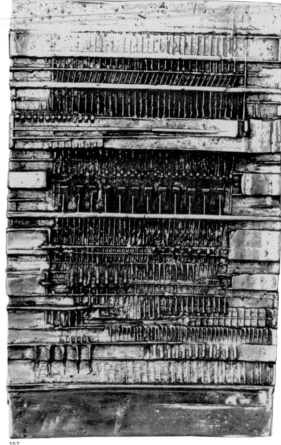

157

163

160
Senza titolo, 1960
argento e ottone cromato,
14,5 x 8,7 x 2 cm
esemplare unico
Milano, collezione privata
AP 140d

161
Senza titolo, 1960
argento e ottone cromato,
17 x 6,5 cm
esemplare unico
collezione privata
AP 130b l

162
*Tavola del matematico,
1960, I*, 1960
argento e ottone cromato,
18 x 12 cm
esemplare unico
collezione privata
AP 140

Esposizioni: Torino 1961
(ill. cat.); *Los Angeles, CA
1962* (ill. cat.); *New York, NY
1965* (ill. cat.); *Roma 1965*
(ill. p. 14)

Bibliografia: Hunter 1982,
ill. p. 45 (tav. 32); cat.
Columbus, OH 1983, ill.
tav. 53

163
*Tavola del matematico,
1960, II*, 1960
a) piombo e legno,
80 x 60 x 6 cm
1 esemplare
collezione dell'artista
b) bronzo, 85,5 x 60 x 24 cm
3 esemplari + 1 prova
d'artista
collezione privata, courtesy
galleria Giò Marconi, Milano
(1/3); collezione privata,
courtesy galleria
Giò Marconi, Milano (2/3);
collezione privata, courtesy
galleria Giò Marconi,
Milano (3/3)
AP 139

Esposizioni: *Bruxelles 1963*
(ill. cat.); *Parigi 1963*; *Colonia
1965*; *Genova 1966*

Bibliografia: Ballo[2] 1962,
ill. tav. 5; Ballo[1] 1964, p. 72;
Hunter[1] 1995, p. 40 (ill. p. 50)

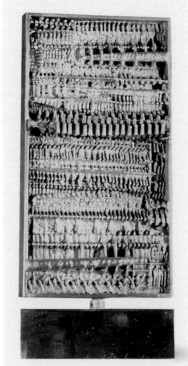

158

159

160

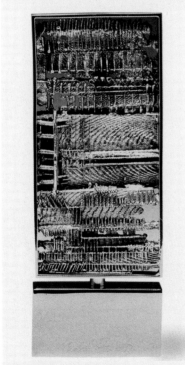

161

162

164
*Tavola del matematico,
1960, III*, 1960
a) piombo, 46 x 32 x 3 cm
1 esemplare
Milano, Galleria
Il Mappamondo
b) bronzo dorato,
58 x 45 x 3 cm
2 esemplari + 1 prova
d'artista
Roma, collezione privata
(1/2); Milano, Galleria d'arte
Il Castello (2/2); Milano, asta
Finarte 1174, 4 giugno 2002,
n. 57 (02 p.a.)
AP 153

Bibliografia: cat. "Finarte
1071", Milano, 1999, n. 225,
ill. p. 129; cat. "Finarte 1174",
Milano, 2002, ill. n. 57

165
Bassorilievo, 1960
bronzo, 46,5 x 35 cm
2 esemplari + 1 prova
d'artista
collezione privata (1/2);
collezione privata; collezione
privata
AP 131

Esposizioni: Francoforte
1972; Monaco 1972

166
Bassorilievo, 1960
bronzo, 56 x 44,5 x 3 cm
2 esemplari + 1 prova
d'artista
collezione O. Guggenberg
(1/2); collezione privata (2/2);
collezione privata (02 p.a.)
AP 118

167
Bassorilievo, 1960
bronzo, 48 x 39 cm
2 esemplari + 1 prova
d'artista
collezione privata; collezione
privata, courtesy galleria
Giò Marconi, Milano;
collezione privata, courtesy
galleria Giò Marconi, Milano
AP 131b

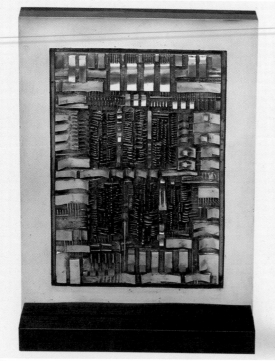

164

165

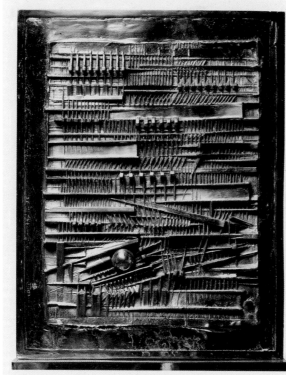

166

167

168
Bassorilievo, 1960
a) piombo, 90 x 41 x 4 cm
1 esemplare
collezione privata
b) bronzo, 90 x 41 x 4 cm
2 esemplari + 1 prova
d'artista
collezione privata; collezione
privata; collezione privata
(02 p.a.)
AP 131c

169
Bassorilievo, 1960
a) piombo, 97 x 32 cm
1 esemplare
collezione dell'artista
b) bronzo, 97 x 32 cm
2 esemplari + 1 prova
d'artista
collezione dell'artista;
collezione privata;
collezione privata
AP 456

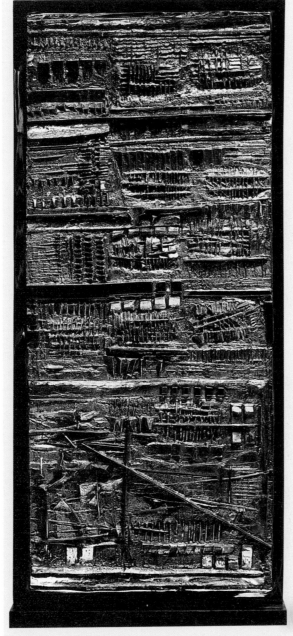

168

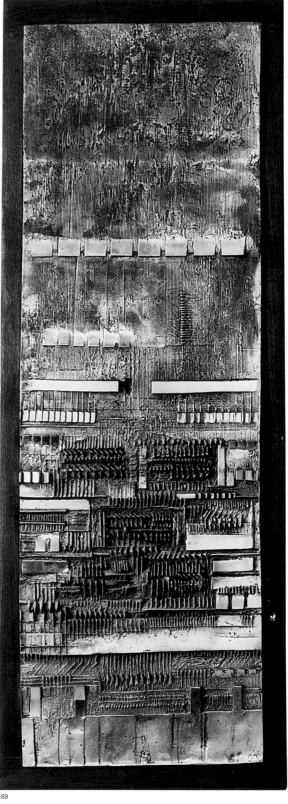

169

170
Bassorilievo, 1960
bronzo, 107 x 40 cm
esemplare unico
collezione dell'artista
AP 119

*Esposizioni: Los Angeles, CA
1962*

171
Bassorilievo, 1960
bronzo, 40,5 x 46 cm
2 esemplari + 1 prova
d'artista
collezione privata (1/2);
collezione privata; collezione
privata
AP 154a

172
Studio, 1960
ottone dorato, 50 x 23 x 10 cm
3 esemplari + 1 prova
d'artista
collezione privata; collezione
privata; collezione privata;
collezione privata (03 p.a.)
AP 132b

170

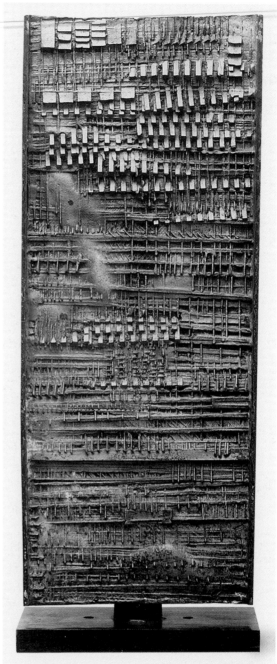

174

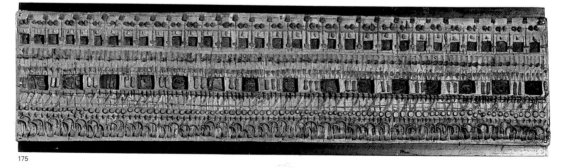

175

173
Studio, 1960
ottone, 34 x 19 cm
esemplare unico
collezione privata
AP 145

Esposizioni: San Francisco,
CA 1961

Bibliografia: Ballo² 1962, ill.
tav. 11; AAVV 1974, ill. p. 94;
Hunter 1982, ill. p. 46
(tav. 34)

174
Scatola, 1960
bronzo, 69 x 28 x 8 cm
1 esemplare + 1 prova
d'artista
Milano, collezione Vittorio
Manzoni; collezione
dell'artista
AP 156b

Esposizioni: Bruxelles 1963

Bibliografia: Hunter 1982,
ill. p. 47 (tav. 36)

175
Rilievo, 1960
bronzo, 32,5 x 130 cm
esemplare unico
Trieste, Cassa di Risparmio
di Trieste
AP 141b

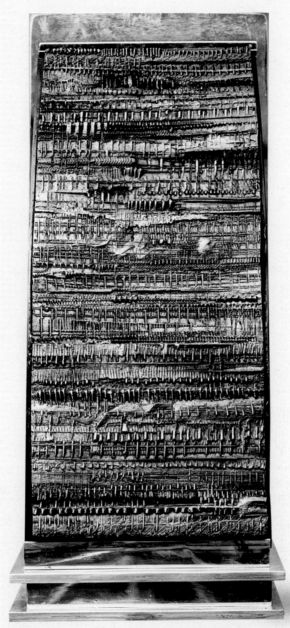

173

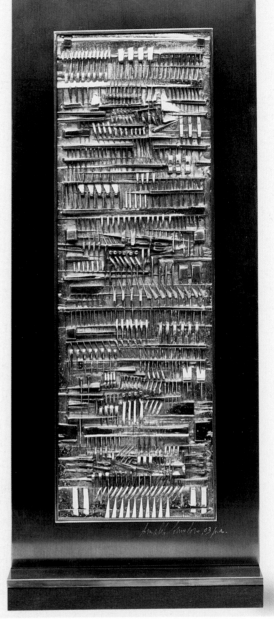

172

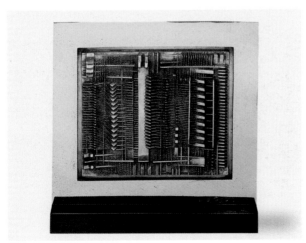

171

176
La vera perla dei lucidi, 1960
ferro, ottone e idronalis,
175 x 228 x 47 cm
esemplare unico
Milano, FAP
AP 130

Esposizioni: Parigi[2] 1960;
Milano 1961 (ill. cat.); Parigi
1961; *New York, NY 1965*
(ill. cat.); *Berkeley, CA
1970-1971* (ill. p. B); *Milano[2]
1974* (ill. p. 31)

Bibliografia: Goerres 1960, ill.
pp. 24-25; "Zero" 1960, ill.;
Ballo[2] 1962, ill. p. 47;
Freudenheim, Pomodoro
1970, p. B; AAVV 1974,
ill. pp. 120-123; *Maestri
contemporanei* 1978, ill. tav.
2; Hunter 1982, ill. pp. 56, 87;
Mussa[2] 1984, p. 14

177
La macchina del tempo, 1960
lamiera di ferro piombato,
rame, ottone cromato e
legno, 145 x 150 x 15 cm
esemplare unico
collezione dell'artista
AP 120

Bibliografia: AAVV 1974, ill.
p. 114; Hunter 1982, ill. p. 49

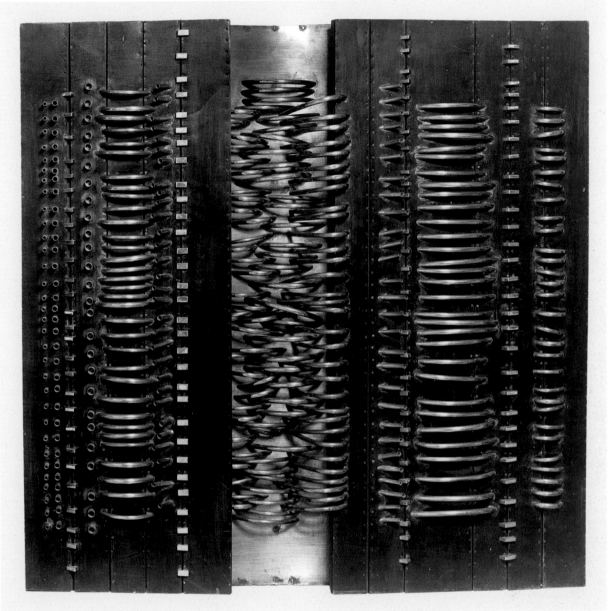

177

178
*La Colonna del viaggiatore,
1960, I*, 1960
bronzo, 300 x 120 x 28 cm
1 esemplare + 2 prove
d'artista
collezione privata; collezione
dell'artista; Milano, FAP (p.a.)
AP 129

Riprodotta nel Tomo I
a p. 104

Esposizioni: *Parigi 1962* (ill.
cat.); *Milano²* 1974 (ill. p. 34);
Bologna 1983 (ill. tav. 205);
Firenze 1984 (ill. pp. 21, 65,
particolare); *Malcesine 1987*
(ill. tav. 3); *Novara 1989*;
Kanagawa 1994 (ill. p. 45);
Rimini 1995 (ill. p. 49); *Terni
1995-1996* (ill. p. 49); *Palma
di Maiorca 1999*; *Valencia
2002* (ill. p. 23); *Ischia 2003*
(ill. p. 31)

Bibliografia: "Domus" 1961,
ill. p. 18; Albertoni 1962, ill.;
Ballo² 1962, ill. p. 49; *La
scultura in Italia*, 1964, ill.
p. 152; Abbate 1966, ill. p.
106; AAVV 1968, ill. p. 641;
AAVV 1974, ill. p. 10; *Maestri
contemporanei* 1978, ill. tav.
1; Hunter 1982, ill. p. 53;
Apuleo 1983, ill.; Mori 1983,
ill.; Carandente 1994, p. 22;
Hunter[1] 1995, p. 80 (ill. p. 78);
Gualdoni 1998, pp. 20, 24;
*Scritti critici per Arnaldo
Pomodoro* 2000, ill. p. 314;
Caprile[1] 2002, p. 5

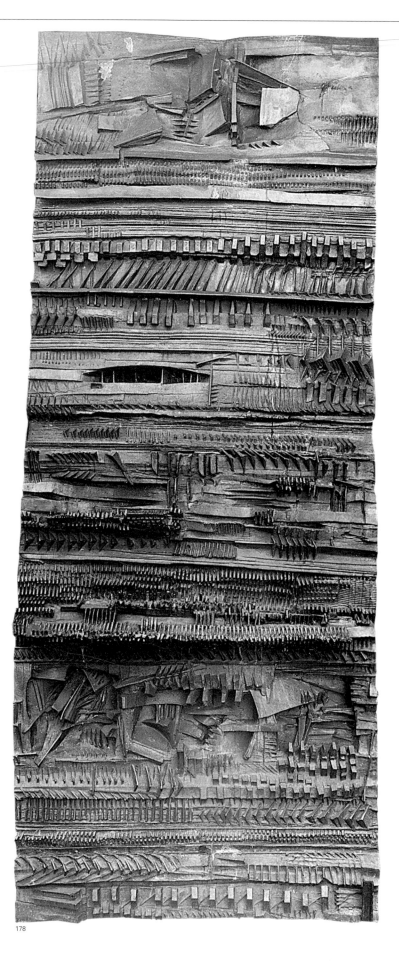

178

179
*La Colonna del viaggiatore,
1960, X*, 1960
piombo e ferro,
117 x 24 x 16 cm
esemplare unico
collezione Grimm
AP 129a

Bibliografia: Gualdoni 1998,
pp. 20, 24

180
*La Colonna del viaggiatore,
1960, II*, 1960
bronzo, 239 x 70 x 49,7 cm
2 esemplari + 1 prova
d'artista
Bruxelles, Musées Royaux
des Beaux-Arts de Belgique,
inv. 9417 (1/2); Lugano,
collezione privata (02 p.a.)
AP 122

Esposizioni: Colonia 1961
(ill. cat.); *Parigi 1962* (ill. cat.);
Bruxelles 1963 (ill. cat.)

Bibliografia: "Frankfurt
Allgemeine Zeitung" 1961,
ill.; Prange 1969, ill.;
Gualdoni 1998, pp. 20, 24

181
*La Colonna del viaggiatore,
1960, IX*, 1960
piombo, ferro e rame,
250 x 26 cm
esemplare unico
ubicazione sconosciuta
AP 126b

Bibliografia: Pica 1961, ill.;
"Rivista Italsider" 1961, ill. in
copertina; Azzella 1965,
ill. p. 137; Mandolesi 1965,
ill.; Gualdoni 1998, pp. 20, 24

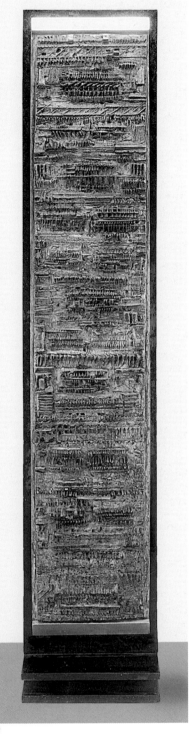

179

180

181

182

La Colonna del viaggiatore, 1960, VII, 1960
bronzo, 132 x 27 x 8 cm
2 esemplari + 1 prova
d'artista
Milano, collezione Stefano
Cortesi (1/2, con base in
bronzo, 200 x 27 x 30 cm);
collezione privata (2/2);
Milano, asta Finarte 1087,
9 novembre 1999, n. 245
(02 p.a.)
AP 126a

Bibliografia: Gualdoni 1998,
pp. 20, 24; cat. "Finarte"²,
Milano, 1999, ill. p. 217

183

La Colonna del viaggiatore, 1960, VIII, 1960
bronzo, 215 x 30 cm
2 esemplari + 1 prova
d'artista
collezione privata; collezione
privata; collezione privata
AP 127

Bibliografia: Gualdoni 1998,
pp. 20, 24

184

La Colonna del viaggiatore, 1960, studio, 1960
bronzo, 126 x 28 x 28 cm
2 esemplari + 1 prova
d'artista
collezione privata (1/2);
collezione privata; collezione
privata
AP 128

Bibliografia: cat. "Finarte
968", Milano, 1996, n. 41,
p. 36; Torretta 1996, ill.;
Gualdoni 1998, pp. 20, 24

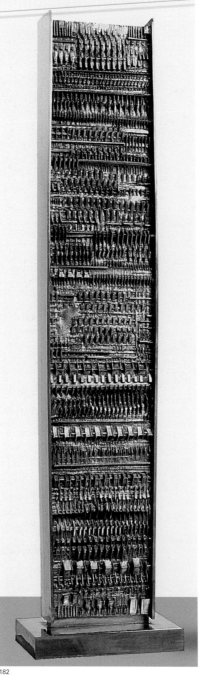

182

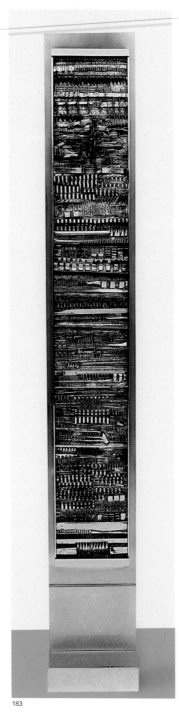

183

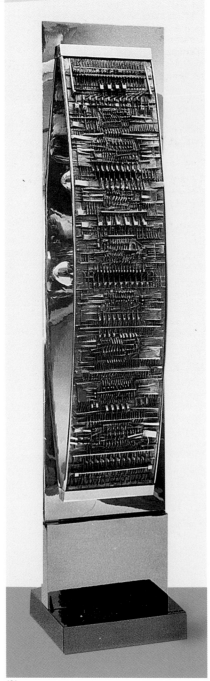

184

185
*La Colonna del viaggiatore,
1960*, studio, 1960
bronzo, 49 x 20 x 23 cm
3 esemplari + 1 prova
d'artista
collezione privata (1/3);
collezione privata (2/3);
collezione privata; collezione
privata
AP 132a

Bibliografia: Gualdoni 1998,
pp. 20, 24

186
*La Colonna del viaggiatore,
1960, V*, 1960
ferro e rame, 260 x 60 cm
esemplare unico
ubicazione sconosciuta
AP 125

Esposizioni: Livorno 1960-
1961 (ill. cat.); Colonia 1961
(ill. cat.); *Parigi 1962*

Bibliografia: Innocente 1977,
ill. p. 26; Hunter 1982,
ill. p. 55; Gualdoni 1998,
pp. 20, 24

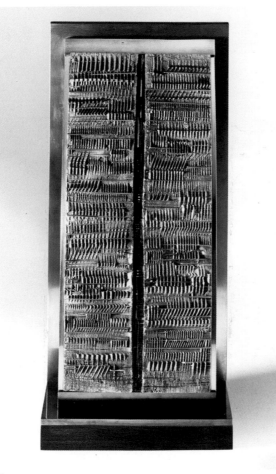

185

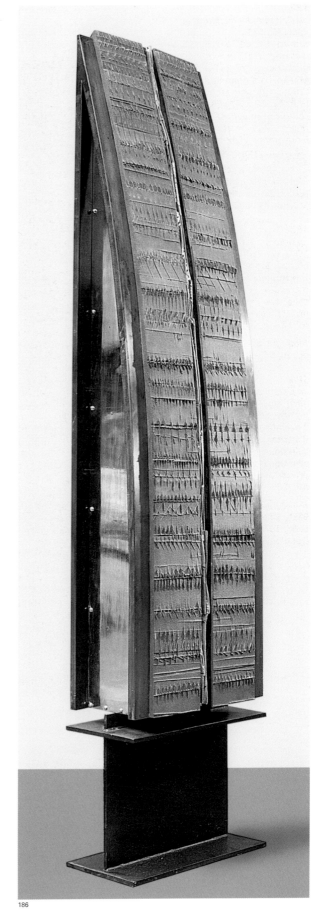

186

187
La Colonna del viaggiatore,
1960, XI, 1960
piombo, 249 x 32 x 30 cm
esemplare unico
Milano, collezione privata
AP 108a

Bibliografia: Gualdoni 1998,
pp. 20, 24

188
La Colonna del viaggiatore,
1960, VI, 1960
ferro e idronalis, 260 x 60 cm
esemplare unico
Prato, asta Farsetti,
novembre 2000
AP 126

Bibliografia: "Notiziario
del Colore" 1965, ill. p. 7;
cat. Rotterdam 1969, ill.
p. 16 (tav. 8); AAVV 1974,
ill. p. 118; Innocente 1977,
ill. p. 26; Gualdoni 1998,
pp. 20, 24

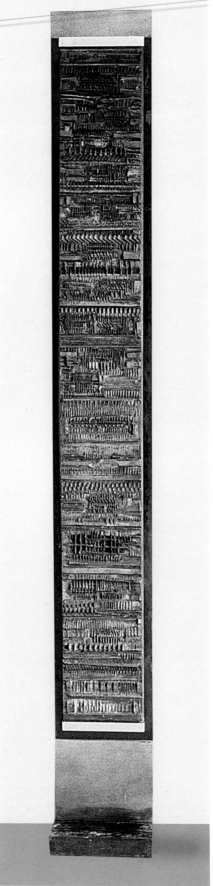

187

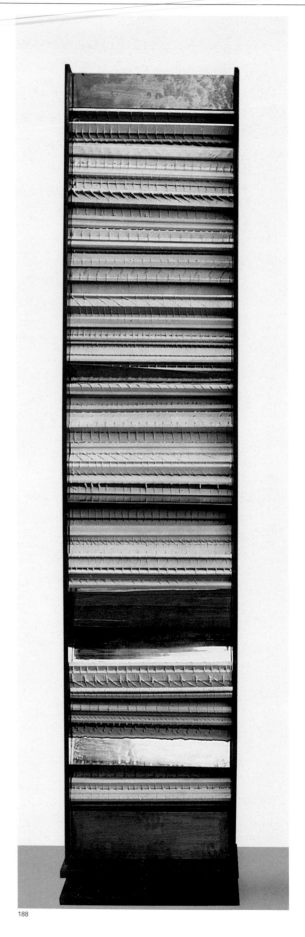

188

189
*La Colonna del viaggiatore,
1960, III*, 1960
ottone, 250 x 30 cm
esemplare unico
collezione privata
AP 123

Esposizioni: *Bruxelles 1963*
(ill. cat.)

Bibliografia: Ballo[2] 1962, ill.
tav. 8; AAVV 1974, ill. p. 225;
Gualdoni 1998, pp. 20, 24

190
*La Colonna del viaggiatore,
1960, IV*, 1960
bronzo, 250 x 30 cm
2 esemplari + 1 prova
d'artista
collezione privata; collezione
privata; Milano, asta Finarte
1990
AP 124

Esposizioni: *Firenze 1984*

Bibliografia: Hunter 1982,
ill. p. 61 (tav. 52); cat.
Columbus, OH 1983, ill. tavv.
54-55; Piccinini 1986; Bobba
1989, ill. p. 75; Cascella 1989,
ill. pp. 68-69; Tansini[1] 1995,
ill.; Gualdoni 1998, pp. 20, 24

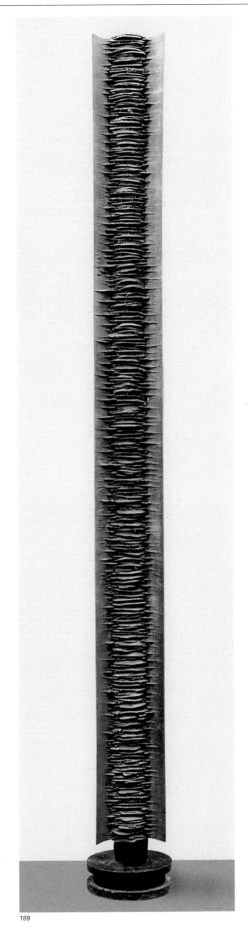

189

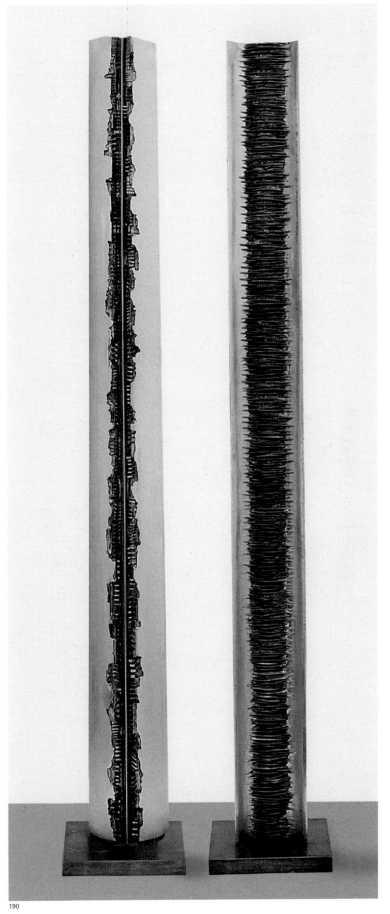

190

191
Colonna, 1960
bronzo, 36 x 8 cm
informazioni sconosciute
ubicazione sconosciuta
AP 123a

Esposizioni: Londra[1] 1961
(ill. tav. 22)

192
Astrolabia n. 60, 1960
ferro e rame, 240 x 50 cm
esemplare unico
ubicazione sconosciuta, già
Galleria d'Arte Moderna
Aroldo Bonzagni, Cento
AP 121

Esposizioni: Cento 1964

Bibliografia: "Notiziario
del Colore" 1965, ill. p. 7;
AAVV 1974, ill. p. 118

193
Studio, 1960
bronzo, 90 x 22 cm
esemplare unico
collezione privata
AP 146

Esposizioni: Los Angeles, CA
1962

194
Senza titolo, 1960
argento, 27,5 x 5 cm
esemplare unico
collezione privata
AP 130c I

Bibliografia: cat. "Sotheby's
MI160", Milano, 1999, p. 7

195
Senza titolo, 1960
bronzo, 25 x 30 cm
esemplare unico
collezione privata
AP 150a

196
Rilievo, 1960
argento e legno, 12,5 x 20 cm
esemplare unico
Milano, Galleria d'arte
Il Castello
AP 146a

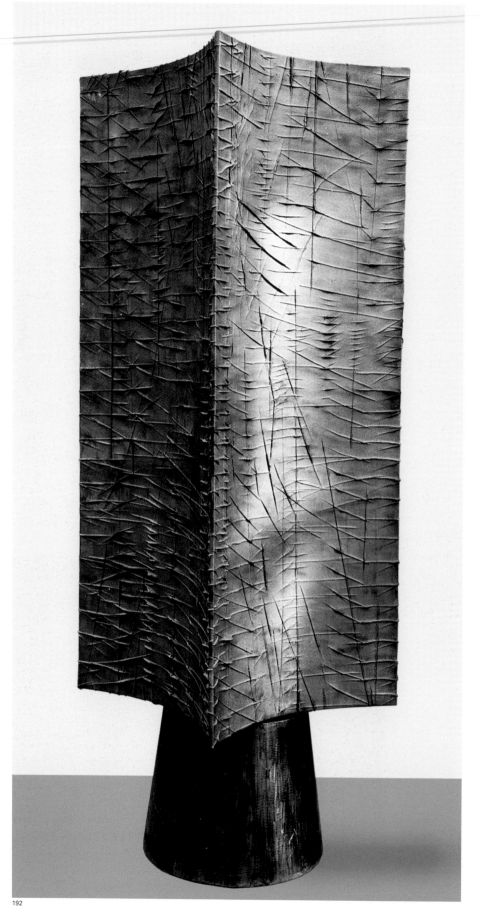

192

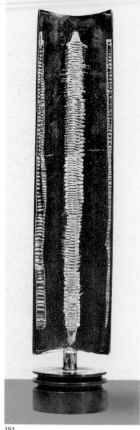

191

193

194

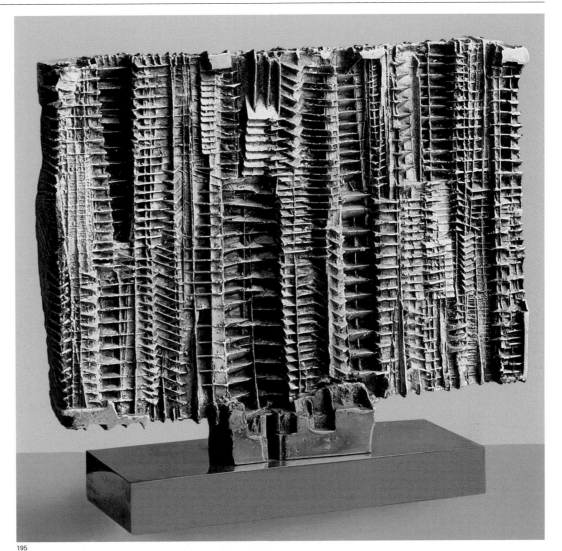

195

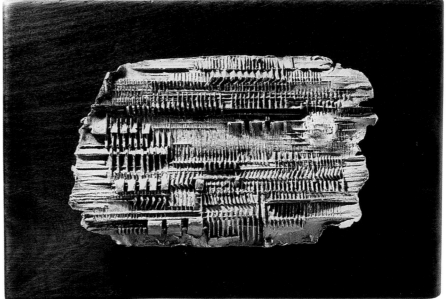

196

197
Studio, 1960
bronzo, 42 x 54 x 10 cm
2 esemplari + 1 prova
d'artista
Milano, collezione Paolo
Consolandi; collezione
privata; collezione
privata
(02 p.a.)
AP 151

198
Senza titolo, 1960
argento, 10,5 x 5,2 x 1,3 cm
esemplare unico
Milano, collezione privata
AP 140c

199
Senza titolo, 1960
argento, 10,1 x 5,1 x 1,2 cm
esemplare unico
collezione Paule Anglim
AP 174f

198

201

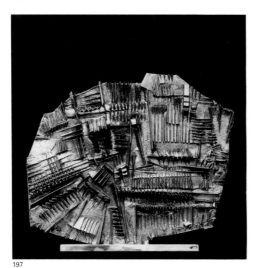

197

200
Senza titolo, 1960
argento, 11,4 x 5,7 x 1,2 cm
esemplare unico
Beverly Hills, collezione
privata
AP 174e

201
Scatola, 1960
bronzo, 55 x 40 x 20 cm
esemplare unico
collezione privata
AP 148

Bibliografia: T.H. 1962, ill.

202
Studio, 1960
bronzo, 21 x 23 x 12 cm
esemplare unico
collezione dell'artista
AP 155a

203
Studio, 1960
bronzo, 54 x 40 cm
3 esemplari + 1 prova
d'artista
collezione privata; collezione
privata (03 p.a.)
AP 149

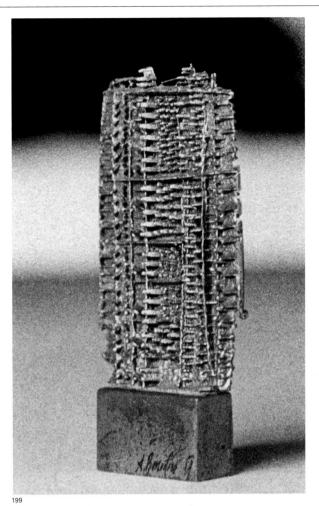

199

200

202

203

204
Studio, 1960
argento e ottone argentato,
13 x 10 cm
esemplare unico
collezione privata
AP 141

Esposizioni: Spoleto 1960

Bibliografia: Hunter 1982,
ill. p. 45 (tav. 31)

205
Studio, 1960
argento e ottone argentato,
15 x 20 cm
esemplare unico
collezione privata
AP 144

Esposizioni: Spoleto 1960;
Roma 1965 (ill. p. 15)

Bibliografia: Hunter 1982,
ill. p. 45 (tav. 31)

206
Studio, 1960
argento, 18 x 24 cm
esemplare unico
collezione privata
AP 143

Esposizioni: *Los Angeles, CA
1962* (ill. cat.); *Roma 1965*
(ill. p. 13)

Bibliografia: Dorfles 1961, ill.

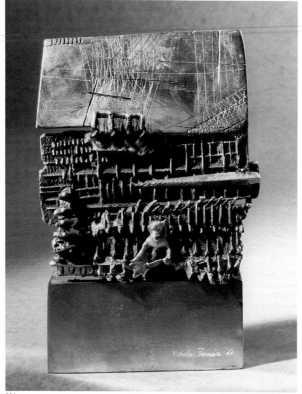

204

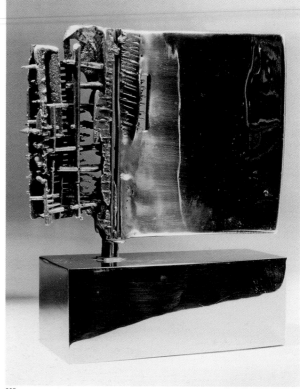

205

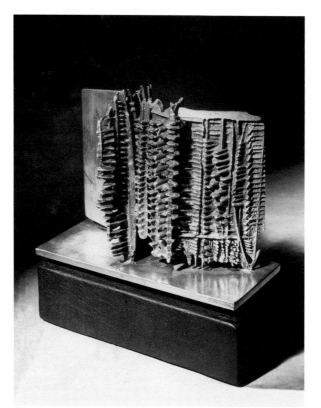

206

207

207
Studio, 1960
argento, 12,5 x 17 x 10 cm
esemplare unico
Spoleto, Galleria civica
d'Arte moderna
AP 151a

208
Studio I, 1960
piombo, 30 x 10 cm
esemplare unico
ubicazione sconosciuta
AP 132 I

Esposizioni: *Roma 1965*
(ill. p. 10)

Bibliografia: "Sele Arte"[2]
1960, ill. n. 226; "Il Lavoro"
1978, ill.

209
Studio II, 1960
a) piombo, 30 x 15 cm
1 esemplare
collezione dell'artista
b) argento, 30 x 15 cm
1 esemplare
collezione privata
AP 132 II

208

209

210
Studio III, 1960
argento, 15 x 12 cm
esemplare unico
collezione privata
AP 132III

211
Croce, 1960
a) piombo, 31 x 31 x 5,5 cm
1 esemplare
collezione privata
b) bronzo, 34 x 34 x 5,5 cm
1 esemplare
collezione dell'artista
AP 121a

212
Croce, 1960
argento, 26,5 x 21 cm
esemplare unico
ubicazione sconosciuta
AP 121b

213
Studio, 1960-1961
bronzo e legno, 76 x 60 cm
1 esemplare + 1 prova
d'artista
collezione privata; collezione
privata
AP 155

211

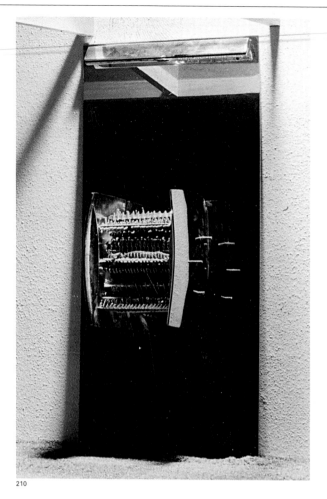

210

212

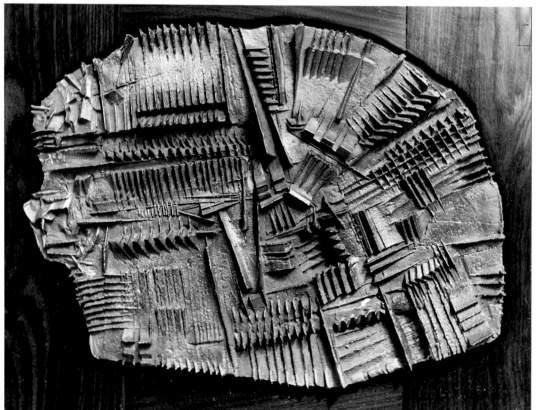

213

214

Scatola, 1960-1961 circa
bronzo
informazioni sconosciute
ubicazione sconosciuta
AP 154b

Esposizioni: Parigi 1963
(ill. p. 37)

215

Scatola, 1960-1961
bronzo, 58,5 x 34,5 x 8 cm
2 esemplari + 1 prova d'artista
Milano, asta Finarte 1032,
18 dicembre 1997, n. 370
(1/2); collezione privata;
Napoli, collezione Antonio
Materazzi (02 p.a.)
AP 154

Bibliografia: cat. "Finarte
1032", Milano, 1997, n. 154,
ill. p. 108

216

*La Colonna del viaggiatore,
1960/61*, 1960-1961
bronzo, 275 x 40 x 45 cm
2 esemplari + 1 prova
d'artista
Londra, asta Sotheby's, 20
ottobre 2003 (1/2); collezione
privata; collezione dell'artista
(02 p.a.)
AP 112

Riprodotta nel Tomo I
a p. 106

Esposizioni: Pittsburgh, PA
1961-1962; *Intra 1975* (ill. tav.
6); *Parigi*[1] *1976* (ill. tav. 3);
Palma Campania 1982;
Firenze 1984 (ill. p. 64);
Malcesine 1987 (ill. tav. 5);
Novara 1989; *Rimini 1995* (ill.
pp. 52, 53)

Bibliografia: "Sele Arte"
1962, ill.; cat. Rotterdam
1969, ill. p. 16 (tav. 6);
Innocente 1977, ill. p. 26;
Burnett Jr.[1] 1978, ill.; "Vogue
Italia" 1978, ill. p. 162; Sozzi
1995, ill. p. 118; Gualdoni
1998, pp. 20, 24 (ill. p. 11);
cat. "Sotheby's L03624",
Londra, 2003, n. 30, ill. p. 87

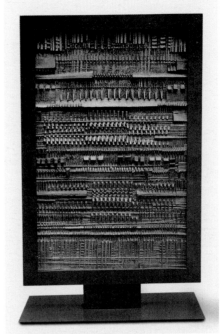

214

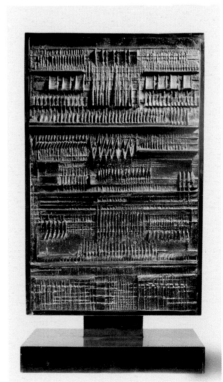

215

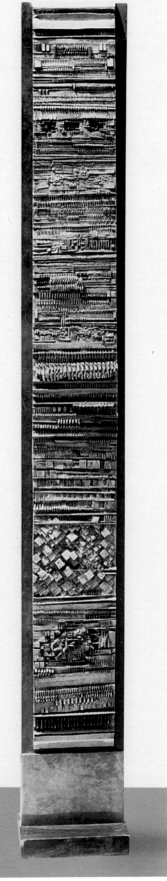

216

217

218

219

234
Tavola dei segni, 1961, II,
1961
bronzo, 131,5 x 48 x 3,5 cm
2 esemplari + 1 prova
d'artista
collezione privata (1/2);
collezione privata, courtesy
galleria Giò Marconi, Milano
(2/2); collezione privata
AP 170

235
La Colonna del viaggiatore,
studio, 1961
bronzo, 142 x 41 x 4 cm
2 esemplari + 1 prova
d'artista
collezione privata; collezione
privata; Milano, collezione
privata (02 p.a.)
AP 174

Esposizioni: Genova 1973

Bibliografia: Gualdoni 1998,
pp. 20, 24

234

235

236
La Colonna del viaggiatore,
1961
bronzo, 134 x 29 x 8,5 cm
esemplare unico
Colonia, collezione Mr.
& Mrs. Alfred Otto Müller
AP 160a

Bibliografia: Lucie-Smith
1976, ill. p. 360; Zerio 1993,
ill. p. 119

237
Scatola, 1961
bronzo, 70 x 28 x 8 cm
2 esemplari + 1 prova
d'artista
Milano, asta Finarte 960,
12 dicembre 1995, n. 240
(1/2); collezione privata;
collezione privata, courtesy
galleria Giò Marconi, Milano
AP 172

Bibliografia: "Scultura"[2]
1982, ill. p. 9; cat. "Finarte
960", Milano, 1995, n. 240,
ill. p. 69

238
Scatola, 1961
bronzo, 62,5 x 25 x 21 cm
2 esemplari + 2 prove
d'artista
collezione privata (1/2);
collezione privata (2/2);
collezione Folini (02 p.a.);
collezione privata (p.a.)
AP 150

Esposizioni: New York, NY
1961 (ill. cat.)

Bibliografia: Hunter 1982,
ill. p. 46 (tav. 35);
cat. "Lempertz 804", Colonia
2001, n. 386, ill. p. 236

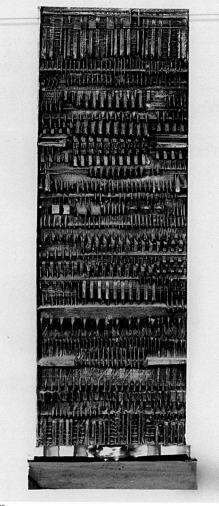

237

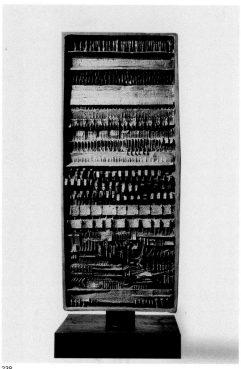

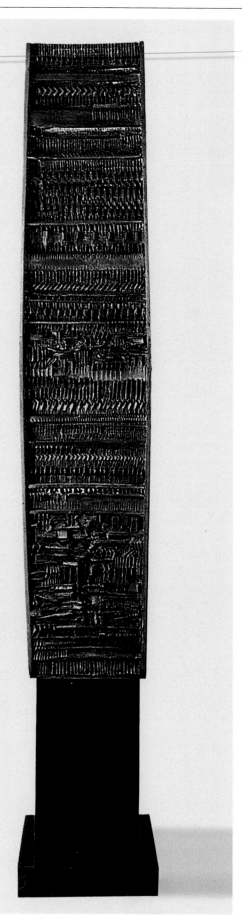

236

238

239
Tavola della memoria, 1961
a) piombo,
237,5 x 201 x 32,5 cm
1 esemplare
collezione privata
b) bronzo,
237,5 x 201 x 32,5 cm
2 esemplari + 1 prova
d'artista
collezione privata; collezione
privata (2/2); San Francisco,
CA, Museo Italo Americano,
collezione permanente
AP 159

Esposizioni: Alghero 1978
(ill. cat.); Chicago[2], IL 1983
(ill. p. 60)

Bibliografia: "The Art
Newspaper" 1993, ill.

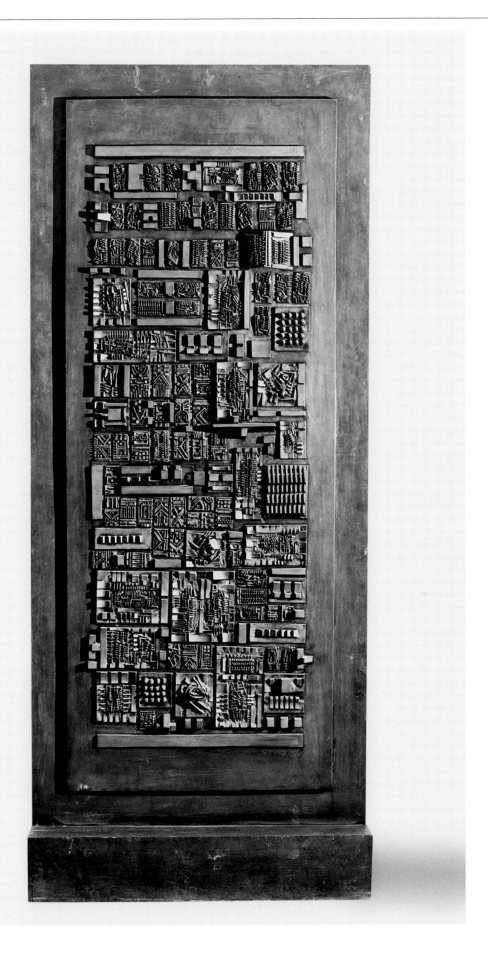

239

240
Senza titolo, 1961
argento, 10,5 x 8,5 cm
esemplare unico
collezione privata
AP 174b I

241
Senza titolo, 1961
bronzo, 19,6 x 9,9 x 2,5 cm
esemplare unico
collezione privata
AP 174b III

242
Senza titolo, 1961
argento, 10 x 5 cm
esemplare unico
collezione privata
AP 130b II

243
Senza titolo, 1961
argento, 12 x 6 cm
esemplare unico
collezione Argan
AP 174d

244
Senza titolo, 1961
argento, 12 x 10 cm
esemplare unico
collezione privata
AP 174b II

245
Senza titolo, 1961
argento, 20,3 x 5,4 x 4,5 cm
esemplare unico
Phoenix, AZ, Phoenix Art
Museum, dono di Orme
Lewis
AP 159b

246
Senza titolo, 1961
argento, 10,8 x 6,4 x 2,5 cm
esemplare unico
San Francisco, CA, asta
Butterfield & Butterfield
5125U, 25 ottobre 1992
AP 174c

Bibliografia: cat. "Butterfield
& Butterfield 5125U",
San Francisco, CA, 1992,
n. 2291, ill. p. 35

240

241

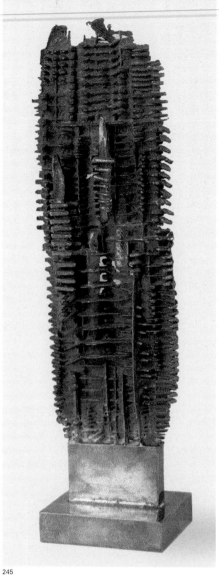

245

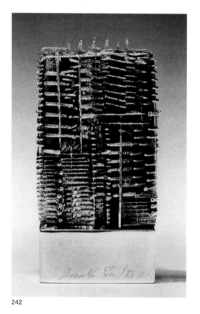

242

243

244

246

247
Cattedrale, 1961
argento dorato e ferro,
50 x 31 x 3,5 cm
esemplare unico
collezione privata
AP 173a

248
Studio, 1961
argento, 18 x 9 cm
esemplare unico
collezione privata
AP 161

249
Studio, 1961
argento, 16 x 25 cm
esemplare unico
collezione privata, courtesy
galleria Giò Marconi, Milano
AP 159a

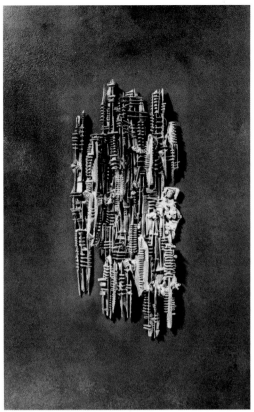

247

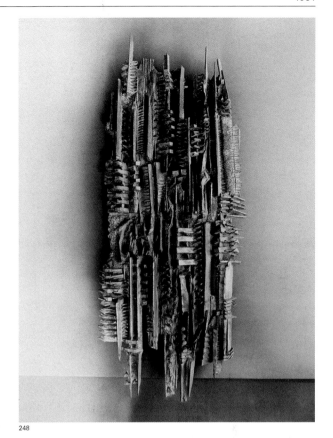

248

249

250
Scultura con pietra, I, 1961
bronzo argentato e geode
di quarzo
informazioni sconosciute
esemplare unico
collezione privata
AP 158a

Esposizioni: Roma 1961

251
Scultura con pietra, V, 1961
bronzo argentato e pietra,
14 x 25 cm
esemplare unico
collezione privata
AP 158e

252
Scultura con pietra, XI, 1961
bronzo ramato e quarzo
brasiliano
informazioni sconosciute
esemplare unico
ubicazione sconosciuta
AP 158m

Esposizioni: Roma 1961

253
Scultura con pietra, X, 1961
bronzo patinato e quarzo
tormalinato, 43 x 41 x 10 cm
esemplare unico
Colciago, collezione Cimellaro
AP 158l

Esposizioni: Roma 1961

250

251

252

253

254
Scultura con pietra, VII, 1961
bronzo e pietra
informazioni sconosciute
esemplare unico
ubicazione sconosciuta
AP 158g

255
Scultura con pietra, II, 1961
argento e celestina minerale,
14 x 10 cm circa
esemplare unico
collezione privata
AP 158b

Bibliografia: b. 1961, ill.

256
Scultura con pietra, III, 1961
argento e tormalina
informazioni sconosciute
esemplare unico
ubicazione sconosciuta
AP 158c

Esposizioni: Roma 1961

Bibliografia: b. 1961, ill.

257
Scultura con pietra, IV, 1961
argento e quarzite,
12 x 10 cm
esemplare unico
collezione privata
AP 158d

Esposizioni: Roma 1961
(ill. cat.)

254

255

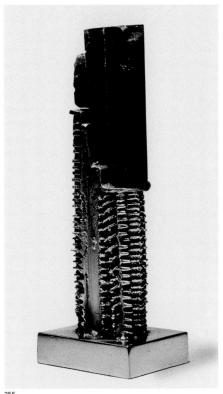

256

257

258
Scultura con pietra, VI, 1961
bronzo e pietra,
32,5 x 38 x 7,5 cm
esemplare unico
collezione privata
AP 158f

259
Scultura con pietra, VIII, 1961
bronzo e pietra
informazioni sconosciute
esemplare unico
ubicazione sconosciuta
AP 158h

260
Scultura con pietra, IX, 1961
bronzo argentato e agata
listata, 37 x 34,7 x 11,5 cm
esemplare unico
Gubbio, Collezione Comunale
AP 158i

Esposizioni: Gubbio 1961

Bibliografia: Bonomi 2002,
ill. p. 21

261
Base per quarzite, 1961
bronzo e quarzite,
21 x 34 x 34 cm
esemplare unico
Roma, collezione privata
AP 158n

258

259

260

262
Studio, 1961
bronzo, 36 x 37 x 7 cm
2 esemplari + 1 prova
d'artista
collezione privata; collezione
privata; collezione dell'artista
AP 168

263
Studio, 1961
bronzo, 46 x 33 x 9 cm
2 esemplari + 2 prove
d'artista
collezione privata (1/2);
Milano, asta Finarte 1250,
8 giugno 2004, n. 361;
collezione privata; collezione
dell'artista
AP 167

264
The column, 1961
bronzo, 10 x 80 x 12 cm circa
esemplare unico
collezione privata
AP 171

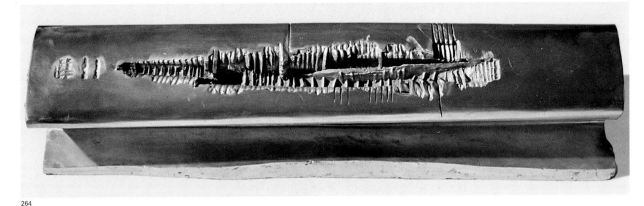

264

262

263

261

265
Colonna, studio, 1961
ottone e piombo, 30 x Ø 6 cm
esemplare unico
collezione privata
AP 160

Bibliografia: cat. Rotterdam
1969, ill. p. 16 (tav. 9)

266
Rilievo, 1961
bronzo, 62 x 83 x 15 cm
2 esemplari + 1 prova
d'artista
Fondazione Emilio Carlo
Mangini; collezione privata
(2/2); collezione privata
AP 164a

267
The egg, 1961
bronzo, 58 x 42 x 17,8 cm
esemplare unico
New York, NY, asta Sotheby's
6775, 16 novembre 1995,
n. 274
AP 169

Bibliografia: cat. "Sotheby's
6775", New York, NY, 1995,
ill. n. 274

268
La ruota, 1961
a) alluminio, 55 x Ø 115 cm
1 esemplare
Città del Messico, Museo
de Arte Contemporaneo
Internacional Rufino Tamayo,
Conaculta / INBA (03 p.a.)
b) bronzo, 55 x Ø 115 cm
2 esemplari + 1 prova d'artista
Ridgefield, CT, The Aldrich
Museum of Contemporary
Art; collezione privata;
Milano, FAP (02 p.a.)
AP 162

Riprodotta nel Tomo I
a p. 108

Esposizioni: Colonia 1961;
Parigi 1961; *Ginevra 1962*
(ill. cat.); Milano 1962 (ill.
cat.); *Parigi 1962* (ill. in
copertina); *Bruxelles 1963*
(ill. cat.); Parigi 1963; San
Paolo 1963; *La Chaux-de-
Fonds 1965; New York, NY
1965* (ill. cat.); *Roma 1965*
(ill. p. 6); *Berkeley, CA 1970-
1971* (ill. p. C); *Milano² 1974*
(ill. p. 32); *Parigi¹ 1976* (ill.
tav. 7); *Firenze 1984* (ill. p.
86); *Malcesine 1987* (ill. tav.
4); *Novara 1989; Kanagawa
1994* (ill. p. 33); *Rimini 1995*
(ill. p. 47)

Bibliografia: Albertoni 1962,
ill. p. 56; Ballo² 1962, ill.
p. 53; "Fanfulla" 1963, ill.;
Ballo¹ 1964, p. 72; cat.
Rotterdam 1969, ill. p. 20
(tav. 22); AAVV 1974, ill. pp.
126-127; "Bolaffiarte" 1976,

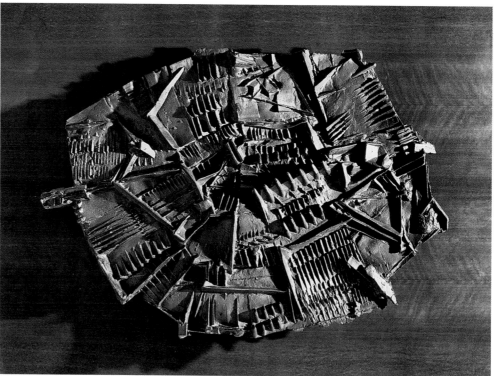

266

267

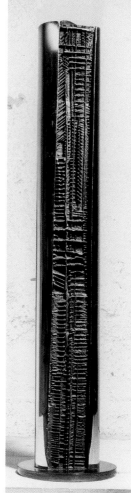

265

ill.; Schefer 1976; Hunter 1982, ill. p. 57; Rosenthal 1983, p. 7; Lelj 1984, ill.; Mussa² 1984, pp. 13, 14; "Artinumbria" 1986, ill.; Mussa² 1988, p. 54; "Tj - Ticket Jack" 1994, ill. p. 91; Hunter¹ 1995, p. 80 (ill. pp. 81, 83); Cerri² 1997, ill. p. 93; Gualdoni 1998, p. 24 (ill. p. 20); Ginesi¹ 1999, ill. pp. 20-21; *Scritti critici per Arnaldo Pomodoro* 2000, ill. p. 318

269

Il cubo, 1961-1962
bronzo, 59 x 109 x 109 cm
2 esemplari + 1 prova d'artista
Buffalo, NY, Albright Knox
Art Gallery; collezione
privata, courtesy Guggenheim
Asher Associates (2/2);
Milano, FAP
AP 176

Riprodotta nel Tomo I
a p. 109

Esposizioni: Los Angeles, CA *1962*; *La Chaux-de-Fonds 1965*; *New York, NY 1965* (ill. cat.); *Roma 1965* (ill. p. 16); *Berkeley, CA 1970-1971* (ill. p. D); *Milano² 1974* (ill. tav. 37); *Parigi¹ 1976* (ill. tav. 6); Palma Campania 1982; *Columbus, OH 1983-1985* (ill. tav. 9); *Firenze 1984* (ill. pp. 94, 95); *Milano¹ 1984* (ill. tav. 14); *Malcesine 1987* (ill. tav. 6); Venezia² 1988; *Kanagawa 1994* (ill. p. 34); *Rimini 1995* (ill. pp. 42, 43, 44-45); *Terni 1995-1996* (ill. pp. 50-51); *Finalborgo 1997* (ill. p. 21); *Ancona¹ 1998* (ill. p. 28)

Bibliografia: Contemporary Art - Acquisitions 1962-1965 1966, ill. p. 74; Freudenheim, Pomodoro 1970, p. C; Jaszi 1970, ill.; AAVV 1974, ill. p. 13; Rosenthal 1983, p. 8; Gualdoni 1984, ill.; Carandente⁴ 1988, p. 57; Fabiani 1988, ill. p. 105; Mussa² 1988, p. 54; Caprile³ 1997, p. 11; Gualdoni 1998, pp. 20, 25 (ill. p. 23); *Scritti critici per Arnaldo Pomodoro* 2000, ill. p. 319

268

269

270
La porta, 1961-1962
bronzo, 300 x 130 cm
2 esemplari
collezione privata;
collezione privata
AP 178

Esposizioni: *Los Angeles, CA
1962* (ill. cat.); *Bruxelles 1963*
(ill. cat.); Parigi 1963;
Pittsburgh, PA 1964-1965;
Los Angeles, CA 1968
(ill. tav. 45)

271
Scatola, 1961-1962
bronzo, 45 x 25 cm
3 esemplari
collezione privata; collezione
privata; collezione privata
AP 179

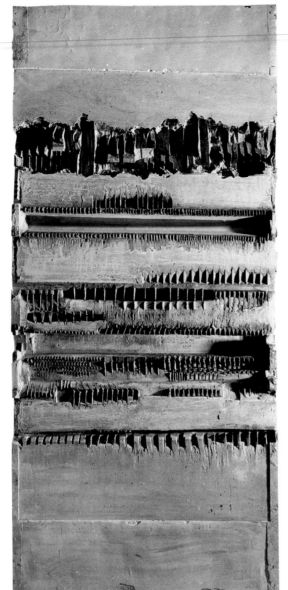

270

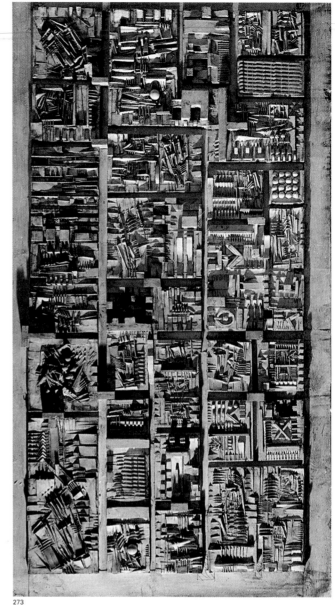

273

272
La Colonna del viaggiatore,
1961/62, I, 1961-1962
bronzo, 250 x Ø 40 cm
2 esemplari + 1 prova
d'artista
collezione privata, già Albert
A. List Family Collection;
collezione privata; collezione
privata, courtesy galleria
Giò Marconi, Milano
AP 175

Esposizioni: Ginevra 1962
(ill. cat.); *Bruxelles 1963* (ill.
cat.); San Paolo 1963; Milano[1]
1963-1964 (ill. p. 46); Venezia
1964; New York[1], NY 1965
(ill. p. 23); *Firenze 1984*
(ill. pp. 72, 73, particolare)

Bibliografia: "ABC" 1964, ill.;
Buzzati[2] 1964, ill.; Carluccio[1]
1964, ill.; Mascherpa[2] 1964,
ill.; Restany[1] 1964, ill.; Ronco
1964, ill.; Willi 1964, ill.; cat.
Rotterdam 1969, ill. p. 16
(tav. 10); Lambertini 1971, ill.;
cat. coll. Milano 1972, ill.
p. 222, particolare; Mottola
Molfino 1972, ill.; De Marchi
1974, ill. p. 451; Innocente
1977, ill. p. 26; Hunter 1982,
ill. p. 67; Muti 1991, ill. p.
384; Piccioli 1991, ill. p. 149;
P. 1992, ill. p. 173; Vergani
1996, ill. p. 102; Caprile[3]
1997, p. 11; "Case da
Abitare" 1997, ill. p. 44;
Gualdoni 1998, pp. 20, 24;
cat. "Finarte 1201", Roma,
2003, ill.

273
Grande tavola dei segni,
1961/62, 1961-1962
a) bronzo, versione con
1 faccia, 218 x 119 x 10 cm
1 esemplare + 2 prove
d'artista
collezione privata "dell'Orso"
(1/2); collezione privata
(119 x 218 x 10 cm);
collezione privata (p.a. II,
119 x 218 x 10 cm)
b) bronzo, versione con
2 facce, 220 x 119 x 28 cm
1 esemplare
collezione privata (2/2)
AP 177

Esposizioni: Columbus, OH
1983-1985 (ill. tav. 8)

Bibliografia: cat. coll. Milano
1972, ill. p. 19; AAVV 1974,
ill. pp. 92-93; Hunter 1982, p.
92; Holo 1985, ill.; McKenna
1985, ill.

271

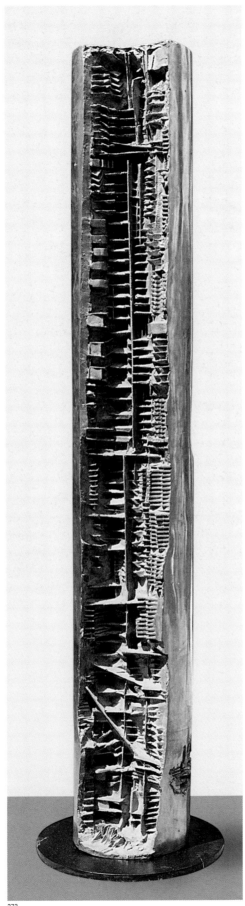

272

274

Fregio, 1961-1962
bronzo, 15 x 109 x 4 cm
2 esemplari + 3 prove
d'artista
collezione privata; New York,
NY, Sigrid Freundorfer Fine
Art (2/2); collezione privata;
collezione privata; Milano,
collezione privata
AP 175c

Esposizioni: Boston, MA 1984

275

Bassorilievo, 1961-1962
bronzo, 52 x 59 cm
2 esemplari + 2 prove d'artista
collezione privata; collezione
privata; Milano,
asta Sotheby's MI205,
26 novembre 2002, n. 304;
collezione privata (p.a.)
AP 175b

Bibliografia: cat. "Sotheby's
MI205", Milano, 2002, n. 305,
ill. p. 105

276

Tavola dei segni, 1962, III,
1962 circa
informazioni sconosciute
esemplare unico
ubicazione sconosciuta
AP 174al

Esposizioni: Ginevra 1962
(ill. cat.)

274

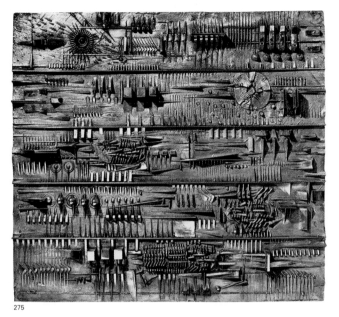

275

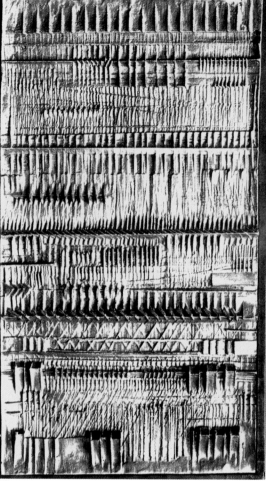

276

277
Tavola dei segni, 1962, I,
1962
bronzo, 47 x 112,5 x 5,5 cm
2 esemplari + 1 prova
d'artista
collezione privata; Essen,
Museum Folkwang;
collezione Antonio Piva
AP 180

278
Tavola dei segni, 1962, II,
1962
bronzo, 38 x 76,2 x 5,8 cm
2 esemplari + 1 prova
d'artista
collezione Bia Cappello
Taglioretti; collezione
Dr. Gabrielle H. Reem
e Dr. Herbert Kayden;
collezione privata
AP 191

279
Bassorilievo, 1962
bronzo, 27,5 x 68,5 cm
2 esemplari + 1 prova
d'artista
collezione privata PLG (1/2);
Londra, asta Christie's, 28
giugno 2002 (2/2); collezione
privata
AP 183

Bibliografia: "Arte" 1993,
ill. p. 96

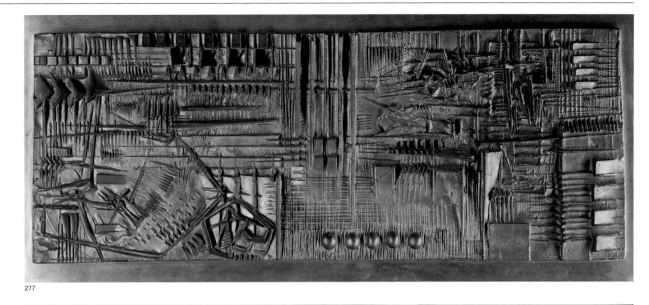

277

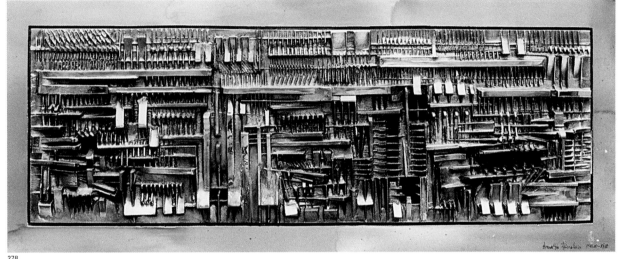

278

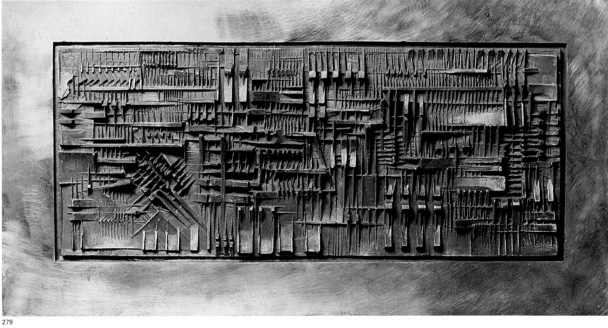

279

280
Bassorilievo, 1962
bronzo, 31 x 58 cm
2 esemplari + 1 prova
d'artista
collezione privata (1/2);
collezione privata; Lugano,
collezione Jacques H.
Schneider (02 p.a.)
AP 184

281
Bassorilievo, 1962
bronzo, 48 x 102 cm
2 esemplari + 1 prova
d'artista
collezione privata; collezione
privata, courtesy galleria Giò
Marconi, Milano; collezione
privata (02 p.a.)
AP 190

282
Bassorilievo, 1962
bronzo, 150 x 175 x 8 cm
2 esemplari + 1 prova
d'artista
collezione privata; collezione
privata; Venezia, Venice
Design Art Gallery
AP 202a

Esposizioni: Malcesine 1987
(ill. tav. 17)

283
Bassorilievo, 1962
bronzo dorato,
19,5 x 19,5 x 3 cm
3 esemplari + 2 prove
d'artista
collezione privata; Milano,
collezione privata (2/3);
collezione privata; collezione
privata; Milano, collezione
privata
AP 182

284
Bassorilievo, 1962
bronzo dorato, Ø 18 x 2,5 cm
3 esemplari + 1 prova
d'artista
collezione privata; collezione
privata; Milano, collezione
privata (3/3); collezione
privata
AP 181

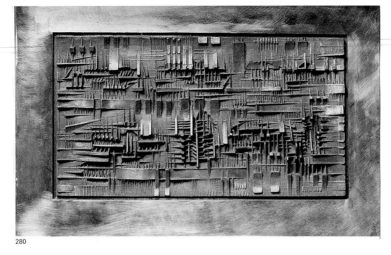

280

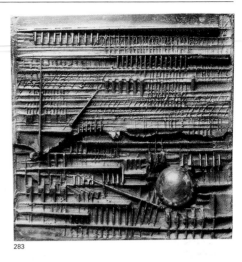

283

282

285
Radar, studio, 1962
a) bronzo, versione con
1 faccia, 60 x 60 x 17,8 cm
1 esemplare
Indianapolis, IN, Indianapolis
Art Center, dono della
Lannan Foundation, 1999
(1/2)
b) bronzo, versione con
2 facce, 60 x 60 x 17,8 cm
1 esemplare
collezione privata, courtesy
Marlborough Gallery
AP 198

Esposizioni: *Bruxelles 1963*

Bibliografia: AAVV 1974, ill.
p. 129; Gualdoni 1998, p. 24

286
Radar, studio, 1962
bronzo e ferro,
60 x 60 x 15 cm
esemplare unico
Hannover, Sprengel Museum
Hannover
AP 199

Esposizioni: *Los Angeles, CA
1962* (ill. cat.); Hannover 1963
(ill. p. 60)

Bibliografia: T.H. 1962, ill.;
Gualdoni 1998, p. 24

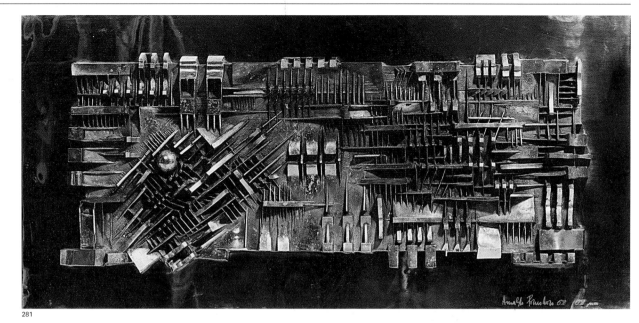

281

285

286

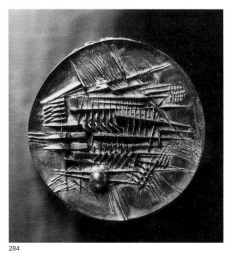

284

287
Radar n. 3, 1962
bronzo, Ø 113 x 50 cm
esemplare unico
Indianapolis, IN, Indianapolis
Art Center, dono della
Lannan Foundation, 1999
AP 202

Esposizioni: *Roma 1965*
(ill. p. 17)

Bibliografia: cat. Rotterdam
1969, ill. p. 21 (tav. 23); AAVV
1974, p. 131; Hunter 1982, ill.
p. 62; Troisi[1] 1997, p. 15;
Gualdoni 1998, p. 24 (ill. p.
19); Apuleo[1] 1999, ill. p. 20

288
Radar n. 2, 1962
bronzo, Ø 120 x 70 cm
2 esemplari + 1 prova
d'artista
New York, NY, asta
Sotheby's, 18 novembre
1999, n. 373; collezione
privata; Stoccolma, Marabou,
Upplands Väsby (02 p.a.)
AP 201

Esposizioni: *Bruxelles 1963*
(ill. cat.); Parigi 1963; San
Paolo 1963; *New York, NY
1965* (ill. cat.); *Stoccolma
1968*; *Milano[2] 1974* (ill. p. 36)

Bibliografia: Marc 1963, ill.;
Z. 1963, ill.; Mauricio[2] 1964,
ill.; AAVV 1974, ill. p. 12;
Beltrame 1974, ill. p. 23;
Hunter 1982, ill. p. 88; Von
Holten 1990, ill. p. 39; Hunter[1]
1995, p. 51 (ill. p. 59); Troisi[1]
1997, p. 15; Gualdoni 1998,
p. 24 (ill. p. 19); cat.
"Finarte"[2], Milano, 1999, ill.;
cat. "Sotheby's", New York,
NY 1999, n. 373, ill. p. 265

287

288

289
Omaggio al cosmonauta n. 1,
1962
bronzo, 160 x 160 x 45 cm
1 esemplare + 1 prova
d'artista
Washington, DC, Hirshhorn
Museum and Sculpture
Garden, Smithsonian
Institution, dono di Joseph
H. Hirshhorn; Boston,
One Center Plaza
AP 203

Esposizioni: Parigi 1962
(ill. cat.); *Bruxelles 1963;*
Parigi 1963; San Paolo 1963;
Venezia 1964; *La Chaux-de-*
Fonds 1965; New York, NY
1965 (ill. cat.); *Roma 1965*
(ill. p. 18); *Washington, DC*
1974-1975 (ill. p. 557)

Bibliografia: "Arte Casa"
1964, ill.; "Arte Oggi" 1964,
ill.; Dorfles[1] 1964, ill. pp. 144-
145; Dorfles[3] 1964, ill. p. 35;
Leydi 1964, ill.; Revel 1964,
ill. p. 10; Venturoli 1964, ill. p.
43; "Notizie Ultravox" 1966,
ill. p. 3; Nordland 1967, ill.;
cat. Rotterdam 1969, ill. p. 21
(tav. 24); Freudenheim,
Pomodoro 1970, p. C; AAVV
1974, ill. p. 188; Hunter 1982,
ill. pp. 84, 121; Mussa[2] 1984,
p. 14; Goldstein 1985, p. 260
(ill. tav. 174); Selz 1985,
p. 124; Prina[2] 1998, p. 52

289

290
Omaggio al cosmonauta n. 2,
1962
a) bronzo, versione con
1 faccia, 82 x 82 x 18 cm
2 esemplari
collezione privata; collezione
privata
b) bronzo, versione con
2 facce, 82 x 82 x 18 cm
1 esemplare
Anversa, Koninklijk Museum
voor Schone Kunsten
AP 204

Esposizioni: Londra 1962
(ill. tav. 30); *Bruxelles 1963*
(ill. cat.)

Bibliografia: Mussa[2] 1984,
p. 14; Selz 1985, p. 124;
Prina[2] 1998, p. 52 (ill. p. 36)

290

291
Radar n. 1, 1962
bronzo, 200 x 80 x 100 cm
2 esemplari + 1 prova
d'artista
collezione dell'artista (1/2);
Cuneo, Collezione La Gaia
(2/2); Londra, asta Sotheby's
L02955, 21 ottobre 2002,
n. 56 (02 p.a.)
AP 200

Riprodotta nel Tomo I
a p. 112

Esposizioni: *Parigi 1962* (ill.
cat.); *Bruxelles 1963* (ill. cat.);
Parigi 1963; *La Chaux-de-
Fonds 1965*; Bruxelles 1969;
Colonia 1969; *Rotterdam
1969* (ill. p. 20, tav. 17);
Berkeley, CA 1970-1971;
Milano[2] 1974 (ill. tav. 35);
Parigi[1] 1976 (ill. tav. 8);
Bruxelles 1979; *Firenze 1984*
(ill. pp. 23, 75); *Rimini 1995*
(ill. p. 41); *Terni 1995-1996*
(ill. p. 53)

Bibliografia: Kietzmann[1]
1970, ill.; AAVV 1974, ill. p.
130; Davoli 1978, ill.; *Maestri
contemporanei* 1978, ill. tav.
3; Du Bois 1979, ill.; Hunter
1982, ill. p. 63; Rosenthal
1983, p. 6; Mulas 1985, ill.;
Costa, Taveggia 1986, ill. p.
32; Fabiani 1988, ill. pp. 104,
106-107; Hunter[1] 1995, p. 51
(ill. pp. 55, 101); Cerri[2] 1997,
ill. p. 93; Troisi[1] 1997, p. 15;
Gualdoni 1998, p. 24; *Scritti
critici per Arnaldo Pomodoro*
2000, ill. p. 321; cat.
"Sotheby's L02955", Londra,
2002, n. 56, ill. p. 141

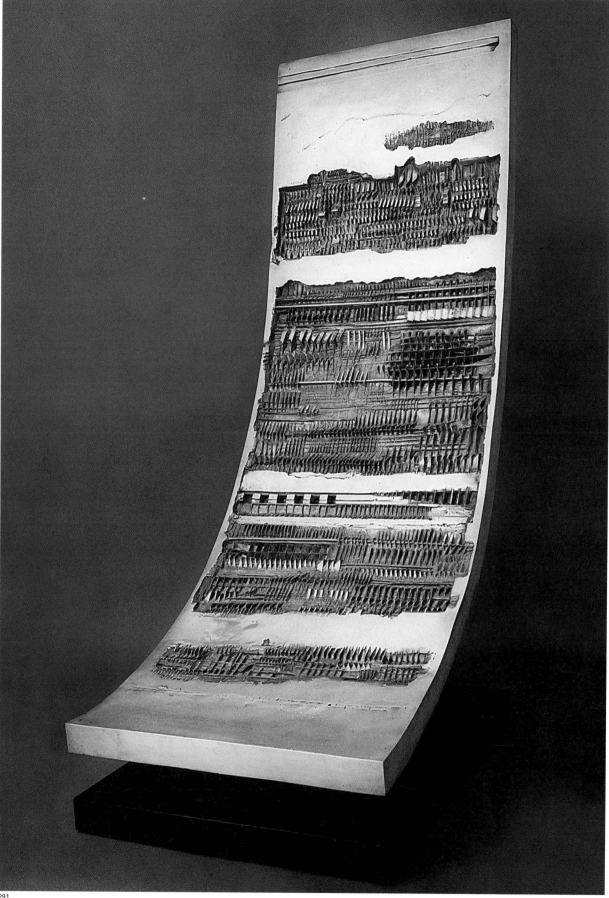

291

292
Studio, 1962
bronzo, 22 x 12,5 x 8,5 cm
esemplare unico
Milano, Galleria d'arte
Il Castello
AP 188a

Bibliografia: cat. "Christie's
2349", Milano, 1999, ill. p. 53

293
Studio, 1962
bronzo, 18 x 12,7 x 7,9 cm
esemplare unico
Washington, DC, Hirshhorn
Museum and Sculpture
Garden, Smithsonian
Institution, dono di Joseph
H. Hirshhorn, 1966
AP 188 V

Esposizioni: Bruxelles 1963
(ill. cat.)

294
Studio, 1962
bronzo, 18 x 14 cm
esemplare unico
collezione privata
AP 188 I

295
Studio, 1962
bronzo dorato, 33 x 26 cm
2 esemplari + 1 prova
d'artista
collezione privata; collezione
privata (2/2); collezione
privata
AP 206a

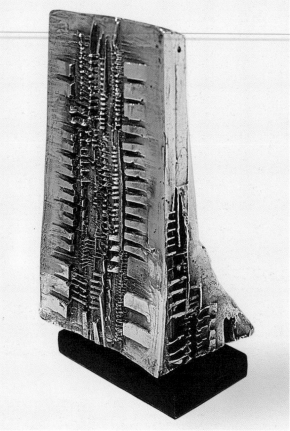

292

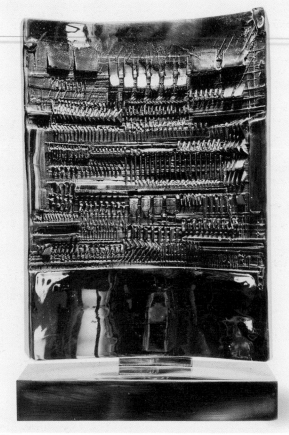

293

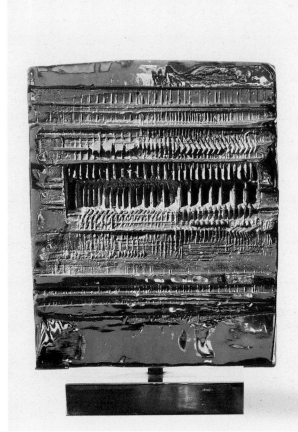

294

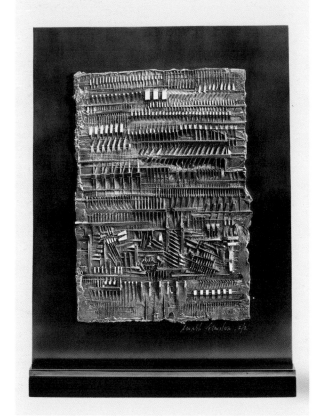

295

296
Studio, 1962
argento, 22 x 14 cm
esemplare unico
collezione privata
AP 187

297
Studio, 1962
argento, 16 x 23 cm
esemplare unico
collezione privata
AP 186

298
Studio per scatola, 1962
argento, 18 x 14,5 x 3 cm
2 esemplari + 1 prova
d'artista
collezione privata (1/2);
collezione privata (2/2);
collezione privata
AP 197

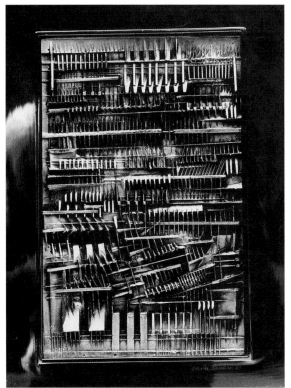

296

298

297

299
Studio n. 1 per scatola, 1962
bronzo, 30 x 19 cm
esemplare unico
Bruxelles, Societé
des Expositions Palais
des Beaux-Arts
AP 192

300
Studio n. 2 per scatola, 1962
bronzo, 18 x 19 cm
esemplare unico
collezione privata
AP 193

Esposizioni: Stoccolma 1968

301
Studio n. 3 per scatola, 1962
bronzo, 20 x 17 cm
esemplare unico
Firenze, collezione privata
AP 194

Esposizioni: Firenze 2003
(ill. p. 226, n. 175)

302
Studio n. 4 per scatola, 1962
bronzo, 35 x 17 cm
esemplare unico
collezione privata
AP 195

300

299

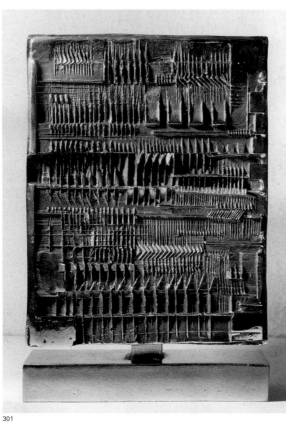

301

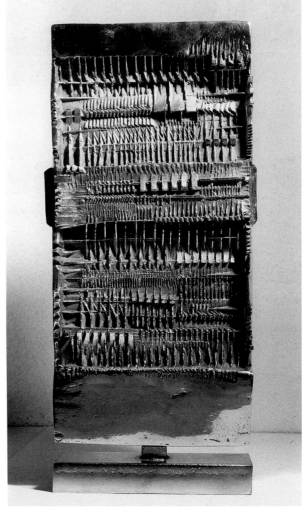

302

303
Scatola, 1962
bronzo, 67 x 27 x 10 cm
2 esemplari + 1 prova
d'artista
collezione privata; collezione
privata; Milano, FAP
(02 p.a.)
AP 197b

Esposizioni: Milano 1965
(ill. cat.); *Finalborgo 1997*
(ill. p. 24)

Bibliografia: Accorsi 1974,
ill. pp. 61, 62; Caprile[3] 1997,
p. 11; *Scritti critici per
Arnaldo Pomodoro* 2000,
ill. p. 320

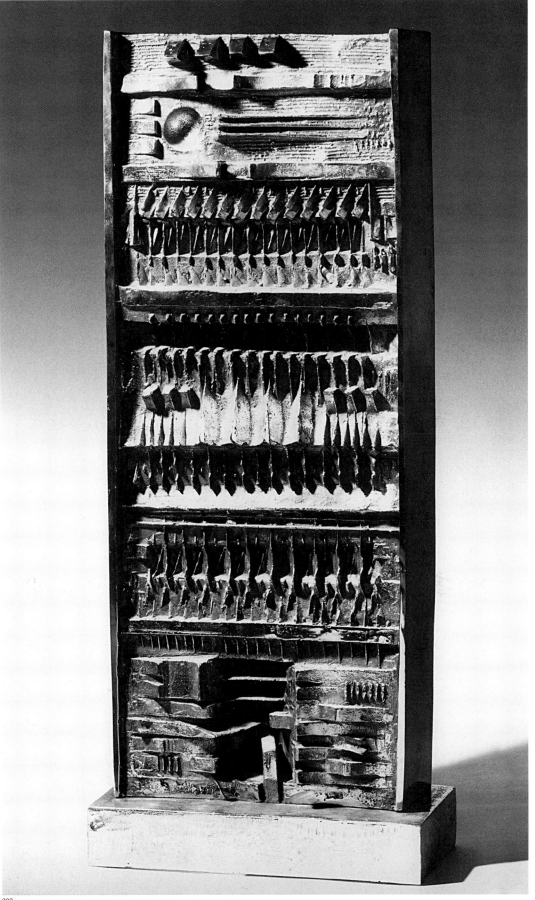

303

304
Studio n. 5 per scatola, 1962
bronzo, 25 x 15 cm
esemplare unico
Bruxelles, Societé
des Expositions Palais
des Beaux-Arts
AP 196

305
Scatola, 1962
bronzo, 87 x 54,5 cm
2 esemplari + 1 prova
d'artista
collezione privata (2/2)
AP 154c

Esposizioni: Roma 1986
(ill. cat.)

306
Senza titolo, 1962
argento, 14 x 8,7 x 2 cm
esemplare unico
Saarbrücken, Saarland
Museum Saarbrücken /
Stiftung Saarländischer
Kulturbesitz
AP 197a

Esposizioni: Saarbrücken
1966

Bibliografia: Schmeer 1967,
p. 314 (ill. p. 313); Költzsch
1989, p. 289

304

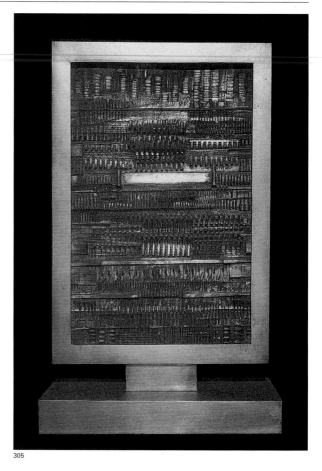

305

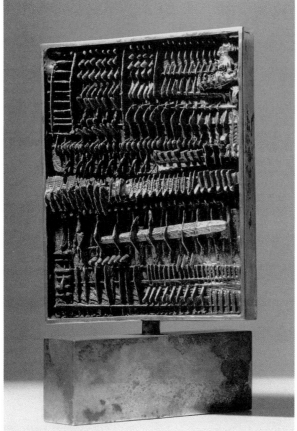

306

318
*La Colonna del viaggiatore,
1962, I*, 1962
a) ferro, 560 x Ø 60 cm
1 esemplare
Città di Spoleto
b) bronzo, 560 x Ø 60 cm
2 esemplari + 1 prova
d'artista
Palma di Maiorca, Es Baluard
Museu d'art modern i
contemporani de Palma;
collezione privata (2/2);
collezione dell'artista
AP 209

Riprodotta nel Tomo I
a p. 113

Esposizioni: Spoleto[1] 1962;
Milano[2] 1974 (ill. p. 41);
Firenze 1984 (ill. pp. 116, 117,
118); *Cesena[1] 1995* (ill. p. 19);
San Leo 1997-1998 (ill. p. 115);
Varese 1998-1999; Palma di
Maiorca 1999; *Palma di
Maiorca 1999*; Pavia 1999
(ill. p. 59); Carrara 2000
(ill. p. 315); *Sassoferrato 2001*
(ill. p. 145); *Parigi 2002*
(ill. p. 57)

Bibliografia: "Successo" 1962,
ill.; Valsecchi 1962, ill.; Dorfles[1]
1964, ill. p. 143; cat. New York,
NY 1965, ill.; cat. Roma 1965,
ill. pp. 22-23; cat. Rotterdam
1969, ill. pp. 14, 15; Carrieri
1972, ill. p. 58; AAVV 1974, ill.
p. 132; *Maestri contemporanei*
1978, ill. p. 2; Morais 1978, ill.
p. 33; Hunter 1982, ill. pp. 162-
163; Rosenthal 1983, p. 7;
Apuleo 1984, ill.; Kuscar[1] 1984,
ill.; Carandente 1992, pp. 20-
21 (ill. pp. 22, 63); Fabiani
1992, ill. p. 28; Barilli[1] 1995,
pp. 7-16; Carandente 1995,
pp. 11-20; Hunter[1] 1995, p. 76
(ill. p. 77); *Arnaldo Pomodoro.
"Sphere within a Sphere"*
1997, ill. p. 128; Calcagnini[4]
1997, p. 28 (ill. p. 27); Gheda
1997, p. 11 (ill.); Gualdoni
1998, p. 28; "Comune di San
Leo" 1999, ill.; Rivosecchi
2000, p. 314 (ill. p. 315);
Gualdoni[1] 2001, ill. p. 75;
Lambertini 2002, ill. p. 51;
Restany 2002, p. 15; Valerio
2002, ill. p.100; AAVV 2003,
ill. pp. 62-64, 66; Ferrario 2003,
ill. p. 33

318

319
*La Colonna del viaggiatore,
1962, II*, 1962
bronzo, 148 x Ø 40 cm
2 esemplari + 1 prova
d'artista
1 esemplare distrutto (1/2);
ubicazione sconosciuta
AP 209d

320
Colonna, 1962
bronzo, 260 x Ø 40 cm
2 esemplari + 1 prova
d'artista
Studio Copernico (1/2);
collezione privata (2/2);
collezione dell'artista (p.a.)
AP 209e

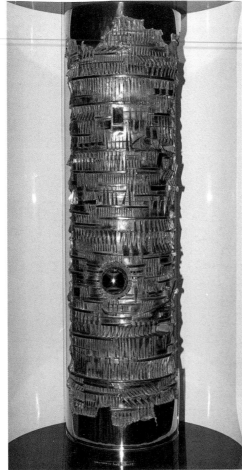

319

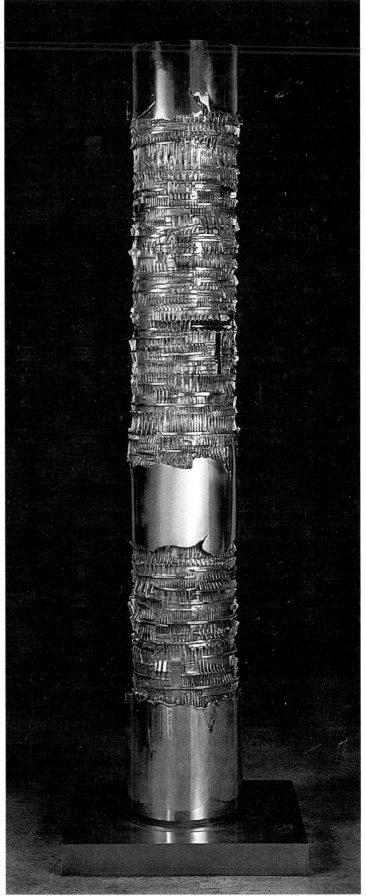

320

321
Semaforo, 1962
bronzo , 100 x 30 x 30 cm
1 esemplare + 1 prova
d'artista
collezione privata; Bruxelles,
Societé des Expositions
Palais des Beaux-Arts
AP 208

Esposizioni: *Parigi 1962* (ill.
cat.); *Bruxelles 1963* (ill. cat.);
Bruxelles 1968 (ill. tav. 113)

Bibliografia: cat. Rotterdam
1969, ill. p. 19 (tav. 16)

321

322
Studio, 1962
bronzo, Ø 35 cm circa
esemplare unico
collezione privata
AP 210

323
Studio, 1962
bronzo, 18 x 12 cm
esemplare unico
collezione privata
AP 188 III

324
Studio, 1962
bronzo, 30 x 13 x 5 cm
2 esemplari
collezione privata;
collezione privata
AP 185

323

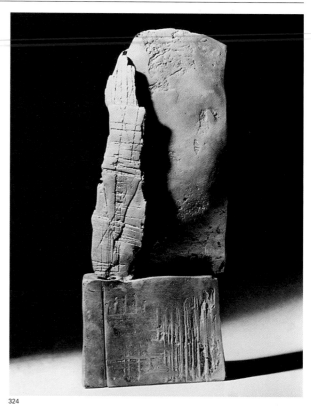

324

322

334
Cubo, I, 1964-1967
bronzo, 120 x 120 x 120 cm
2 esemplari + 1 prova
d'artista
Stanford, CA, Cantor Center
for Visual Arts at Stanford
University (1/2); Phoenix, AZ,
Civic Center; Bruxelles,
collezione Decia De Pauw
(02 p.a.)
AP 237

Esposizioni: *Stoccolma 1968*;
Bruxelles 1969; *Colonia 1969*;
Rotterdam 1969 (ill. p. 20,
tav. 21); *Berkeley, CA 1970-
1971* (ill. p. J); *Milano*[2] *1974*
(ill. p. 47)

Bibliografia: Granath 1968,
ill.; Johansson 1968, ill.;
"Svenska Dagbladet"[1] 1968,
ill.; "Svenska Dagbladet"[2]
1968, ill.; Larisch 1969, ill.;
"Quer durch Köln" 1969, ill.;
Freudenheim, Pomodoro
1970, p. C; Hagberg 1970, ill.;
"Westart" 1970, ill.; AAVV
1974, pp. 148-149, 192;
"Arizona Highways" 1975,
ill. p. 28; "Palo Alto Times"
1978, ill.; "Esquire & Derby"
1979, ill. p. 101; Hunter 1982,
ill. pp. 70-71; cat. Columbus,
OH 1983, ill. tav. 57;
Rosenthal 1983, p. 7; Mussa[1]
1984, ill. p. 53; Pandolfi 1984,
ill. p. 75; Sarda 1990,
ill. p. 98; Hunter[1] 1995, p. 80
(ill. p. 82); Carrier 2000, p. 63
(ill. p. 61); Oneto 2000, ill. p.
45 (fiberglass); Mozzato[2]
2003, ill. n. 5 (fiberglass)

334

335
Romboide n. 1, 1964
bronzo, 31 x 26,5 x 4 cm
esemplare unico
Venezia, collezione privata
AP 226

Esposizioni: Stoccolma 1968

Bibliografia: "Auditorium"
1965, ill.; Fagiolo Dell'Arco[1]
1965, ill.

336
Romboide n. 2, 1964
bronzo, 29,5 x 26 x 5,3 cm
2 esemplari
collezione privata; collezione
privata, Belgio (2/2)
AP 227

Esposizioni: Roma 1965
(ill. p. 29)

337
Cubo, 1964
bronzo, 16 x 16 x 16 cm
6 esemplari
collezione privata; collezione
privata; collezione privata;
collezione privata; collezione
privata; collezione privata
AP 229

Esposizioni: La Chaux-de-
Fonds 1965

Bibliografia: Rotzler 1966,
ill. p. 89

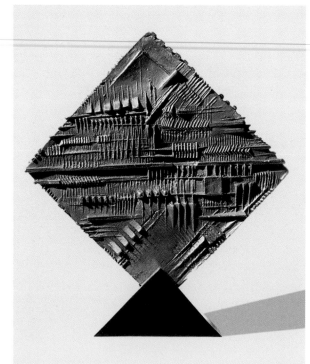

335

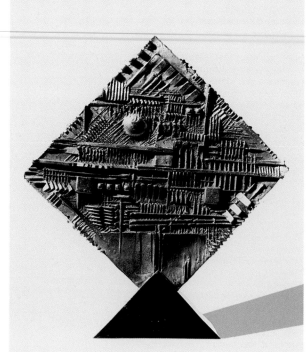

336

337

351
Bassorilievo per la Rank Xerox, studio, 1964
piombo dorato, lamiera di ottone e legno, 25 x 28 cm
1 esemplare + 1 prova d'artista
ubicazione sconosciuta, già Rank-Xerox, Milano; collezione dell'artista
AP 238a

352
Bassorilievo per la Rank-Xerox, Milano, 1964-1965
bronzo, 290 x 385 cm
esemplare unico
Milano, Xerox S.p.A.
AP 238

Bibliografia: Rotzler 1966, ill. p. 91; Pancera 1969, ill. p. 91

351

352

353
Studio, 1964
bronzo dorato, 9 x 24 x 9 cm
esemplare unico
collezione privata
AP 231

Esposizioni: *Roma 1965*
(ill. p. 24); *Stoccolma 1968*

354
Studio per disco, I, 1964
bronzo, Ø 21 cm
esemplare unico
collezione privata
AP 222

Esposizioni: *Stoccolma 1968*

355
Studio per disco, II, 1964
bronzo dorato, Ø 22 cm
esemplare unico
collezione privata
AP 223

Esposizioni: *Stoccolma 1968*;

Bibliografia: "Grammatica"
1964, ill. p. 32/D; cat. New
York, NY 1965, ill.; cat.
Rotterdam 1969, ill. p. 22
(tav. 27)

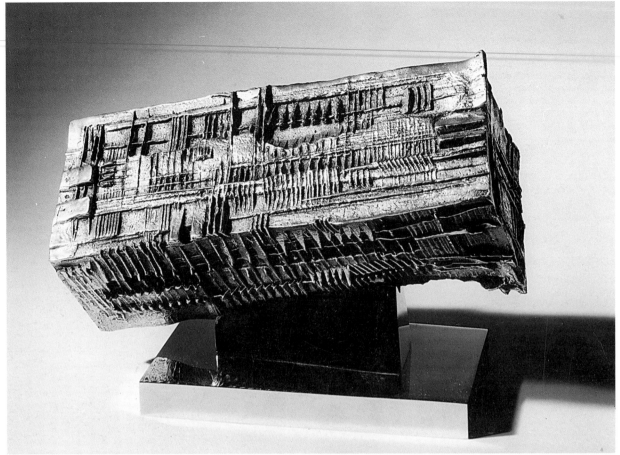

353

354

355

356
Disco n. 1, 1964
bronzo, Ø 70 x 22 cm
2 esemplari + 2 prove
d'artista
collezione privata; collezione
privata; collezione privata (02
p.a.); New York, NY,
Cavaliero Fine Arts (c.p.)
AP 224

Esposizioni: *La Chaux-de-Fonds 1965* (ill. cat.); *New York, NY 1965*; *Roma 1965* (ill. p. 28); *Firenze 1984* (ill. p. 87); *Malcesine 1987* (ill. tav. 10); *Kanagawa 1994* (ill. p. 46); Monaco 2003 (ill. p. 49)

Bibliografia: Novak 1963, ill.; Apollonio 1965, ill.; Argan 1965, ill. p. 36; "This Week in Rome" 1965, ill.; Pomodoro, Leonetti 1966, ill.; cat. Rotterdam 1969, ill. p. 22 (tav. 25); Hunter 1982, ill. p. 89; Aprile Ronda 1986, ill. p. 130; Perego 1988, ill. p. 18; Hunter[1] 1995, ill. p. 65; Gualdoni 1998, pp. 20, 24 (ill. p. 22)

356

357
Disco n. 2, 1964
bronzo, Ø 85 cm
2 esemplari + 1 prova
d'artista
La Chaux-de-Fonds, Museum
of Fine Arts (inventario n.
696); Saint Louis, MO, Saint
Louis University Museum
of Art (2/2)
AP 225

Esposizioni: Anversa 1965;
Genova 1966; Firenze 1967
(ill. cat.); *Milano[2] 1974*
(ill. p. 48)

Bibliografia: cat. Rotterdam
1969, ill. p. 22 (tav. 28)

358
Sfera n. 3, 1964
bronzo, Ø 60 cm
2 esemplari + 2 prove
d'artista + 1 prova d'artista
con varianti
Venezia, Peggy Guggenheim
Collection (The Solomon
R. Guggenheim Foundation,
New York, NY; nell'archivio
della collezione è indicata
con il titolo *Sfera n. 4*);
collezione privata; collezione
SMEG; collezione privata;
collezione dell'artista
(p.a. con varianti)
AP 220

Esposizioni: Venezia 1964;
Londra 1964-1965; *La Chaux-
de-Fonds 1965* (ill. cat.);
New York[3], NY 1969 (ill. p.
173); Parigi[1] 1975; Trieste
1982; Firenze 1998-1999

Bibliografia: "Arte Casa"
1964, ill.; Buzzati[1] 1964, ill.;
Dorfles[1] 1964, ill. p. 140;
AAVV 1965, ill. n. 64; Argan
1965, ill. p. 30; De Micheli
1966, ill. p. 71; Calas, Calas
1967, ill. p. 211; Hunter 1982,
p. 66; Zander Rudenstine
1985, pp. 664-666 (ill. p. 665);
Lambertini 1987, ill.; Longhi
1987, ill. p. 98; Gorni 1988, ill.
p. 5; Macario 1988, ill. p. 55;
Ausubel 1993, ill. p. 14;
Hunter[1] 1995, ill. pp. 60-61;
*Arnaldo Pomodoro. "Sphere
within a Sphere"* 1997,
ill. pp. 65-67; Belli 1997,
ill. p. 174; Vallora 1998, ill.;
Fiz[1] 1999, ill. p. 41; Fiz[2] 1999,
ill. p. 42; G. Ferroni 1999, ill.
p. 41; Paloscia 1999, ill. p. 73;
"Linea" 2002, ill, p. 7;
Quattordio 2003, ill.

357

362

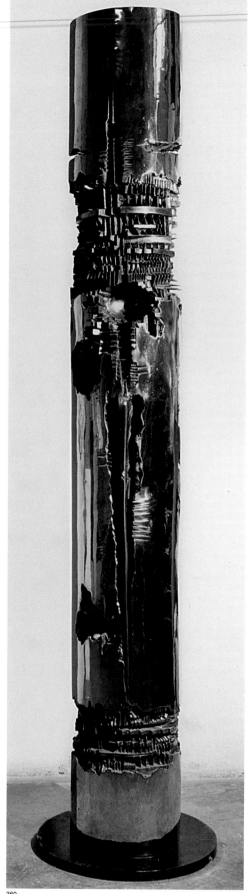

360

359
Sfera n. 4, 1964
bronzo, Ø 60 cm
2 esemplari + 2 prove
d'artista
Trieste, Museo Revoltella
(nell'archivio del museo
è indicata con il titolo
Sfera n. 3); collezione privata;
Milano, collezione privata
(p.a.)
AP 221

Esposizioni: Ancona 1964 (ill.
cat.); Venezia 1964; *Roma
1965* (ill. p. 25)

Bibliografia: Arnaldo
Pomodoro. *"Sphere within
a Sphere"* 1997, ill. p. 69

360
*La Colonna del viaggiatore,
1964, I*, 1964
bronzo, 260 x Ø 35 cm
1 esemplare + 1 prova
d'artista
Washington, DC, Hirshhorn
Museum and Sculpture
Garden, Smithsonian
Institution, dono di Joseph
H. Hirshhorn, 1966;
collezione privata
AP 228

Esposizioni: Venezia 1964;
New York, NY 1965; Tokyo
1967; New York, NY 1968;
Washington, DC 1974-1975;
Washington, DC 1984

Bibliografia: "ABC" 1964, ill.;
Buzzati[2] 1964, ill.; Carluccio[1]
1964, ill.; Mascherpa[2] 1964,
ill.; Restany[1] 1964, ill.; Willi
1964, ill.; "Time" 1965, ill.
p. 47; Rotzler 1966, ill. p. 86;
cat. Rotterdam 1969, ill. p. 16
(tav. 11); Lambertini 1971, ill.;
"Bolaffiarte"[1] 1972, ill.; AAVV
1974, p. 144; Lerner 1974, pp.
557, 735, 841; Hunter 1982, p.
67; Gualdoni 1998, pp. 20, 24

361
Croce, 1964
bronzo, 43 x 36 cm
informazioni sconosciute
AP 235a

362
Disco, studio, 1965
bronzo, Ø 60 cm
2 esemplari + 1 prova
d'artista
collezione privata; collezione
privata; Venezia, Museo
d'Arte Moderna Ca' Pesaro
AP 241

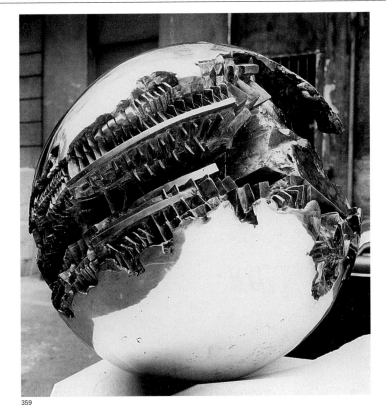

359

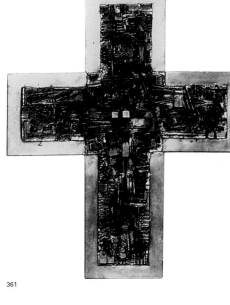

361

358

363
Grande disco, 1965
bronzo, Ø 225 cm
2 esemplari + 1 prova
d'artista
collezione privata;
Norimberga, collezione della
città; collezione privata
AP 247

Esposizioni: New York, NY
1965 (ill. cat.); *Milano 1968*;
Bruxelles 1969 (ill. cat.);
Colonia 1969; *Rotterdam
1969* (ill. p. 23); Tokyo 1969
(ill. p. 62); *Verona 1970*;
Palermo 1971; Parigi 1971 (ill.
tav. 169); *Parigi[1] 1976* (ill. tav.
11); Bruxelles 1979

Bibliografia: Laus 1965, ill.;
Signorini 1965, ill. p. 29; cat.
Edimburgo 1966, ill.;
Grohmann 1966, ill. p. 125;
"Modulus 66" 1966, ill. p. 8;
Ponente, Fagiolo 1966, ill.
p. 125; Rotzler 1966, ill. pp.
88, 90; Bucarelli 1967, ill. p.
208; Doelman 1969, ill.;
"Heidenheimer Ztg." 1969,
ill.; AAVV 1974, ill. pp. 14-15;
"Momento Sera" 1976, ill.;
Du Bois 1979, ill.; Jean 1979,
ill.; Hunter 1982, p. 68; cat.
Columbus, OH 1983, ill. tav.
56; Rosenthal 1983, p. 7

364
Grande disco, 1965-1968
bronzo, Ø 360 x 60 cm
2 esemplari + 1 prova d'artista
Purchase, NY, The Donald
M. Kendall Sculpture
Garden (1/2); Chicago, IL,
Cummings Life Science
Center, University
of Chicago; Darmstadt,
Stadtische Kunstsammlung
(inventario n. PL10)
AP 248

Esposizioni: Bruxelles 1969;
Rotterdam 1969 (ill. in
copertina e p. 2); *Berkeley,
CA 1970-1971* (ill. p. Q);
Pesaro[2] 1971 (ill. tav. 3, 5, 7);
Darmstadt 1972 (ill. fig. 5);
Venezia 1972

Bibliografia: "Flash Art"[2]
1969, ill. in ultima di
copertina; Albright[2] 1970, ill.;
"Campus Report" 1970, ill.;
"Capital Journal" 1970, ill.;
"Evening Tribune"[1] 1970, ill.;
Gethman Andrews 1970, ill.;
"Herald-News" 1970, ill.;
"Mail Tribune" 1970, ill.;
Olten 1970, ill.; "The
Oregonian"[1] 1970, ill.;
"The Oregonian"[2] 1970, ill.;
AAVV 1971, pp. 475-476;
Amati 1971, ill.; "Avvenire"
1971, ill.; Berkman[2] 1971, ill.;
"Bolaffiarte" 1971, ill.; "D'Ars
Agency"[2] 1971, ill. p. 95;
Formann 1971, ill.; "Il Resto

363

del Carlino"[2] 1971, ill.;
Kauffman 1971, ill.; Leonetti
1971, ill.; Marchiori 1971, ill.;
Mussa 1971, ill.; Nico 1971,
ill.; T. 1971, ill.; "The Press
City Southeast" 1971, ill.;
"Wadsworth Atheneum
News" 1971, ill.; "American
Harper's Bazaar" 1972, ill. p.
21; Carrieri 1972, ill. p. 58;
"Il Giorno" 1972, ill. p. 12;
"Il Mezzogiorno" 1972, ill.
p. 18; Maddaloni 1972, ill.
p. 35; Marussja 1972, ill.;
"Vogue Italia" 1972, ill.;
"Aims" 1973, ill. p. 4; Danes
1973, ill. p. 15; Krimmel 1973,
ill. p. 23; "Topolino" 1973, ill.
p. 39; "Darmstädter Echo"
1974, ill.; cat. coll. New York[2],
NY 1974, ill. p. 27; Cabutti,
Gabetti 1976 ill. p. 61; Hess
1976, ill. p. 60; Innocente
1977, ill. p. 27; "La Libre
Belgique" 1979, ill.; Metz
1979, ill. p. 44; Miller 1979,
ill. p. 42; Stein 1980, ill.;
Feron, Russel 1981 ill. p. B1;
Riedy 1981, ill. p. 272;
Hunter 1982, pp. 69, 102;
A. 1983, ill.; Rosenthal 1983,
p. 7; Pancera 1984, ill.;
"International Sculpture"
1985, ill.; "Skultura" 1986, ill.
p. 6; Stein 1986, ill. p. 39;
*Colpo d'ala di Arnaldo
Pomodoro* 1988, ill. p. 79;
Quintavalle[1] 1990, ill. p. 24

364

365
Doppio radar, studio, 1965
bronzo, Ø 31 cm
2 esemplari + 1 prova d'artista
collezione privata (1/2);
collezione privata; collezione
privata
AP 239

Esposizioni: Genova 1966

Bibliografia: Doelman 1969,
ill.; cat. Rotterdam 1969, ill.
p. 22 (tav. 26); Gualdoni
1998, p. 24

366
Doppio radar, 1965
bronzo, Ø 50 cm
2 esemplari + 1 prova d'artista
collezione privata; collezione
privata; collezione privata
(02 p.a.)
AP 240

Esposizioni: New York, NY
1965 (ill. cat.); Bucarest 1966
(ill. cat.); *Genova 1966*;
Monaco 1972 (ill. fig. 1)

Bibliografia: Rotzler 1966,
ill. p. 94 (gesso); Troisi[1] 1997,
p. 15; Gualdoni 1998,
p. 24

367
Sfera, studio, 1965
bronzo dorato, Ø 35 cm
1 esemplare + 1 prova d'artista
collezione privata; collezione
privata
AP 217

365

366

367

369

368
Sfera n. 5, 1965
bronzo, Ø 80 cm
2 esemplari + 2 prove d'artista
collezione privata; collezione
privata (2/2); collezione
privata; collezione dell'artista
AP 243

Esposizioni: Essen 1965;
New York, NY 1965 (ill. cat.);
Arnhem 1966 (ill. p. 92);
Valencia 2002 (ill. p. 25);
Ischia 2003 (ill. p. 25)

Bibliografia: Lippard 1965,
ill.; Signorini 1965, ill. p. 26;
"Time" 1965, pp. 46-47 (ill. p.
47); cat. "Christie's 5396",
Londra, 1995, n. 59, ill. p. 55;
*Scritti critici per Arnaldo
Pomodoro* 2000, ill. p. 324;
Caprile[1] 2002, p. 7

369
Sfera n. 8, 1965
bronzo, Ø 20 cm
2 esemplari + 1 prova d'artista
collezione privata; collezione
privata; collezione privata
AP 245

Esposizioni: New York, NY
1965

Bibliografia: AAVV 1974, ill.
p. 16; *Arnaldo Pomodoro.
"Sphere within a Sphere"*
1997, ill. p. 75

368

370
Sfera n. 7, 1965
bronzo, Ø 40 cm
2 esemplari + 1 prova
d'artista
collezione privata; collezione
privata; collezione privata
AP 244

Esposizioni: New York, NY
1965

370

371
*La Colonna del viaggiatore,
1965/66, II*, 1965-1966
bronzo, 360 x Ø 50 cm
2 esemplari + 2 prove
d'artista
Bruxelles, collezione Decia
De Pauw (1/2); Melbourne,
National Gallery of Victoria
(2/2); Nelson Aldrich
Rockefeller Collection;
Milano, FAP
AP 258

Riprodotta nel Tomo I
a p. 118

Esposizioni: Pittsburgh, PA
1967-1968; *Milano 1968*;
New York, NY 1968 (ill. cat.);
Bruxelles 1969 (ill. cat.);
Colonia 1969; New York[2], NY
1969 (ill. p. 122); *Rotterdam
1969* (ill. p. 17, tav. 13);
Gubbio 1984 (ill. p. 58);
Darmstadt 1986 (ill. p. 437,
vol. II); *Malcesine 1987* (ill.
tavv. 13-14); *Novara 1989*;
Firenze 1993; *Rimini 1995*
(ill. p. 33); Ancona[1] 1998
(ill. p. 51); *Parigi 2002*
(ill. p. 56); *Cantù 2003*

Bibliografia: Abbiati 1967, ill.
p. 44; Canaday 1967, ill.;
"Time"[2] 1967, p. 60 (ill. p. 60);
Ballo[2] 1968, ill. tav. 222; Del
Renzio 1968, ill. p. 98; Kusch
1969, ill.; Pancera 1969, ill. p.
89; AAVV 1974, ill. pp. 28-29;
180; Brähammar, Garmer
1981, pp. 361-375 (ill. p. 364);
Ballo 1984, ill. p. 93; cat.
Firenze 1984, ill. pp. 98, 99;
Mussa[4] 1984, p. 59; cat. coll.
Ascoli Piceno 1986, p. 133;
*Colpo d'ala di Arnaldo
Pomodoro* 1988, ill. p. 19;
Sanesi 1988, ill. p. 72; Yong-
Woo 1989, ill. p. 119; Bellini
1990, ill.; Sarda 1990, ill. p.
101; Hunter[1] 1995, pp. 70-76;
Gualdoni 1998,
pp. 20, 24; *Scritti critici per
Arnaldo Pomodoro* 2000,
ill. p. 325; Fiz 2002, ill. p.19;
Lambertini 2002, ill. p. 51;
Masoero[1] 2002, ill. p. 4;
Restany 2002, p. 15; Valerio
2002, ill. p. 100; AAVV 2003,
ill. pp. 62-64, 66; "La Stampa"
2003, ill. p. 6

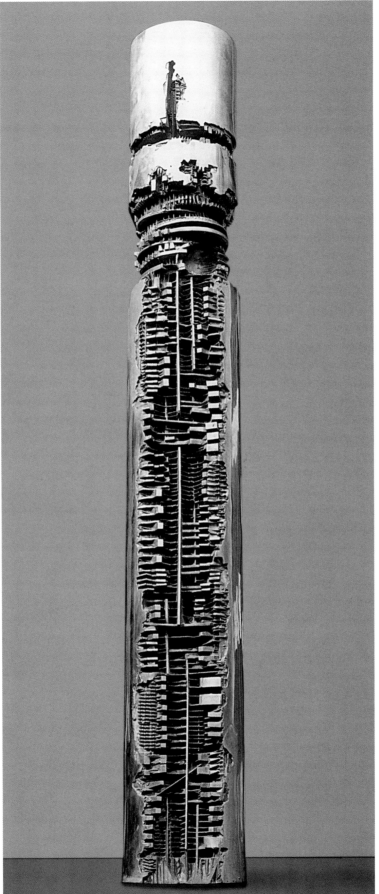

371

372
La Colonna del viaggiatore,
1965/66, I, 1965-1966
bronzo, 158 x 49 cm
esemplare unico
ubicazione sconosciuta,
già Finsider, Roma
AP 249

Bibliografia: Gualdoni 1998,
pp. 20, 24

373
Studio, 1965
argento, 19,5 x 8 x 5,5 cm
esemplare unico
collezione privata
AP 249b

Bibliografia: cat. "Sotheby's
MI160", Milano, 1999,
ill. p. 52

374
Studio, 1965
argento, 19,6 x 8,2 x 5,7 cm
esemplare unico
collezione privata
AP 249c

375
Studio, 1965
argento, 9 x 8 x 4 cm
esemplare unico
collezione privata
AP 249a

373

374

372

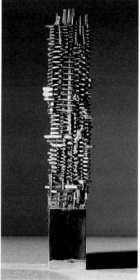

375

387
Bassorilievo, 1965
argento, 12 x 10 x 1 cm
esemplare unico
Milano, collezione privata
AP 245f

388
Lettera a K., 1965
bronzo, 56 x 37 x 9,5 cm
2 esemplari + 2 prove
d'artista
collezione privata; collezione
Dr. Gabrielle H. Reem e Dr.
Herbert Kayden; Milano, FAP;
Milano, collezione privata
(p.a.)
AP 242

Riprodotta nel Tomo I
a p. 120

Esposizioni: Parigi 1965;
Firenze 1984 (ill. p. 68);
Malcesine 1987 (ill. tavv. 11-
12); *Novara 1989* (ill. cat.);
Kanagawa 1994 (ill. p. 47);
Rimini 1995 (ill. p. 35); Roma[1]
2000-2001 (ill. p. 77 n. 46);
Milano 2001 (ill. p. 82);
Genova 2003 (ill. p. 60)

Bibliografia: AAVV 1974,
ill. p. 96; "Il Nord" 1989, ill.;
Quintavalle 1995, ill. p. 96;
Caprile[3] 1997, p. 11 (ill. p. 12);
Corgnati 2001, ill. p. 10;
Prina[2] 2001, ill.

387

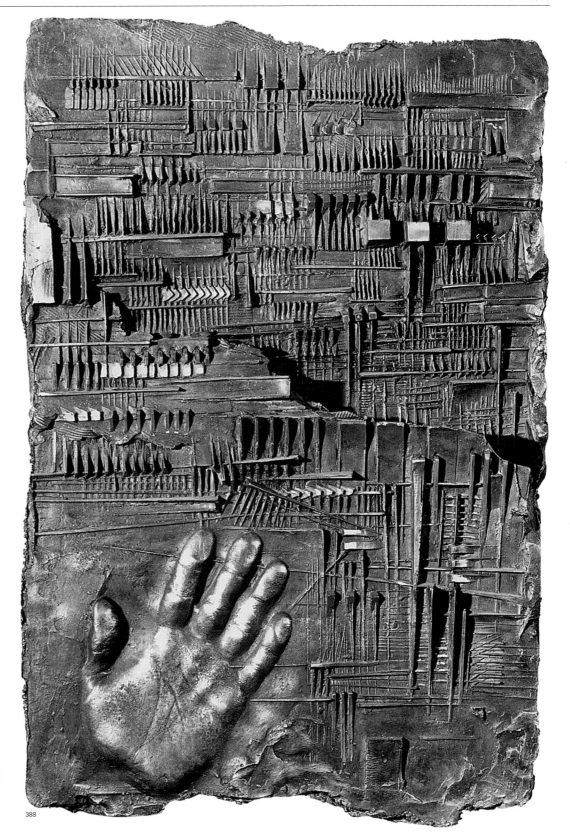

388

389

Sfera con perforazione, 1966
bronzo, Ø 60 cm
2 esemplari + 2 prove
d'artista
collezione privata; collezione
privata (2/2); collezione
privata; collezione dell'artista
(c.p.)
AP 269

Riprodotta nel Tomo I a p. 121

Esposizioni: *Londra 1968*;
Colonia 1969; *Rotterdam*
1969 (ill. p. 26, tav. 34);
Zurigo 1969; *Berkeley, CA*
1970-1971; *Palermo 1998*;
Varese 1998-1999 (ill. pp. 70,
71); *Ischia 2003* (ill. p. 26)

Bibliografia: cat. Rotterdam
1969, ill. p. 26 (tav. 34); Sten
1969, ill.; Leonetti 1971, ill.;
Hunter 1982, ill. p. 76;
Zelanski, Fisher 1995, pp. 80-
81 (ill. p. 80); *Arnaldo*
Pomodoro. "Sphere within a
Sphere" 1997, ill. pp. 76-77,
78, 79; Buzio Negri 1998, ill.
p. 33; *Scritti critici per*
Arnaldo Pomodoro 2000, ill.
p. 328

390

Rotante dal foro centrale,
1966
bronzo, Ø 60 cm
2 esemplari + 2 prove
d'artista
collezione privata (1/2);
Chicago, IL, The Art Institute
of Chicago, Mary and Leigh
Block Fund for Acquisitions,
1968.609 (2/2); Roma,
collezione Ugolini (02 p.a.);
collezione dell'artista
AP 267

Esposizioni: *Londra 1968*
(ill. n. 2); *Colonia 1969*;
Rotterdam 1969 (ill. pp. 11,
13, 28); *Berkeley, CA 1970-*
1971; *Alghero 1978* (ill. cat.);
Firenze 1984 (ill. pp. 31, 100,
101); *Valencia 2002* (ill. pp.
26-27); *Milano*[1] *2003*

Bibliografia: Del Renzio 1968,
ill. pp. 96, 98; Luyken 1969,
ill.; "Capital Journal" 1970,
ill.; Fagan 1970, ill.; Seldis
1970, ill.; Kauffman 1971, ill.;
"Wadsworth Atheneum
News" 1971, ill.; "Oakland
Tribune" 1972, ill.; "San
Francisco Chronicle" 1972,
ill.; Apollonio 1973, ill. p. 38;
"Topolino" 1973, ill. p. 36;
AAVV 1974, ill. pp. 18-21;
Maestri contemporanei 1978,
ill. tav. 12; Di Genova 1980,
ill. p. 172; Brähammar,
Garmer 1981, pp. 361-375 (ill.
p. 366); Hunter 1982, pp. 78-
79; cat. coll. Palma Campania
1982, ill. p. 49; cat. Columbus,

389

390

OH 1983, ill. tav. 59;
Rosenthal 1983, p. 8;
Caramel[1] 1984, ill.; Paloscia
1984, ill.; Pandolfi 1984, ill.
p. 75; Quintavalle[2] 1984, ill.;
*Colpo d'ala di Arnaldo
Pomodoro* 1988, ill. p. 41;
Di Genova 1991, ill. tav. 483;
*Arnaldo Pomodoro. "Sphere
within a Sphere"* 1997, ill.
p. 86; Aleman 2002, ill. p. 24;
Caprile[1] 2002, p. 7

391

Rotante minore, I, 1966
bronzo, Ø 60 cm
2 esemplari + 1 prova d'artista
Milano, asta Sotheby's
MI212, 27 maggio 2003;
collezione privata; Bergamo,
collezione privata (02 p.a.)
AP 265

Esposizioni: Londra 1968;
Zurigo 1969; Verona 1970;
Palermo 1971; Pesaro[1] 1971;
Tokyo 1974 (ill. cat.); *Intra
1975*

Bibliografia: Katalin 1973, ill.
p. 23; *Maestri contemporanei*
1978, ill. tav. 12; cat.
"Sotheby's MI212", Milano,
2003, n. 270, ill. p. 87

392

Rotante minore, II, 1966
bronzo, Ø 30 cm
2 esemplari + 1 prova d'artista
collezione dell'artista;
collezione privata; collezione
privata
AP 266

Esposizioni: Londra 1968
(ill. n. 4); *Colonia 1969*;
Rotterdam 1969 (ill. p. 12);
Berkeley, CA 1970-1971;
Genova 1973; Cento 1977;
Firenze 1997 (ill. p. 149)

Bibliografia: Richter[2] 1969,
ill.; Berkman[4] 1971, ill.; Di
Genova 1980, ill. p. 172;
Brähammar, Garmer 1981,
pp. 361-375 (ill. p. 366); *Colpo
d'ala di Arnaldo Pomodoro*
1988, ill. p. 40; Di Genova
1991, ill. tav. 483

393

Sfera, 1966
bronzo, Ø 30 cm
2 esemplari + 1 prova
d'artista
collezione privata; collezione
Dr. Gabrielle H. Reems
e Dr. Herbert Kayden (2/2);
collezione privata (02 p.a.)
AP 260

Bibliografia: "Flash Art"
1967, p. 1 (ill. p. 1); AAVV
1974, ill. p. 16

391

393

392

394
Rotante primo sezionale B,
1966
bronzo, Ø 30 cm
2 esemplari + 1 prova d'artista
Stoccolma, Galerie Pierre;
collezione privata; collezione
privata
AP 268

Esposizioni: Stoccolma 1968

395
Rotante primo sezionale A,
1966
bronzo, Ø 30 cm
2 esemplari + 1 prova
d'artista
Cymbalista Collection,
Svizzera (1/2); New York, NY,
asta Sotheby's, 14 maggio
2003, n. 118 (2/2); collezione
privata
AP 262

Bibliografia: "Cultura d'Oggi"
1972, ill.

396
Rotante primo sezionale n. 1,
1966
bronzo, Ø 80 cm
2 esemplari + 2 prove d'artista
collezione privata; collezione
privata; collezione privata;
collezione dell'artista
AP 263

Esposizioni: Londra 1968
(ill. n. 6)

Bibliografia: Russoli 1967,
ill. pp. 291, 302; Del Renzio
1968, ill. p. 96; Pancera 1969,
ill. p. 91; Argan 1970, ill. tav.
CLXVI; Krimmel 1973, ill.
p. 28; AAVV 1974, ill. p. 33;
Maestri contemporanei 1978,
ill. tav. 13; Di Genova 1980,
ill. p. 172; Brähammar,
Garmer 1981, pp. 361-375 (ill.
p. 367); Hunter 1982, p. 80;
"Leader" 1984, ill.; Hunter,
Jacobus 1987, ill. tav. 537;
*Colpo d'ala di Arnaldo
Pomodoro* 1988, ill. p. 40;
Masini 1989, ill. p. 649
(tav. 1864); Di Genova 1991,
ill. tav. 483; Hunter[1] 1995,
ill. p. 96

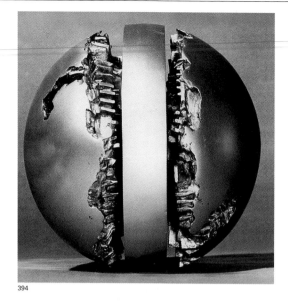

394

395

396

Londra, asta Sotheby's
L01954, 22 ottobre 2001,
n. 33; collezione privata,
Svizzera (2/2); collezione
privata
AP 283

Esposizioni: *Colonia 1969*;
Verona 1970; *Berkeley, CA
1970-1971*; *Palermo 1971*;
Monaco 1972

Bibliografia: Berkman[4] 1971,
ill.; cat. Darmstadt 1972, ill.;
cat. "Sotheby's LO1954",
Londra, 2001, ill. pp. 94-95

439
Rotante primo sezionale n. 3,
1967-1975
bronzo, Ø 160 cm
2 esemplari + 1 prova
d'artista
collezione privata; Tehran,
Museum of Contemporary
Art; collezione privata
AP 372

Riprodotta nel Tomo I
a p. 128

Esposizioni: *Parigi*[1] *1976*
(ill. tav. 12); *Torino 1977*
(ill. p. 103)

Bibliografia: Mazars 1976, ill.;
Schefer 1976; *Arnaldo
Pomodoro. "Sphere within
a Sphere"* 1997, ill. p. 95

439

440
Rotante con disco interno,
1967-1968
bronzo, Ø 40 cm
2 esemplari + 1 prova d'artista
collezione privata, courtesy
galleria Giò Marconi, Milano;
collezione privata; collezione
privata
AP 287

Esposizioni: Londra 1968

441
Studio, 1967
argento e ottone,
Ø 12 cm circa
esemplare unico
collezione privata
AP 304b

442
Rotante a otto fori, 1967
bronzo, Ø 40 cm
2 esemplari + 1 prova d'artista
collezione privata; collezione
Mr. & Mrs. Michael Jasper,
Olanda; collezione privata
AP 277

Esposizioni: Londra 1968
(ill. n. 3); *Colonia 1969*;
Rotterdam 1969 (ill. pp. 12-13,
29); *Firenze 1970* (ill. p. 155);
Hannover 1970 (ill. p. 210);
Darmstadt 1972 (ill. fig. 8);
Monaco 1972; *Genova 1973*

Bibliografia: Del Renzio 1968,
ill. p. 96; "Eindhovens
Dagblad" 1969, ill.; "Haagsche
Courant" 1969, ill.; Luyken
1969, ill.; Recupero 1970, ill. p.
155; cat. Verona 1970, ill.;
"München Merkur" 1972, ill.
p. 26; Pfeiffer-Belli 1972, ill. p.
9; "Il Lavoro"[2] 1973, ill.; AAVV
1974, ill. p. 37; *Maestri
contemporanei* 1978, ill. tav.
12; Di Genova 1980, ill. p. 172;
Brähammar, Garmer 1981, pp.
361-375 (ill. p. 366); *Colpo
d'ala di Arnaldo Pomodoro*
1988, ill. p. 40; Di Genova
1991, ill. tav. 483

443
Rotante a fori e canali, 1967
bronzo, Ø 30 cm
2 esemplari + 1 prova d'artista
collezione privata; collezione
privata; collezione privata
AP 281

Esposizioni: Londra 1968
(ill. n. 5); *Colonia 1969*; *Zurigo
1969*; *Berkeley, CA
1970-1971*; *Darmstadt 1972*;
Monaco 1972; *Verona 1981* (ill.
cat.)

Bibliografia: Saviantoni 1968,
ill. p. 36; Berkman[4] 1971, ill.;
Maestri contemporanei 1978,
ill. tav. 12; Di Genova 1980, ill.
p. 172; Brähammar, Garmer
1981, pp. 361-375 (ill. p. 366);
Di Genova 1991, ill. tav. 483

440

442

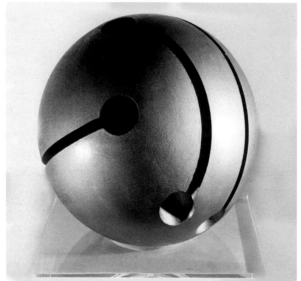
443

445

444

444
Rotante massimo, II, 1967
bronzo, Ø 30 cm
2 esemplari + 1 prova d'artista
collezione privata; collezione
privata; collezione privata
AP 282

Esposizioni: *Londra 1968*
(ill. n. 7); *Colonia 1969*;
Rotterdam 1969 (ill. p. 13);
Francoforte 1972; *Monaco
1972*; Francoforte 1994
(ill. p. 47)

Bibliografia: Luyken 1969, ill.;
Krimmel 1972, pp. 4-7;
Krimmel 1973, ill. p. 25; AAVV
1974, pp. 34; 153; *Maestri
contemporanei* 1978, ill. tav.
13; Di Genova 1980, ill. p. 172;
Brähammar, Garmer 1981,
pp. 361-375 (ill. p. 367); Hunter
1982, p. 176 (ill. p. 177); cat.
coll. Palma Campania 1982, ill.
p. 49; *Colpo d'ala di Arnaldo
Pomodoro* 1988, ill. p. 41;
Di Genova 1991, ill. tav. 483;
*Arnaldo Pomodoro. "Sphere
within a Sphere"* 1997,
ill. p. 85

445
Rotante massimo, III,
1967-1968
bronzo, Ø 80 cm
2 esemplari + 1 prova d'artista
collezione privata; collezione
privata; collezione privata
AP 288

Esposizioni: *Londra 1968*;
Colonia 1969; *Rotterdam 1969*;
Verona 1970; *Berkeley, CA
1970-1971*; *Palermo 1971*;
Genova 1973; *Dallas, TX 1983*
(ill. p. 4)

Bibliografia: "Eindhovens
Dagblad" 1969, ill.; Leonetti
1971, ill.; Berkman[4] 1971, ill.

446
Disco, studio, 1967
argento, Ø 8 cm
5 esemplari + 1 prova d'artista
collezione privata; collezione
privata; collezione privata;
collezione privata; collezione
privata; collezione privata
AP 276

447
Senza titolo, 1967
argento, 15 x 7 x 4 cm
esemplare unico
collezione privata
AP 285a

448
Senza titolo, 1967
bronzo dorato, 14,7 x 7 cm
esemplare unico
Parigi, asta Claude Boisgirard,
febbraio 1999, n. 45
AP 285b

441

446

447

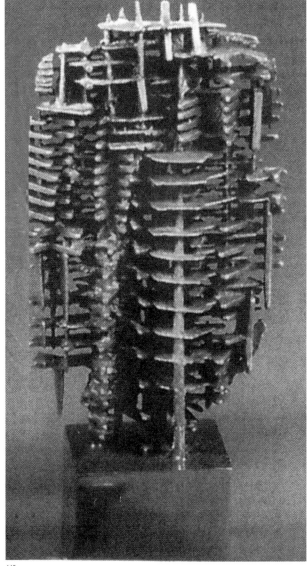

448

449

Bibliografia: cat. "Claude Boisgirard", Parigi, 1999, n. 45, ill. p. 22

449
Il grande ascolto, 1967-1968
bronzo, 110 x 173 x 58 cm
2 esemplari + 1 prova
d'artista
collezione dell'artista (1/2);
Canberra, Campbell, CSIRO
Headquarters; collezione
privata
AP 289

Riprodotta nel Tomo I
a p. 130

Esposizioni: *Londra 1968*
(ill. n. 8); *Colonia 1969*;
Rotterdam 1969 (ill. pp. 24,
25); *Verona 1970*; *Berkeley,
CA 1970-1971* (ill. p. M);
Palermo 1971; *Darmstadt
1972* (ill. fig. 14); *Monaco
1972* (ill. fig. 10); *Bruxelles
1973* (ill. p. 74); *Milano² 1974*
(ill. p. 57); *Parigi¹ 1976* (ill. tav.
13); *Cento 1977*; *Taranto
1977*; *Atlanta¹, GA 1978* (ill.
cat.); *Caracas² 1978-1979* (ill.
n. 4); *Miami, FL 1979*; *San
Francisco, CA 1981* (ill. pp. 16,
17, 42); *Dallas, TX 1983* (ill. p.
6); *Columbus, OH 1983-1985*
(ill. tav. 13); *Varese 1998-1999*
(ill. pp. 72, 73); Yokohama
2001-2002 (ill. p. 129); Milano¹
2002 (ill. pp. 106-107)

Bibliografia: Del Renzio 1968,
ill. p. 95; Honnef 1969, ill. p.
59; Olten 1970, ill.; Carrieri
1972, ill. p. 57; AAVV 1974,
p. 179, ill. pp. 154-155;
Maestri contemporanei 1978,
ill. tav. 10; Kohen 1979, ill.;
Marechal-Workman¹ 1981, ill.;
Metzger 1981, ill. p. 41; Morch
1981, ill.; Hunter 1982, ill. pp.
103, 126-127; Butterworth
1985, ill.; Hunter¹ 1995, ill. p.
165; *Scritti critici per Arnaldo
Pomodoro* 2000, ill. pp.
330-331; Uzielli 2002, p. 107
(ill. pp. 106-107)

450

Semicolonna A, 1967-1968
bronzo, 215 x Ø 36 cm
2 esemplari + 1 prova
d'artista
collezione privata; collezione
privata; collezione privata
AP 284

Riprodotta nel Tomo I
a p. 129

Esposizioni: Londra 1968 (ill.
n. 5); Bruxelles 1969 (ill. in
copertina); *Colonia 1969;*
Rotterdam 1969 (ill. p. 18);
Zurigo 1969; Berkeley, CA
1970-1971 (ill. p. S);
Darmstadt 1972 (ill. fig. 10);
Monaco 1972 (ill. fig. 8);
Milano[2] *1974* (ill. p. 54); *Intra*
1975 (ill. tav. 4); *Parigi*[1] *1976*
(ill. tav. 14); *Atlanta*[1]*, GA*
1978 (ill. cat.); *Caracas*[2]
1978-1979 (ill. n. 5); *Miami,*
FL 1979

Bibliografia: Del Renzio 1968,
ill. p. 95; Doelman 1969, ill.;
Pancera 1969, ill. p. 89; Van
Der Gerr 1969, ill.; Kietzmann[2]
1970, ill.; Valsecchi 1974, ill.;
Frigerio 1976, ill. p. 90;
"Corriere del Giorno" 1977,
ill.; Hunter 1982, ill. p. 83

451

Semicolonna B, 1967-1968
bronzo, 215 x Ø 36 cm
2 esemplari + 1 prova
d'artista
Londra, asta Sotheby's,
21 ottobre 1999, n. 24 (1/2);
collezione privata; collezione
privata
AP 285

Riprodotta nel Tomo I
a p. 129

Esposizioni: Londra 1968 (ill.
n. 6); *Colonia 1969;* Bruxelles
1969 (ill. in copertina);
Rotterdam 1969 (ill. p. 18);
Zurigo 1969; Berkeley, CA
1970-1971 (ill. p. S);
Darmstadt 1972 (ill. fig. 11);
Monaco 1972 (ill. fig. 9);
Milano[2] *1974* (ill. p. 54); *Intra*
1975 (ill. tav. 5); *Parigi*[1] *1976*
(ill. tav. 15); *Atlanta*[1]*, GA*
1978 (ill. cat.); *Caracas*[2]
1978-1979 (ill. n. 5); *Miami,*
FL 1979

Bibliografia: Del Renzio 1968,
ill. pp. 95, 98; Doelman 1969,
ill.; Pancera 1969, ill. p. 89;
Van Der Gerr 1969, ill.;
Kietzmann[2] 1970, ill.; Valsecchi
1974, ill.; Frigerio 1976, ill.
p. 90; "Corriere del Giorno"
1977, ill.; Marchiori[1] 1977,
pp. 154-155; Hunter 1982,
ill. p. 83; cat. "Sotheby's
LO9551", Londra, 1999,
ill. p. 57

450

451

452

Colonna spaccata, 1967-1968
bronzo, 215 x Ø 35 cm
2 esemplari + 1 prova
d'artista
Monaco, Bayerische
Staatsgemaldesammlungen /
Pinakothek der Moderne,
inventario n. B 655 (1/2);
collezione privata; collezione
privata
AP 286

Riprodotta nel Tomo I
a p. 129

Esposizioni: *Londra 1968*
(ill. n.17); *Bruxelles 1969* (ill.
in copertina); *Colonia 1969*;
Rotterdam 1969 (ill. p. 18);
Zurigo 1969; *Berkeley, CA
1970-1971* (ill. p. S);
Darmstadt 1972 (ill. fig. 12);
Monaco 1972 (ill. fig. 11)

Bibliografia: Del Renzio 1968,
ill. p. 98; Pancera 1969,
ill. p. 89; Kietzmann[2] 1970,
ill.; AAVV 1974, ill. pp. 30-31;
Frigerio 1976, ill. p. 90;
Hunter 1982, ill. pp. 82, 83;
*Scritti critici per Arnaldo
Pomodoro* 2000, ill. p. 101

452

453
Bassorilievo, 1968
argento e ottone cromato,
23,5 x 34,5 cm
1 esemplare + 1 prova
d'artista
Pesaro, collezione privata (1/1)
AP 295h

454
Bassorilievo, 1968
argento e ottone cromato,
16,5 x 23,5 cm
2 esemplari + 2 prove
d'artista
collezione privata; collezione
privata; collezione privata;
collezione privata, courtesy
galleria Giò Marconi, Milano
(p.a. II)
AP 290

455
Le livre de poche, 1968
bronzo argentato e legno,
19 x 11,3 x 2,5 cm
3 esemplari + 1 prova
d'artista
Milano, collezione privata
AP 305a

456
Bassorilievo, 1968
argento e ottone cromato,
20 x 18 cm
2 esemplari + 2 prove
d'artista
collezione privata; collezione
privata, courtesy galleria Giò
Marconi, Milano; collezione
privata; collezione privata
(p.a. II)
AP 305

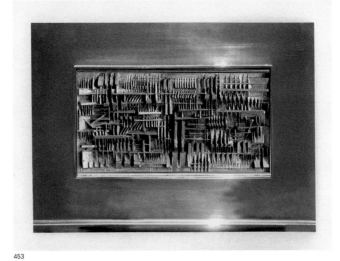

453

454

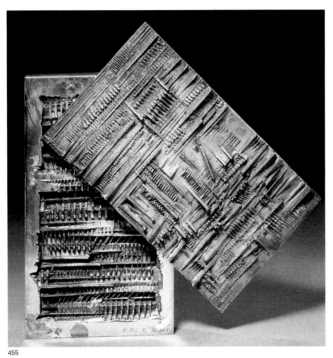

455

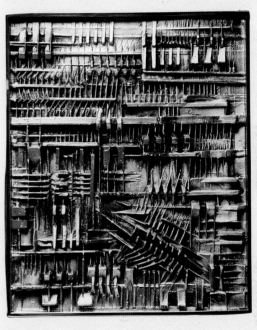

456

457
Bassorilievo, 1968
argento e ottone cromato,
34 x 24 x 8 cm
2 esemplari + 2 prove
d'artista
collezione privata, courtesy
galleria Giò Marconi, Milano;
collezione privata; collezione
privata; collezione
privata; collezione
(p.a. II)
AP 295c

458
Bassorilievo, 1968
argento e ottone cromato,
30 x 22 x 8 cm
esemplare unico
collezione privata
AP 295f

459
Bassorilievo, 1968
argento e ottone cromato,
34 x 24 x 8 cm
2 esemplari + 1 prova
d'artista
collezione privata
AP 295g

460
Studio, 1968
argento e ottone cromato,
15x 20 x 7 cm
esemplare unico
collezione privata
AP 295e

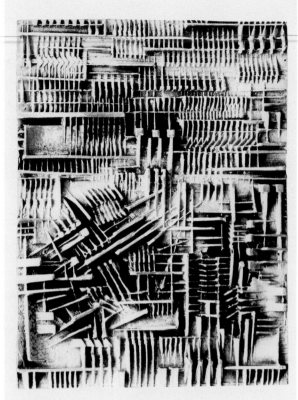

457

458

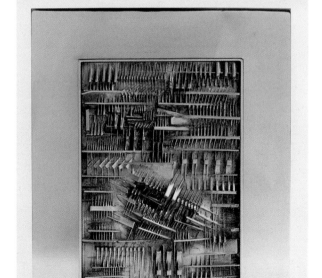

459

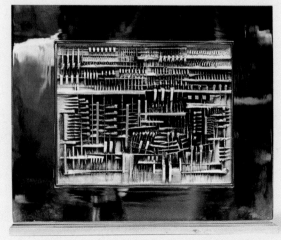

460

494

Vuoto pieno C, studio grafico, 1968
ottone cromato, dorato e verniciato, 77 x 58 cm
2 esemplari + 1 prova d'artista
collezione privata; collezione privata; collezione Dr. Gabrielle H. Reem e Dr. Herbert Kayden (02 p.a.)
AP 307

495

Vuoto pieno E, studio grafico, 1968
ottone cromato, dorato e verniciato, 77 x 58 cm
2 esemplari + 1 prova d'artista
collezione privata; collezione privata; collezione privata
AP 308

496

Vuoto pieno, I, 1968-1969
fiberglass verniciato e plexiglas, 120 x 120 x 28 cm
2 esemplari + 1 prova d'artista
collezione dell'artista
AP 309

Esposizioni: Colonia 1969; Verona 1970; Berkeley, CA 1970-1971; Palermo 1971; Pesaro[1] 1971

Bibliografia: "Flash Art"[1] 1969, ill.; Morpurgo 1971, ill. p. 80; AAVV 1974, ill. p. 161

497

Vuoto pieno, II, 1968-1969
fiberglass verniciato e plexiglas, 120 x 120 x 28 cm
2 esemplari + 1 prova d'artista
collezione dell'artista
AP 309a

Esposizioni: Colonia 1969; Verona 1970; Berkeley, CA 1970-1971; Palermo 1971; Pesaro[1] 1971

Bibliografia: AAVV 1974, ill. p. 160

498

Vuoto pieno, III, 1968-1969
fiberglass verniciato e plexiglas, 120 x 120 x 28 cm
2 esemplari + 1 prova d'artista
collezione dell'artista
AP 309b

Esposizioni: Colonia 1969

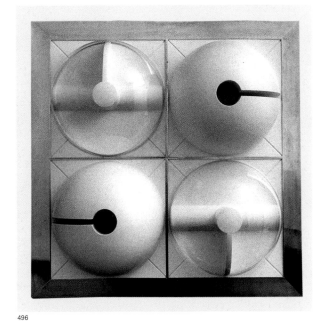

496

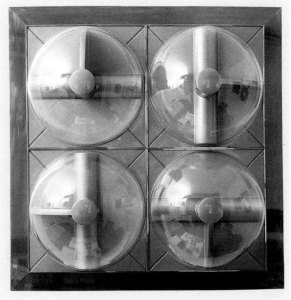

497

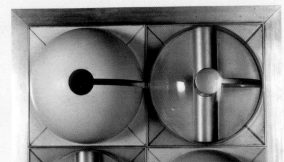

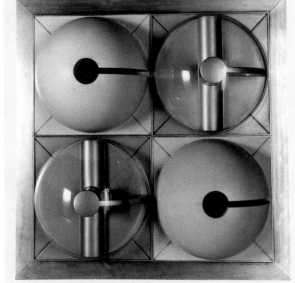

498

499
Bassorilievo, 1969
argento e ottone cromato,
23 x 29 x 7 cm
2 esemplari + 1 prova
d'artista
collezione privata, già Galerie
Pierre,Stoccolma; collezione
privata; collezione privata
AP 315

500
Senza titolo, 1969
argento e ottone cromato,
10 x 8 x 8 cm circa
3 esemplari
collezione privata
AP 322

501
Studio, 1969
argento e ottone cromato,
11 x 11 x 2,5 cm
esemplare unico
ubicazione sconosciuta
AP 323

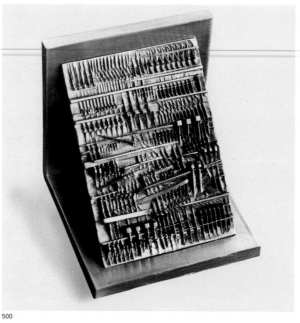

500

501

499

556

9; Radford, Radford 1978, pp. 10-11 (ill. p. 10); Di Genova 1980, ill. p. 171; Hunter 1982, p. 186 (ill. p. 187); "North City News" 1983, ill. p. 14; "The Dallas Morning News"[1] 1983, ill.; "Travelhost National" 1983, ill. p. N8; Marozzi[1] 1984, ill.; Mulas 1985, ill.; Costa, Taveggia 1986, ill. p. 33; Garbesi 1987, ill.; Ritter 1987, ill. p. 438; "Abitare" 1988, ill.; Fabiani 1988, ill. p. 104; Sarti 1988, ill.; Auregli 1990, ill.; Bottura 1990, ill.; D'Amore 1990, ill.; Di Genova 1991, ill. tav. 484; "La Nuova Venezia" 1992, ill.; Parisini 1996, ill.; Arnaldo Pomodoro. "Sphere within a Sphere" 1997, ill. p. 142; Pugnaloni 2002, ill. p. 11

514
Frammento, 1969
bronzo, 70 x Ø 50 cm
esemplare unico
collezione privata
AP 325

515
Colonne per Financial Plaza, Honolulu, studio, 1969
a) I colonna: argento dorato; II: argento; III: ottone brunito
I: 40 x Ø 7 cm; II: 40 x Ø 7 cm; III: 21 x Ø 7 cm
6 esemplari + 5 prove d'artista
collezione Dr. Gabrielle H. Reem e Dr. Herbert Kayden (1/6); collezione privata; collezione privata; collezione privata (5/6); collezione privata; collezione dell'artista; Roma, collezione Carla Panicali; collezione privata; Milano, E.B.M.C (p.a.); Lund, Skissernas Museum - Arkiv för Dekorativ Konst (p.a.)
b) gesso dipinto
I: 40 x Ø 7 cm; II: 40 x Ø 7 cm; III: 21 x Ø 7 cm
1 esemplare
Lund, Skissernas Museum - Arkiv för Dekorativ Konst
AP 313

Esposizioni: Verona 1970; Palermo 1971; Columbus, OH 1983-1985 (ill. tav. 14)

Bibliografia: Morpurgo 1971, ill. p. 80; AAVV 1974, ill. pp. 178, 186; Lucie-Smith 1987, ill. p. 99; Aprico 1993, ill. p. 3; cat. "Sotheby's MI154", Milano, 1999, ill. p. 313

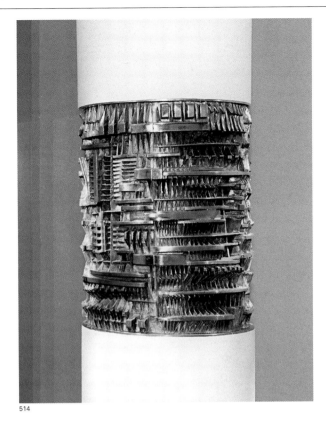

514

515

512

516
Colonna intera recisa, 1969
acciaio, 260 x Ø 70 cm
2 esemplari + 1 prova d'artista
Honolulu, Financial Plaza
of the Pacific; collezione
dell'artista; Bologna, Galleria
d'Arte Moderna
AP 327

Riprodotta nel Tomo I
a p. 136

Esposizioni: *Berkeley, CA
1970-1971*; Pittsburgh 1970-
1971; *Milano 1971*; *Pesaro*[2]
1971; *Darmstadt 1972* (ill. fig.
19); Venezia 1972; *Milano*[2]
1974 (ill. p. 58); New York[2],
NY 1974 (ill. p. 28); *New
York, NY 1976* (ill. pp. 42-43,
54-55); *Parigi*[1] *1976* (ill. tav.
16); Bari 1977; *Atlanta*[1], *GA
1978* (ill. cat.); *Dallas, TX
1983* (ill. p. 3); *Firenze 1984*;
Parigi 2002

Bibliografia: "The Sunday
Star-Bulletin & Advertiser"
1969, ill.; Anderson 1970, ill.;
"Berkeley Daily Gazette"
1970, ill.; "Castle & Cooke
Report" 1970, ill. pp. 1, 3;
"Honolulu Star-Bulletin"
1970, ill.; Olten 1970, ill.;
"San Francisco Examiner"
1970, ill.; Amati 1971, ill.;
"D'Ars Agency"[2] 1971, ill.
p. 95; Freudenheim 1971, ill.
p. 10; Macchiavello 1971, ill.;
Carrieri 1972, ill. p. 59;
"Darmstädter Echo" 1972,
ill.; Solmi[1] 1972, ill.; Solmi[2]
1972, ill. p. 13; Krimmel 1973,
ill. p. 27; "Topolino" 1973, ill.
p. 38; AAVV 1974, ill. p. 187;
Cavaliere 1977, ill.; *Maestri
contemporanei* 1978, ill. tav.
9; Radford, Radford 1978,
pp. 10-11 (ill. p. 10); Hunter
1982, p. 186 (ill. p. 187); cat.
Columbus, OH 1983, ill. tav.
61; Rosenthal 1983,
p. 9; Marozzi[1] 1984, ill.;
Garbesi 1987, ill.; "Abitare"
1988, ill.; Calegari[1] 1990, ill.
p. 39; "La Repubblica" 1990,
ill.; "La Nuova Venezia"
1992, ill.; Cecchini 1994,
ill. p. 4; *Arnaldo Pomodoro.
"Sphere within a Sphere"*
1997, ill. p. 142; Prina[2] 1998,
p. 56; Pugnaloni 2002,
ill. p. 11; AAVV 2003, ill.
pp. 39, 45-47

516

525
Bassorilievo, 1971
argento e ottone cromato,
21 x 28,5 x 8 cm
2 esemplari + 1 prova
d'artista
collezione privata (1/2);
collezione privata; collezione
privata
AP 333b

526
Bassorilievo, 1971
argento e ottone cromato,
20,5 x 18,5 x 8 cm
2 esemplari + 1 prova
d'artista
collezione privata; collezione
privata (2/2); collezione
Dr. Mark Haimann (02 p.a.)
AP 333a

527
Bassorilievo, 1971
argento e ottone cromato,
17 x 17 x 7 cm
2 esemplari + 1 prova
d'artista
collezione privata; collezione
privata; collezione privata
AP 334a

528
Bassorilievo, 1971
argento e ottone cromato,
18 x 22 x 7 cm
informazione sconosciuta
Milano, collezione
Bitta Leonetti (p.a.)
AP 333c

529
Bassorilievo, 1971
argento e ottone cromato,
12,2 x 19,2 x 7 cm
2 esemplari + 1 prova
d'artista
collezione privata; collezione
privata; collezione privata
AP 334

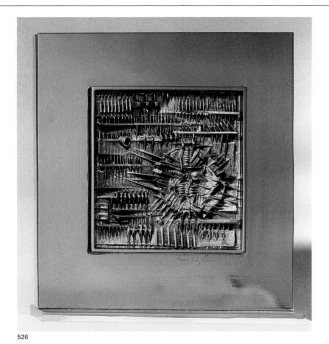

526

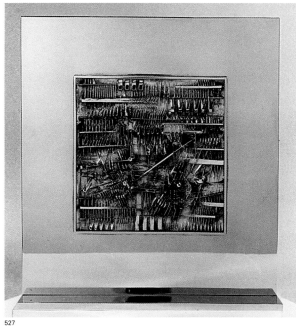

527

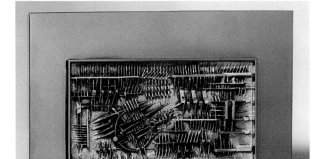

525

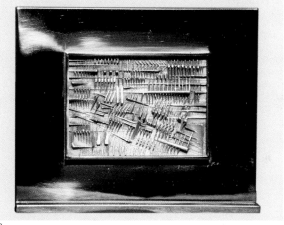

528

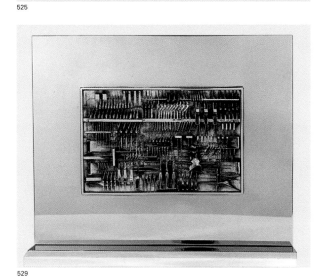

529

530

Cubo, 1971
bronzo, 104 x 102,3 x 78 cm
2 esemplari + 1 prova
d'artista
Darmstadt, Stadtische
Kunstsammlung Darmstadt -
Inventar Nummer - PL134,
dono dell'artista (p.a.)
AP 341

Esposizioni: Darmstadt 1972
(ill. fig. 28); *Monaco 1972*;
Genova 1973; Tokyo 1974 (ill.
cat.); *Intra 1975* (ill. tav. 2);
Parigi[2] 1975 (ill. p. 24); *New
York, NY 1976* (ill. p. 40);
Parigi[1] *1976* (ill. tav. 22);
Cento 1977; Taranto 1977;
Atlanta[3]*, GA 1978* (ill. cat.);
New York, NY 1978 (ill. p.
39); *Caracas*[2] *1978-1979* (ill.
n. 8); *Miami, FL 1979; San
Francisco, CA 1981* (ill. p. 14)

Bibliografia: AAVV 1974, ill.
pp. 168-169; Marechal-
Workman[2] 1981, ill.; Morch
1981, ill.; Hunter 1982,
ill. pp. 128, 129

530

570

531
Una battaglia:
per i partigiani, 1971
bronzo e acciaio,
400 x 360 x 360 cm
2 esemplari + 1 prova d'artista
Modena, Cimitero di San
Cataldo, Mausoleo-Sacrario
dei Caduti nella lotta di
Liberazione; New Orleans,
Sydney and Walda Besthoff
Foundation (2/2); collezione
dell'artista
AP 342

Riprodotta nel Tomo I
alle pp. 138-139

Esposizioni: Darmstadt 1972
(ill. fig. 29); *Milano[2] 1974* (ill.
p. 67); *New York, NY 1976*
(ill. pp. 44-45); *Firenze 1984*
(ill. pp. 120, 121); *Pavia 1985-*
1986; Bolzano 1994 (ill. cat.);
Cesena[1] 1995 (ill. pp. 23, 25);
Palma di Maiorca 1999;
Caserta 2000 (ill. pp. 27, 28);
Parigi 2002 (ill. p. 89)

Bibliografia: "Il Resto
del Carlino" 1972, ill.;
Schönenberger 1974, ill.;
Maestri contemporanei 1978,
ill. tav. 15; Hunter 1982, ill.
pp. 105, 128; cat. Columbus,
OH 1983, ill. tav. 62;
Rosenthal 1983, p. 8;
Carpentieri 1984, ill.; Lago
1984, ill.; Quintavalle[2] 1984,
ill.; Cocchia 1985, ill. p. 27;
Lanzone 1985, ill. p. 142; "La
Provincia Pavese" 1985, ill.;
Selz 1985, p. 124; D.M. 1986,
ill.; Galmozzi 1986, ill. p. 157;
Pancera 1987, ill. p. 62;
Dentice 1992, ill. p. 38;
Martin 1994, p. 15;
"Archivio" 1995, ill. p. 11;
Barilli[1] 1995, pp. 7-16; Hunter[1]
1995, p. 300 (ill. p. 157);
Colombo[2] 1996, ill. p. 21;
Arnaldo Pomodoro. "Sphere
within a Sphere" 1997, ill.
pp. 114-115; Cerri[2] 1997,
ill. p. 91; Lucie-Smith 1999,
ill. p. 97; *Scritti critici per*
Arnaldo Pomodoro 2000,
ill. pp. 336-337; Fiz 2002, ill.
p. 19; Ginesi[1] 2002, ill. p. 26;
AAVV 2003, ill. pp. 55-57

531

532
Cono, I, 1971
bronzo, 105 x Ø 65 cm
2 esemplari + 1 prova d'artista
collezione Dr. Gabrielle H.
Reem e Dr. Herbert Kayden
(1/2); Londra, asta Christie's
6123, 30 aprile 1999, n. 179
AP 339

Esposizioni: Intra 1975 (ill.
tav. 14); *Cento 1977*; Alghero
1978 (ill. cat.)

Bibliografia: Jürgen-Fischer
1972, ill. p. 50; AAVV 1974,
ill. p. 170; "AD"[1] 1982, ill. p.
81; cat. "Christie's 6123",
Londra, 1999, n. 179, ill. p. 89

533
Cono, II, 1971
bronzo e acciaio,
105 x Ø 65 cm
2 esemplari + 1 prova
d'artista
collezione privata; collezione
privata; collezione privata
AP 340

Esposizioni: Darmstadt 1972
(ill. fig. 27); *Monaco 1972*;
Genova 1973; *Milano*[2] *1974*
(ill. p. 226); *Tokyo 1974*
(ill. cat.); *Darmstadt 1986*
(ill. pp. 436, 437, vol. II)

Bibliografia: Alicorno 1973, ill.

534
Cono tronco, 1972
bronzo e acciaio,
620 x Ø 360 cm
1 esemplare + 1 prova
d'artista
Binghamton, NY,
Binghamton Government
Center Plaza; collezione
dell'artista
AP 345

Riprodotta nel Tomo I
a p. 141

Esposizioni: Milano[2] *1974*
(ill. p. 66); *Rieti 1980-1981*
(ill. p. 248); *Firenze 1984*
(ill. pp. 32, 108, 109); *Pavia
1985-1986*; *Palma di Maiorca
1999*; *Parigi 2002* (ill. pp. 48-
49, 50, 51)

Bibliografia: Doll 1973, ill.;
"Il Cittadino" 1973, ill.; "The
Sun-Bulletin" 1973, ill.; AAVV
1974, ill. pp. 171-172; 211;
"Gala International" 1974,
ill. p. 81; Motta 1974, ill. p.
48; cat. coll. New York[2], NY
1974, ill. p. 56; Porzio[2] 1974,
ill. p. 49; "18 Karati" 1975,
ill.; Mucci 1976, ill. p. 49;
cat. New York, NY 1976, ill.
pp. 50-51; cat. Parigi[1] 1976,
tav. A; Greco 1977, ill.; cat.
Caracas[2] 1978, n. 11; *Maestri
contemporanei* 1978, ill. tav.
14; Di Genova 1980, ill. p. 248;

534

Von Behr 1980, ill. p. 106;
Hunter 1982, ill. p. 134; cat.
Columbus, OH 1983, ill. tav.
31; Rosenthal 1983, pp. 8-9;
Carpentieri 1984, ill.;
Micacchi 1984, ill.; Pandolfi
1984, ill. p. 75; Lanzone 1985,
ill. p. 143; cat. coll. San
Quirico d'Orcia 1985, ill.
p. 109; Argan, Mussa 1986,
tavv. 42, 44, 45; Malcovati[2]
1986, ill.; Leonetti 1987,
ill. p. 72; cat. coll. Numana
1987, ill. p. 72; Pancera 1987,
ill. p. 63; Sarenco 1987, ill. p.
11; Casasco 1988, ill. p. 48;
cat. coll. Rezzato 1988, ill. p.
58; Donati 1991, ill. p. 47;
Caprile[2] 1993, ill. p. 91;
Hunter[1] 1995, ill. p. 125;
*Arnaldo Pomodoro. "Sphere
within a Sphere"* 1997,
ill. pp. 116, 117; Cerri[1] 1997,
ill. p. 42; Cerri[2] 1997, ill. pp.
90, 92; Fiz[1] 1997, ill. pp.
36-37; Salvagni 1997, ill.
p. 66; Andreoli 2000, ill. p. 75;
*Scritti critici per Arnaldo
Pomodoro* 2000, ill. pp. 338-
339; D.P. 2002, ill.; AAVV
2003, ill. pp. 58-59, 93

535
Frammento, studio, 1972
bronzo, 32 x 16 x 6,5 cm
2 esemplari + 2 prove
d'artista
collezione privata; collezione
dell'artista (2/2); collezione
privata (02 p.a.); collezione
privata (p.a.)
AP 349c

536
Frammento, 1972
bronzo, 170 x 82 x 35 cm
2 esemplari + 1 prova
d'artista
collezione privata; Venezia,
Ca' Pesaro, Archivio Storico
Biennale di Venezia;
collezione privata
AP 349b

Esposizioni: *Parigi*[1] *1976* (ill.
tav. 23); *Taranto 1977*; *Cento
1977*; *Atlanta*[1]*, GA 1978* (ill.
cat.); *Caracas*[2] *1978-1979* (ill.
n. 7); *Miami, FL 1979*; *San
Francisco, CA 1981* (ill. pp. 2,
19); *Columbus, OH 1983-1985*
(ill. in copertina e tav. 16)

Bibliografia: "Atlanta
Magazine" 1978, ill.; Morch
1981, ill.; Temko 1981, ill.;
"Columbus Museum of Art"[2]
1983, ill. p. 3; Rosenthal
1983, pp. 8-9; Cochran 1985,
ill. p. 17

532

533

535

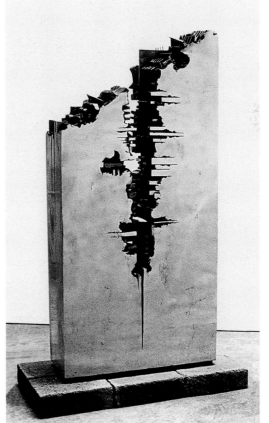

536

537
Piramide, 1972
a) oro, 10,5 x 12 x 10,5 cm
1 esemplare
collezione privata (1/1)
b) argento dorato,
10,5 x 12 x 10,5 cm
2 esemplari
Milano, collezione privata
(1/2); collezione privata
AP 347

538
Bassorilievo, 1972
argento e ottone cromato,
21 x 20 x 7 cm
2 esemplari + 1 prova
d'artista
Darmstadt, collezione
privata (1/2)
AP 344b

539
Bassorilievo, 1972-1973
argento, 12 x 12 cm
2 esemplari + 1 prova
d'artista
collezione privata (02 p.a.)
AP 349a II

540
Bassorilievo a colonna, 1972
argento e ottone cromato,
97 x 23 cm
2 esemplari + 1 prova
d'artista
Bruxelles, Galerie Kriwin;
collezione privata; collezione
privata
AP 343

*Esposizioni: Francoforte
1972; Monaco 1972*

541
Rotondo, II, 1972
argento e ottone cromato,
30 x 30 x 7 cm
2 esemplari + 1 prova d'artista
collezione privata; collezione
privata (2/2); collezione
privata (02 p.a.)
AP 344a

542
Rotondo, I, 1972
argento e ottone cromato,
30 x 30 x 7 cm
2 esemplari + 2 prove d'artista
collezione privata; collezione
privata (2/2); collezione
privata (02 p.a.); Darmstadt,
collezione privata
AP 344
[Da quest'opera è stata tratta
un'edizione di 100 esemplari
in fiberglass argentato, con
varianti, per la custodia in
cartone telato o in legno e
vetro del catalogo della
mostra a Darmstadt, 1972]

*Esposizioni: Francoforte
1972; Monaco 1972*

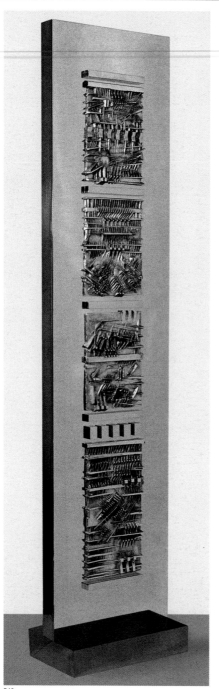
540

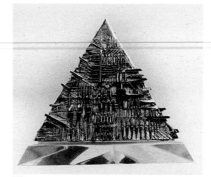

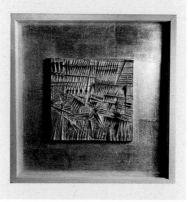
537

538

539

541

542

15; Pece 1984, ill.; Polaczek 1984; Pomodoro[5] 1984, pp. 104-106; Risset[1] 1984, pp. 20-21; Arbasino 1985, p. 338; Selz 1985, p. 125; Argan 1986; Senie 1986, p. 20; Agosti 1987, ill.; *Colpo d'ala di Arnaldo Pomodoro* 1988, ill. p. 33; Dal Lago 1988; Mussa[2] 1988, p. 54; Adorno 1989, pp. 51-52; Bianco 1990, ill. p. 11; Del Guercio 1990, ill. p. 38; Sguanci[1] 1990, pp. 142, 143, 145-147 (ill. p. 144); Di Genova 1991, pp. 518-519; Caprile[1] 1993, pp. 38-47 (ill. pp. 38-39; 40); Rossi 1993, ill. p. 30; Carandente 1994, p. 20; AAVV 1995, pp. 156-157 (ill. p. 157); Barilli[1] 1995, pp. 7-16; Gibelli 1995, p. 107 (ill. p. 108); Hunter[1] 1995, pp. 156, 306, 311 (ill. pp. 307, 308-309, 310); Caprile[3] 1997, p. 11; Troisi 1997, p. 19; Turrina 1997, ill. p. 7; Gualdoni 1998, p. 30; Prina[2] 1998, pp. 59-60; Cavallucci 1999, pp. 11-28; Gualdoni, Prina 1999, pp. 6-7 (ill. p. 6); Spadoni 1999, ill. pp. 52-53; *Scritti critici per Arnaldo Pomodoro* 2000, ill. pp. 340-341; Angelucci 2001, ill. p. 3; Apa 2001, pp. 21-22 (ill. p. 21); Gualdoni[2] 2001, p. 15; Pomodoro[5] 2002, ill. p. 59

551
Rilievo del Cimitero di Urbino, studio, 1973-2001
bronzo, 43,5 x 32,5 x 9 cm
3 esemplari + 1 prova d'artista
collezione A. Simoncelli (1/3);
collezione privata (2/3);
collezione privata (3/3);
collezione privata (03 p.a.)
AP 773

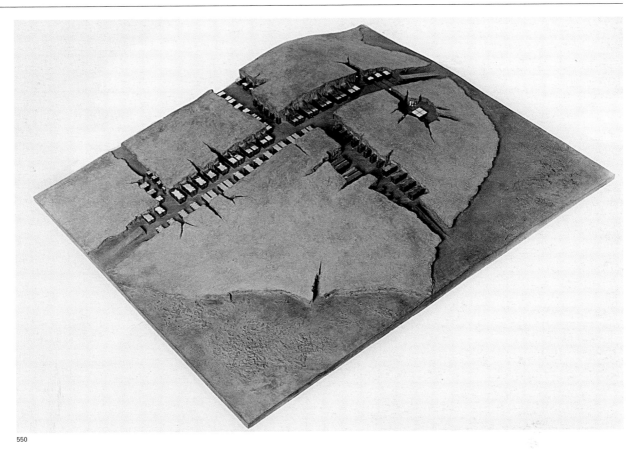

550

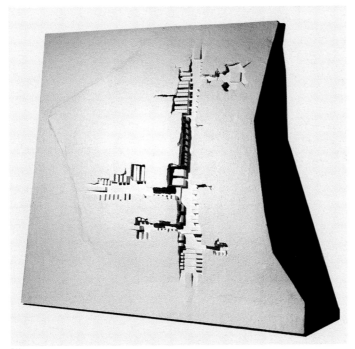

549

551

552
Bassorilievo, 1973
argento e ottone cromato,
25,5 x 22 x 7 cm
2 esemplari + 1 prova
d'artista
Peter Hobart Sculpture
Collection (1/2); collezione
privata; collezione privata
AP 351a

553
Bassorilievo, 1973
argento e ottone cromato,
26 x 22 x 7 cm
2 esemplari + 1 prova
d'artista
collezione privata; collezione
privata; collezione privata
AP 353

Bibliografia: "The Monday
Paper" 1981, ill.

554
Bassorilievo, 1973
argento e ottone cromato,
31,7 x 25,6 x 8 cm
2 esemplari + 1 prova
d'artista
collezione privata (1/2);
collezione privata (2/2);
collezione privata
AP 353b I

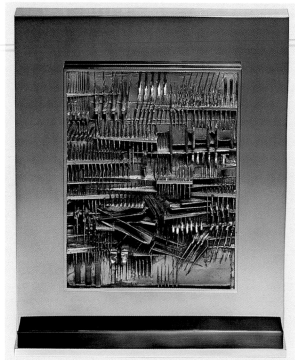

552

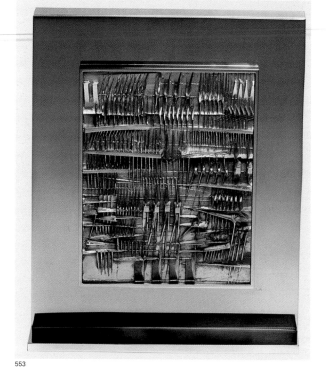

553

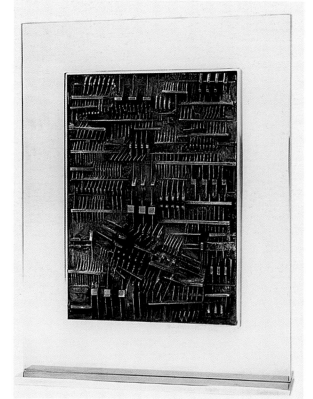

554

555
Bassorilievo, 1973
argento e ottone cromato,
18,5 x 19,5 x 7 cm
2 esemplari + 1 prova
d'artista
collezione privata; collezione
privata; collezione privata
(02 p.a.)
AP 349

556
Bassorilievo, 1973
argento e ottone cromato,
18,5 x 19,5 x 7 cm`
2 esemplari + 1 prova
d'artista
collezione privata; collezione
privata; collezione privata
AP 349a

557
Bassorilievo, 1973
argento e ottone cromato,
24 x 22 x 7 cm
2 esemplari + 1 prova
d'artista
collezione privata, courtesy
galleria Giò Marconi, Milano;
collezione privata; collezione
privata
AP 353a

558
Bassorilievo, 1973
argento e ottone cromato,
25,5 x 22,5 x 7 cm
2 esemplari + 1 prova
d'artista
Bruxelles, Galerie Kriwin;
collezione privata; collezione
privata
AP 351

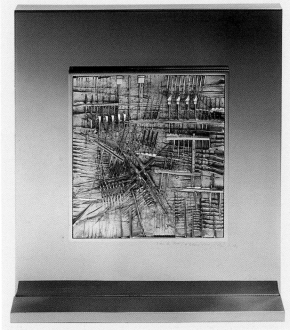

555

556

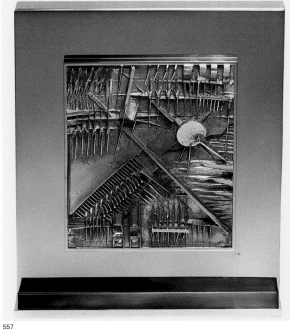

557

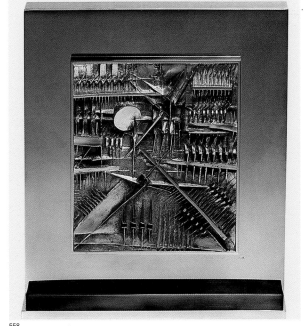

558

559
Bassorilievo, 1973
argento e ottone cromato,
27 x 33 x 8 cm
2 esemplari + 1 prova
d'artista
Milano, collezione privata
(1/2); collezione privata
(02 p.a.)
AP 353b II

560
Bassorilievo, 1973-1974
argento, 12 x 12 cm
2 esemplari
collezione privata (1/2, con
base e supporto di ottone
cromato, 23,8 x 23,8 x 7 cm);
Milano, collezione privata
(2/2)
AP 349a I

561
Bassorilievo, 1973-1974
bronzo, 34 x 23 x 8 cm
9 esemplari + 1 prova
d'artista
Los Angeles, CA, collezione
privata (1/9); Torino,
collezione privata (9/9)
AP 353a I

562
Bassorilievo, 1974
bronzo e ottone dorati,
24,5 x 32 x 8 cm
2 esemplari + 1 prova
d'artista
collezione privata; collezione
privata; collezione privata
AP 357

563
Bassorilievo, 1974
bronzo e ottone dorati,
29,5 x 23,5 x 8 cm
2 esemplari + 1 prova
d'artista
collezione privata; collezione
privata
AP 357a

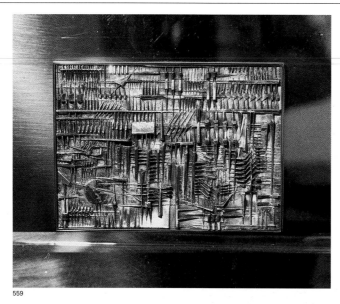

559

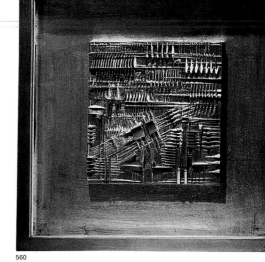

560

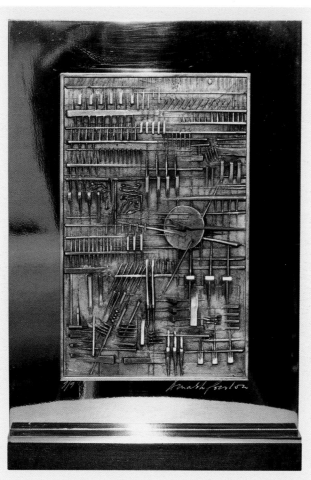

561

564
Bassorilievo, 1974
argento e ottone cromato,
32 x 23,5 x 8 cm
2 esemplari + 1 prova
d'artista
Venezia, asta Semenzato,
8 giugno 2002, n. 142 (1/2);
collezione privata; collezione
privata
AP 357c

Bibliografia: cat. "Semenzato",
Venezia, 2002, ill. n. 142

565
Bassorilievo, 1974
bronzo e ottone dorati,
28 x 23 x 8 cm
2 esemplari + 1 prova
d'artista
collezione privata; collezione
privata (2/2); collezione
privata
AP 357b

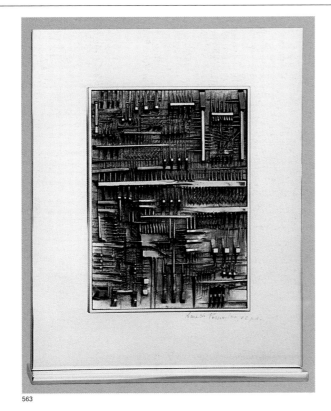

563

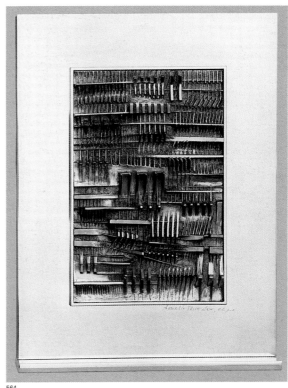

564

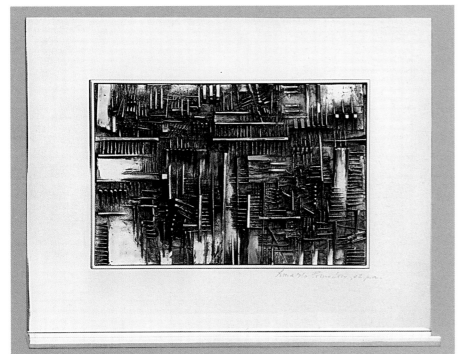

562

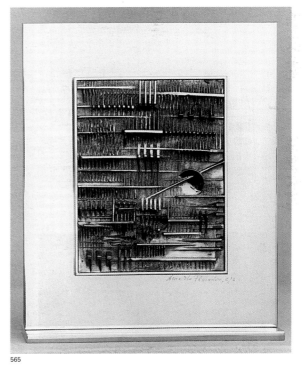

565

566
Tavola dei segni, 1974
a) ottone argentato,
53 x 19 cm
1 esemplare
collezione privata
b) argento, 53 x 19 cm
2 esemplari + 1 prova
d'artista
AP 363

567
Folded page, 1974
acciaio e bronzo dorato,
100 x 70 cm
2 esemplari + 1 prova
d'artista
New York, NY, collezione
privata (1/2); collezione
privata; Milano, collezione
Laurini (prova d'artista)
AP 361

Bibliografia: cat. "Christie's",
Milano, 1999, ill. p. 48

568
Stele, I, 1974
bronzo argentato,
17 x 7,5 x 4 cm
9 esemplari
collezione privata (4/9);
collezione dell'artista (p.a.)
AP 351b

569
Stele, II, 1974
bronzo argentato,
18 x 8 x 4 cm
informazioni sconosciute
collezione dell'artista (p.a.)
AP 351c

570
Uccello: a Brancusi, studio I,
1974
ottone dorato,
12,5 x 19,5x 15 cm
6 esemplari + 1 prova
d'artista
Novara, collezione Carla
Barbè Coppa (2/6); collezione
privata; Milano, collezione
privata
AP 366

Esposizioni: Parigi[2] *1976*

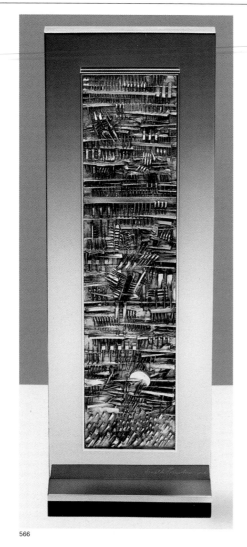

566

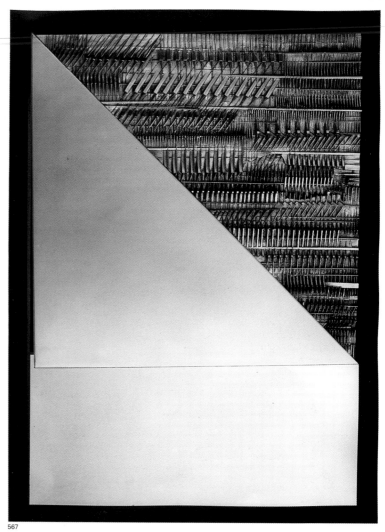

567

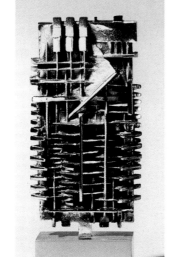

568

569

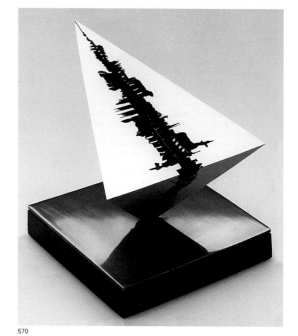

570

571
Pietrarubbia, I, studio, 1974
ottone dorato, 24 x 14 x 2 cm
6 esemplari + 1 prova
d'artista
AP 374

Esposizioni: Parigi[2] *1976*

Bibliografia: "Bolaffiarte"
1977, ill.; Zerio 1993,
ill. p. 118

572
Pietrarubbia, II, studio, 1974
ottone dorato, 24 x 14 x 2 cm
6 esemplari + 1 prova
d'artista
AP 374a

573
Porta, 1974-1975
bronzo, 205 x 150 cm
esemplare unico
collezione privata
AP 367b
[Quest'opera è stata ideata e
realizzata espressamente
come porta d'ingresso di una
residenza privata in Belgio]

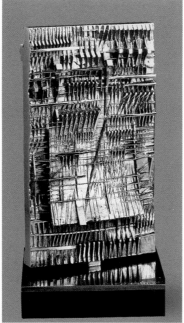
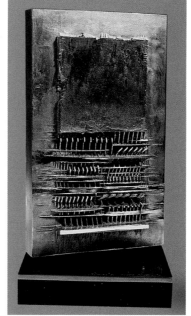

571

572

573

574
Sfera, 1974
bronzo, Ø 30 cm
2 esemplari + 1 prova
d'artista
collezione privata; collezione
privata; collezione privata
AP 359

575
Rotante con sfera interiore,
studio, 1974-1975
ottone dorato, Ø 12 cm
6 esemplari + 2 prove
d'artista
collezione privata; collezione
privata; collezione privata;
collezione privata; Livorno,
Museo Civico Giovanni
Fattori, inv. 202/91; collezione
privata; Milano, collezione
privata (p.a.); Berkeley, CA,
collezione Professor
Seymour Chatman (p.a.)
AP 364

Esposizioni: Livorno
1974-1975; Livorno 1999

576
Sfera, studio, 1975
bronzo, Ø 30 cm
2 esemplari + 1 prova
d'artista
collezione Ugolini (1/2)
AP 370

577
Sfera, 1975
bronzo, Ø 60 cm
2 esemplari + 1 prova
d'artista
Roma, collezione Lafuente;
collezione privata; collezione
privata
AP 371

Esposizioni: Parigi¹ 1976
(ill. tav. 25)

Bibliografia: cat. "Sotheby's
MI205", Milano, 2002, n. 300,
ill. p. 101

576

577

574

575

578
Bassorilievo, 1975
argento e ottone cromato,
29,5 x 29,5 x 8 cm
2 esemplari + 1 prova
d'artista
Rutigliano, collezione privata
(1/2); collezione privata;
collezione privata (02 p.a.)
AP 368a

579
Bassorilievo, 1975
argento e ottone cromato,
33,5 x 26 x 8 cm
2 esemplari + 1 prova
d'artista
collezione privata (1/2);
collezione privata; collezione
privata
AP 368b

580
Bassorilievo, 1974-1975
argento e ottone cromato,
31,2 x 26,9 x 8 cm
2 esemplari + 1 prova
d'artista
Milano, collezione privata (1/2)
AP 357d

581
Bassorilievo, 1974-1975
bronzo dorato, 35 x 25 x 8 cm
2 esemplari + 1 prova
d'artista
collezione Sirtaine-Lasne (2/2)
AP 357e

582
Piramide, studio, 1974-1975
ottone dorato,
13 x 16 x 13 cm
6 esemplari
collezione privata; collezione
privata
AP 365

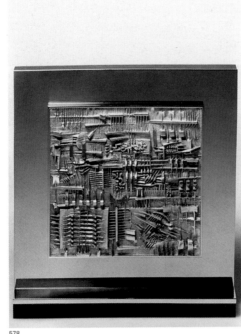
578

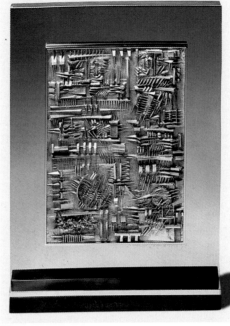
579

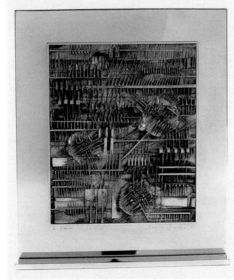
580

581

582

583

The Pietrarubbia Group,
studio, 1975
bronzo e ferro,
52 x 103 x 70 cm
9 esemplari + 1 prova
d'artista
Milano, collezione privata;
collezione dell'artista
AP 374b

Riprodotta nel Tomo I a p. 150

Esposizioni: *Pesaro 1980*;
Berkeley, CA 1981; *Parigi
1982*; *Milano 1983*;
Columbus, OH 1983-1985 (ill.
tav. 42); *Tokyo 1985* (ill. pp.
14, 15); *Malcesine 1987* (ill.
tav. 27); *New York, NY 1987*
(ill. cat.); *Venezia 1988*;
Zurigo 1988; *Novara 1989*
(ill. cat.); *Pennabilli 1993*;
Marsala 1997 (ill. pp. 116-
117); *Trento 1997*; *Varese
1998-1999* (ill. pp. 76, 77);
Milano 2001 (ill. p. 83);
Sassoferrato 2001 (ill. pp. 43,
44, 45, 46-74)

Bibliografia: Q. [Quintavalle]
1976, p. 17; Quintavalle 1980,
p. 16; Besozzi 1981, ill. p. 50;
Lewallen 1981, ill.; Marechal-
Workman[2] 1981, ill.; Hunter
1982, pp. 12-24, 188 (ill. p.
17); Martin[1] 1982, pp. 104-105
(ill. p. 105); cat. Columbus,
OH 1983, ill. tav. 63; Atchison
1984, ill.; "Area" 1988, ill.
p. 75; Barilli[1] 1995, pp. 7-16;
Hunter[1] 1995, pp. 12, 16, 17,
111, 112; Gualdoni 1998,
p. 29; Prina[2] 1998, pp. 59-60
(ill. p. 49)

584

*The Pietrarubbia Group:
il fondamento, l'uso,
il rapporto*, 1975-1976
bronzo, ferro, fiberglass e
marmo, 280 x 530 x 360 cm
2 esemplari + 1 prova
d'artista
Milano, collezione privata;
collezione dell'artista
AP 376

Riprodotta nel Tomo I
alle pp. 151, 152-153

Esposizioni: *Milano 1976*;
New York, NY 1976 (ill. pp.
18, 19, 20, 21, 22, 23, 24-25,
26-27); *Rieti 1980-1981*
(ill. p. 248); *Dallas, TX 1983*
(ill. in copertina e pp. 7-8);
Firenze 1984 (ill. pp. 37, 128-
129 [particolare], 130, 131,
133, 134, 135, 154,155);
Kanagawa 1994 (ill. pp. 50-
51); *Cesena*[1] *1995* (ill. pp. 29,
30-31, 32, 33, 34-35); *Palma
di Maiorca 1999*; *Caserta
2000* (ill. pp. 31, 32, 35);
Parigi 2002 (ill. pp. 34-35,
36, 38-39)

Bibliografia: Barilli 1976;
"D'Ars Agency" 1976, p. 94
(ill. pp. 94-95); D.H. 1976, p. 1
(ill. p. 1); "Il Marchigiano"
1976, ill.; Leonetti 1976; cat.
Parigi 1976, ill.; Q. [Quintavalle]
1976, p. 17; Schefer 1976, ill.
p. 47; Simonetti 1976, ill. p.
81; Z. 1976; Barilli 1977;
"Data" 1977; Innocente 1977,
ill. pp. 24, 26; Tadini 1977;
Argan 1978, p. 3; cat.
Caracas[2] 1978, il. n. 12;
Maestri contemporanei 1978,
ill. tavv. 17, 18; Barilli 1979;
Di Genova 1980, ill. p. 248;
De Micheli 1981, ill. p. 234;
Hunter 1982, pp. 12-24, 188
(ill. pp. 13-23, 189-191);
Hammacher 1983, pp. 7-8;
Kutner[1] 1983, ill.; Rosenthal
1983, pp. 9-10; Mostardini
1984, ill.; Mussa[2] 1984, pp.
12, 15; Argan, Mussa[2] 1986,
tavv. 53-54, 63; Leonetti 1987,
ill. p. 69; cat. coll. Numana
1987, ill. p. 69; Sarenco 1987,
ill. p. 6; *Colpo d'ala di
Arnaldo Pomodoro* 1988, ill.
p. 43; Dal Lago 1988, p. 742
(ill.); Mussa[2] 1988, p. 54;
"Galery" 1994, ill. in
copertina e p. 28; "Archivio"
1995, ill. p. 11; Barilli[1] 1995,
pp. 7-16; Hunter[1] 1995,
pp. 12, 16, 17, 111, 112 (ill.
pp. 20-21, 22-23, 24-25, 115);
Troisi[1] 1997, p. 21; Gualdoni
1998, p. 29; Prina[2] 1998, pp.
59-60 (ill. pp. 46, 47); cat.
Palma di Maiorca 1999, ill. p.
61; *Scritti critici per Arnaldo
Pomodoro* 2000, ill. pp. 342-
343; Gualdoni[2] 2001, p. 12
(ill. p. 13); Ginesi[2] 2002, ill.
p. 14; AAVV 2003, ill.
pp. 78-79, 82, 84-85

585

*The Pietrarubbia Group:
la quotidianità*, 1975-1976
bronzo, ferro, fiberglass e
marmo, 280 x 320 x 20 cm
2 esemplari + 1 prova d'artista
collezione privata courtesy
Marlborough Gallery (1/2);
collezione dell'artista
AP 376d

Riprodotta nel Tomo I a p. 154

Esposizioni: *New York, NY
1976* (ill. pp. 28, 29); *Dallas,
TX 1983* (ill. pp. 7-8); *Firenze
1984* (ill. p. 132); *Cesena*[1]
1995 (ill. p. 37)

Bibliografia: Q. [Quintavalle]
1976, p. 17; Hunter 1982,
pp. 11-24 (ill. p. 25);
Rosenthal 1983, pp. 9-10;
"Casa Vogue" 1986, ill. p. 97;
Barilli[1] 1995, pp. 7-16; Hunter[1]
1995, pp. 17, 112; *Scritti
critici per Arnaldo Pomodoro*
2000, ill. p. 344

583

585

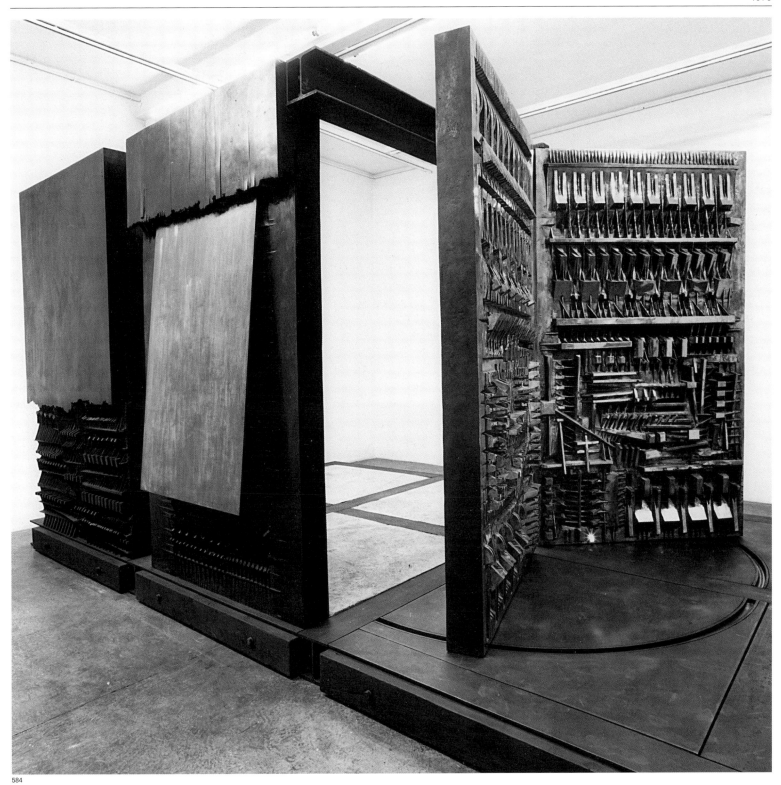

584

586
Tenda fortilizio, 1975-1980
bronzo e ferro,
25 x 134 x 114 cm
9 esemplari + 1 prova
d'artista
Milano, collezione privata;
New York, NY, Cavaliero Fine
Arts (2/9); collezione
dell'artista; collezione
dell'artista; collezione privata
AP 418b

Riprodotta nel Tomo I
alle pp. 156-157

Esposizioni: *Pesaro 1980*;
Berkeley, CA 1981 (ill. in
copertina); *Parigi 1982*;
Milano 1983; *Columbus, OH
1983-1985*; *Firenze 1984* (ill.
pp. 156, 157, 158, 159);
Acireale 1985; *Malcesine
1987* (ill. tav. 29); *New York,
NY 1987* (ill. cat.); *Venezia
1988*; *Novara 1989* (ill. cat.);
Kanagawa 1994 (ill. p. 52);
Cesena[1] *1995* (ill. pp. 66, 67,
68-69); *Marsala 1997*
(ill. pp. 102-103); *Trento 1997*;
Palma di Maiorca 1999;
Sassoferrato 2001 (ill. pp. 49,
50-51)

Bibliografia: Quintavalle
1980; Besozzi 1981, ill. p. 48;
Marechal-Workman[2] 1981,
ill.; Morgan 1981, ill.; Martin[1]
1982, p. 105 (ill. p. 110); Rossi
1982, ill. pp. 48-49; Rosenthal
1983, p. 10; Dal Lago 1988,
p. 741 (ill.); Di Genova 1991,
pp. 518-519; Hunter[1] 1995, ill.
pp. 272-273 (disegno); Troisi[1]
1997, p. 21; Prina[2] 1998, p.
61; Pomodoro[5] 2002, ill. p. 47

587
Tomba Famiglia Finzi, 1976
bronzo, 72 x 120 x 250 cm
esemplare unico
Milano, Cimitero
Monumentale, Rep. 20 -
Tomba 156
AP 381

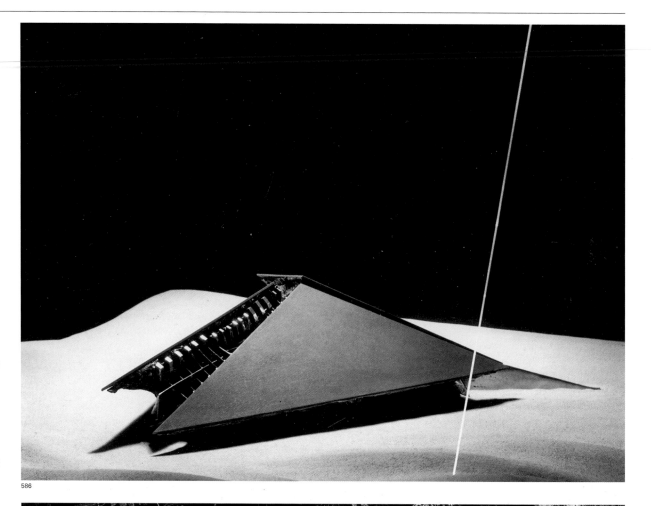

586

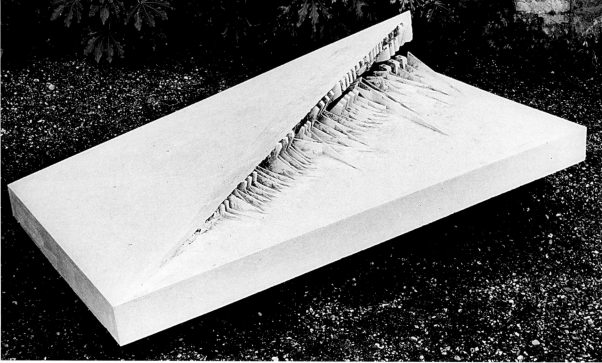

587

588
Sfera, 1976
bronzo, Ø 15 cm
9 esemplari + 1 prova
d'artista
collezione privata (2/9)
collezione privata (3/9);
collezione privata
AP 380a

589
Sfera, 1976
bronzo, Ø 20 cm
9 esemplari + 1 prova
d'artista
collezione privata; Roma,
collezione privata (6/9);
Bergamo, collezione privata
(8/9); Milano, collezione
privata
AP 380b

Bibliografia: cat. "Finarte"[2],
Milano, 1999, ill. p. 141

590
Sfera, 1976
bronzo, Ø 30 cm
6 esemplari + 1 prova
d'artista
collezione privata; collezione
privata; Caracas, collezione
Paolo Marinelli P. (6/6)
AP 380

591
Sfera, 1976
bronzo, Ø 50 cm
2 esemplari + 1 prova
d'artista
collezione privata;
Roma, collezione Roberto
Bolla (2/2); collezione privata
AP 378

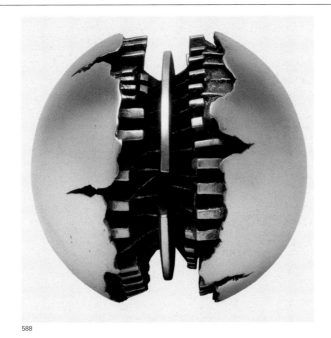

588

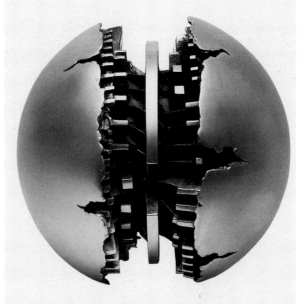

589

590

591

592
Cronaca 1: Gastone Novelli,
1976
bronzo, 100 x 70 cm
3 esemplari + 1 prova
d'artista
Milano, collezione privata;
Milano, collezione privata;
collezione dell'artista (3/3);
collezione dell'artista
AP 377a

Esposizioni: *Milano 1978*

Bibliografia: Carandente[1]
1978; Gualdoni[2] 2001, p. 15

593
Cronaca 7: Gastone Novelli,
1976
bronzo, 100 x 70 cm
3 esemplari + 1 prova
d'artista
Milano, collezione privata;
Milano, collezione privata;
collezione dell'artista; Roma,
collezione Ivan Novelli
(03 p.a.)
AP 377g

Esposizioni: *Milano 1978;*
Milano 2001

Bibliografia: Carandente[1]
1978; Carandente[3] 1978, ill.
p. 60; Gualdoni[2] 2001, p. 15

594
Cronaca 5: Paolo Castaldi,
1976
bronzo, 100 x 70 cm
3 esemplari + 1 prova
d'artista
collezione privata; Milano,
collezione privata (2/3);
collezione privata; collezione
dell'artista
AP 377e

Esposizioni: *New York, NY*
1976 (ill. p. 37); *Milano 1978;*
San Francisco, CA 1979 (ill.
p. 19); *Dallas, TX 1983* (ill. p.
5); *Firenze 1984* (ill. p. 126);
Milano 2001 (ill. p. 80)

Bibliografia: Carandente[1]
1978; Gualdoni[2] 2001, p. 15

595
Cronaca 4: Paolo Castaldi,
1976
bronzo, 100 x 70 cm
3 esemplari + 1 prova
d'artista
Milano, collezione privata;
Milano, collezione privata;
collezione dell'artista (3/3);
San Francisco, CA, collezione
privata
AP 377d

Esposizioni: *New York, NY*
1976 (ill. pp. 36-37); *Treigny*
Yonne 1977; Milano 1978;
San Francisco, CA 1979 (ill.
p. 18); *Dallas, TX 1983* (ill. p.
5); *Firenze 1984* (ill. p. 126);

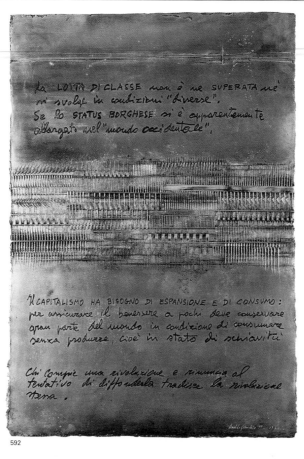

592

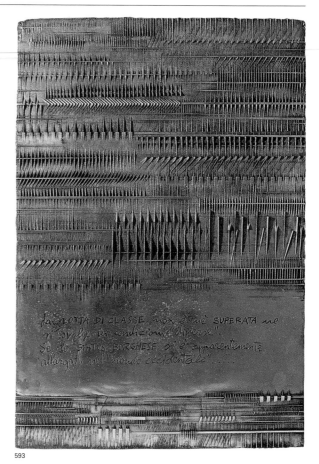

593

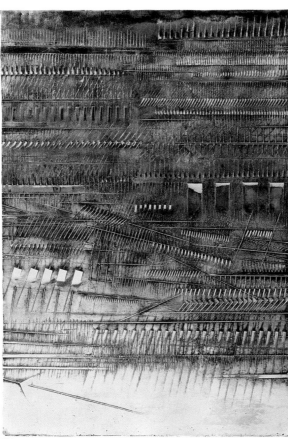

594

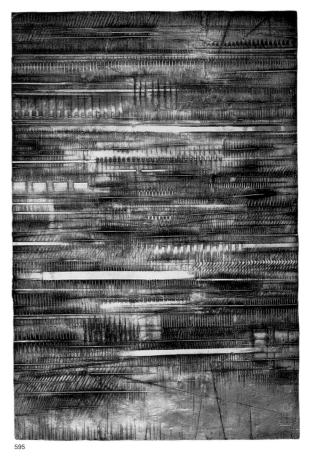

595

592

Malcesine 1987 (ill. tav. 16); *Milano 2001*

Bibliografia: Carandente[1] 1978; Gualdoni[2] 2001, p. 15

596
Cronaca 2: Gastone Novelli, 1976
bronzo, 100 x 70 cm
3 esemplari + 2 prove d'artista
collezione Susan B. and William M. Gould (1/3); collezione privata; Milano, asta Christie's 2434, 24 novembre 2003, n. 268 (3/3); Tokyo, collezione privata; collezione dell'artista
AP 377b

Esposizioni: *New York, NY 1976* (ill. p. 36); *Milano 1978*; *San Francisco, CA 1979*; *Firenze 1984* (ill. p. 126); *Tokyo 1985* (ill. p. 20)

Bibliografia: Carandente[1] 1978; cat. "Sotheby's MI154", Milano, 1999, ill. p. 59; Gualdoni[2] 2001, p. 15; cat. "Christie's 2434", Milano, 2003, n. 268, ill. p. 97

597
Cronaca 6: Francesco Leonetti, 1976
bronzo, 100 x 70 cm
3 esemplari + 1 prova d'artista
collezione privata; Milano, collezione privata (2/3); collezione privata (3/3); collezione dell'artista
AP 377f

Esposizioni: *Milano 1978*; *San Francisco, CA 1979*; *Dallas, TX 1983* (ill. p. 5); *Columbus, OH 1983-1985* (ill. tav. 19); *Firenze 1984* (ill. p. 127); *San Francisco, CA 1996*; *Milano 2001* (ill. p. 81)

Bibliografia: Carandente[1] 1978; "Data" 1978, ill.; Gualdoni[2] 2001, p. 15

598
Cronaca 3: Ugo Mulas, 1976
bronzo, 100 x 70 cm
3 esemplari + 2 prove d'artista
collezione dell'artista (1/3); Milano, collezione privata (2/3); collezione privata (3/3); Milano, collezione privata; collezione dell'artista
AP 377c

Esposizioni: *New York, NY 1976* (ill. p. 39); Treigny Yonne 1977 (ill. tav. 76); *Milano 1978*; *San Francisco, CA 1979*; *Dallas, TX 1983* (ill. p. 5); *Firenze 1984* (ill. p. 127); *Malcesine 1987* (ill. tav. 15); *Milano 2001* (ill. p. 79)

Bibliografia: Carandente[1] 1978; Gualdoni[2] 2001, p. 15

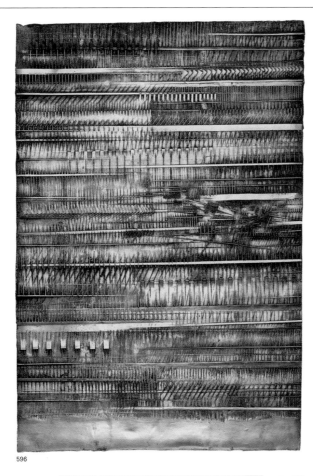

596

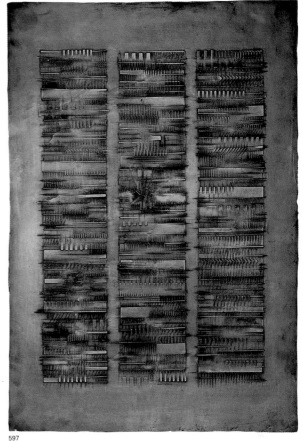

597

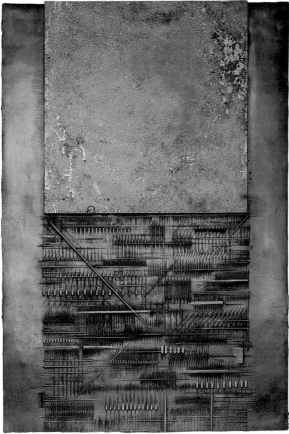

598

599
Stele, 1976
argento, 14 x 5 cm
9 esemplari + 3 prove
d'artista (numeri romani)
opera realizzata per la società
Selenia
AP 389a

600
Untitled, 1976
argento, 20 x 14 x 15 cm
6 esemplari + 3 prove
d'artista
collezione privata (1/6);
collezione privata (2/6);
collezione privata (3/6);
Milano, collezione privata
(4/6); collezione privata;
collezione privata; collezione
privata; collezione privata
(p.a.); collezione dell'artista
AP 375

Esposizioni: New York[1], NY
2000

601
Untitled, 1977
argento e ottone cromato,
informazioni sconosciute
AP 394

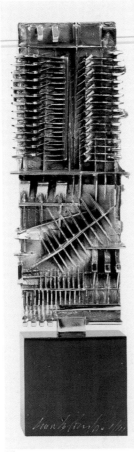

599

600

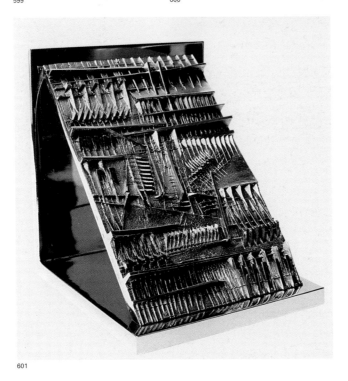

601

594

626
Asta cielare, I, 1978
bronzo, 245 cm,
sez. 25 x 25 x 25 cm
2 esemplari + 1 prova
d'artista
collezione privata (1/2);
Racine, WI, Johnson Wax;
collezione privata (02 p.a.)
AP 405

Esposizioni: Francoforte 1981
(ill. p. 75); Cerneglons 1984
(ill. cat.); Milano[6] 1984
(ill. p. 95)

Bibliografia: AAVV 1980,
ill. pp. 33, 183

627
Asta cielare, II, 1978-1980
bronzo, 260 cm,
sez. 25 x 25 x 25 cm
2 esemplari + 2 prove d'artista
collezione privata; collezione
privata; collezione privata;
Kanagawa, The Hakone Open
Air Museum (p.a.)
AP 426

Riprodotta nel Tomo I
a p. 164

Esposizioni: *San Francisco,
CA 1981* (ill. in copertina e
pp. 30,32, 33, 40); Milano
1981-1982 (ill. p. 115); *Parigi
1982; Portofino 1983;
Columbus, OH 1983-1985* (ill.
tav. 26); *Boston, MA 1984;
Tokyo 1985* (ill. p. 18);
Ferrara 1987 (ill. cat.);
Kanagawa 1994 (ill. p. 54)

Bibliografia: Morch 1981, ill.;
Guadagnin 1987, ill. p. 3;
"Sankei Shimbun"[6] 1994, ill.;
Gualdoni 1998, p. 24
(ill. p. 14)

625

626

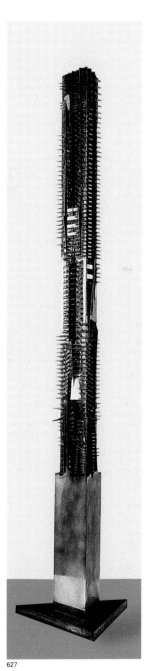

627

628
Asta cielare, III, 1978-1980
bronzo, 260 cm,
sez. 25 x 25 x 25 cm
2 esemplari + 1 prova
d'artista
collezione privata; collezione
privata; collezione privata
AP 426b

Bibliografia: Gualdoni 1998,
p. 24

629
Asta cielare, IV, 1978-1980
bronzo, 270 cm,
sez. 5 x 5 x 5 cm
9 esemplari + 4 prove d'artista
collezione privata (1/9);
Milano, collezione Tettamanti
(2/9); collezione privata,
courtesy galleria Giò
Marconi, Milano (3/9);
collezione privata (4/9);
collezione privata, courtesy
galleria Giò Marconi, Milano
(5/9); collezione privata (6/9);
collezione privata (7/9);
collezione privata (8/9);
collezione privata (9/9);
collezione privata (p.a.);
Milano, collezione Gionata
Soletti (p.a.); Milano,
collezione privata (p.a.);
collezione privata (p.a.)
AP 427

Riprodotta nel Tomo I
a p. 164

Esposizioni: *Pesaro 1980*;
San Francisco, CA 1981
(ill. pp. 30, 32, 40); *Parigi
1982*; *Milano 1983*; *Portofino
1983*; *Columbus, OH 1983-
1985* (ill. tav. 24); *Boston, MA
1984*; *Seoul 1999*

Bibliografia: Morch 1981,
ill.; Vitta 1984, ill.; Agosti
1987, ill.; Muti 1991,
ill. p. 383; Gualdoni 1998,
p. 24 (ill. p. 14)

630
Asta cielare, V, 1978-1980
bronzo, 210 cm,
sez. 5 x 5 x 5 cm
5 esemplari con varianti
collezione privata; San
Francisco, CA, collezione
privata; collezione Ugo
Ruberti (p.a.); collezione
privata; collezione Henry
Martin e Berty Skuber
AP 428

Esposizioni: *San Francisco,
CA 1981*; *Portofino 1983*

Bibliografia: Morch 1981, ill.;
Gualdoni 1998, p. 24

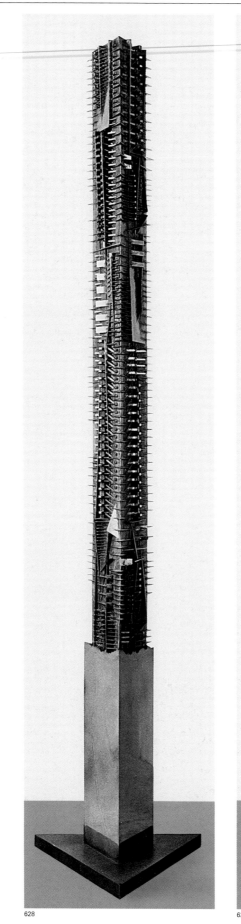

628

629

630

631
Asta cielare, VI, 1978-1980
bronzo, 235 cm,
sez. 5 x 5 x 5 cm
1 esemplare
collezione privata
AP 428n

Bibliografia: Monti 2003,
ill. p. 166

632
Doppia asta cielare, III,
1978-1980
bronzo, 512 cm,
sez. 25 x 25 x 25 cm
2 esemplari + 1 prova
d'artista
Milano, asta Christie's, 20
maggio 1996, n. 278;
collezione privata, courtesy
Marlborough Gallery;
collezione privata
AP 429

Esposizioni: *Ancona 1984*;
Firenze 1984 (ill. pp. 88, 89*)*;
Ferrara 1987 (ill. cat.);
Brisbane 1988; Firenze 1997
(ill. p. 147)

Bibliografia: Argan, Mussa
1986, tav. 7; Agosti 1987;
Guadagnin 1987, ill. p. 3;
Jacobelli 1988, ill. p. 38; cat.
"Christie's 2296", Milano,
1996, n. 278, ill. p. 69;
Gualdoni 1998, p. 24
(ill. p. 15)

633
Doppia asta cielare, I,
1978-1980
bronzo, 512 cm,
sez. 10 x 10 x 10 cm
2 esemplari + 1 prova
d'artista
Milano, collezione privata;
collezione dell'artista
AP 429a

Esposizioni: *Ancona 1984*;
Firenze 1984 (ill. p. 88);
Ferrara 1987 (ill. cat.);
Brisbane 1988; *Palma di
Maiorca 1999*; *Valencia 2002*
(ill. p. 33)

Bibliografia: Argan, Mussa
1986, tav. 7; Agosti 1987;
Guadagnin 1987, ill. p. 3;
Jacobelli 1988, ill. p. 38;
Reggiori[2] 1994, ill. pp. 34-35;
Gualdoni 1998, p. 24
(ill. p. 15); Caprile[1] 2002, p. 8;
"El Periodico"[3] 2002, ill. p. 56

631

632

633

634

Doppia asta cielare, II,
1978-1980
bronzo, 512 cm,
sez. 10 x 10 x 10 cm
2 esemplari + 1 prova
d'artista
collezione privata; collezione
dell'artista
AP 429b

*Esposizioni: Ancona 1984;
Firenze 1984* (ill. p. 88);
Ferrara 1987 (ill. cat.);
Brisbane 1988; *Novara 1989;
Palma di Maiorca 1999;
Valencia 2002* (ill. p. 33)

Bibliografia: Argan, Mussa
1986, tav. 7; Agosti 1987;
Jacobelli 1988, ill. p. 38;
Reggiori[2] 1994, ill. pp. 34-35;
Gualdoni 1998, p. 24
(ill. p. 15); Caprile[1] 2002, p. 8;
"El Periodico"[3] 2002, ill. p. 56

635

Asta cielare, VII, 1978-1980
bronzo, 285 cm,
sez. 10 x 10 x 10 cm
3 esemplari + 1 prova d'artista
collezione privata; collezione
privata; collezione privata,
courtesy Marlborough
Gallery; San Francisco, CA,
collezione privata
AP 430a

*Esposizioni: San Francisco,
CA 1981; Milano 1983;
Columbus, OH 1983-1985*
(ill. tav. 22)

Bibliografia: Agosti 1987, ill.;
Gualdoni 1998, p. 24
(ill. p. 14)

636

Asta cielare, VIII, 1978-1980
bronzo, 285 cm,
sez. 10 x 10 x 10 cm
3 esemplari + 1 prova d'artista
San Francisco, CA, collezione
privata; collezione Banca
Intesa (2/3); collezione
privata (3/3); collezione
privata
AP 430b

Bibliografia: Quintavalle[3]
1984, p. 140 (ill. p. 141);
Bobba 1989, ill. p. 78;
Gualdoni 1998, p. 24

637

Asta cielare, IX, 1978-1980
bronzo, 285 cm,
sez. 10 x 10 x 10 cm
3 esemplari + 1 prova
d'artista
Milano, collezione Bitta
Leonetti (1/3); collezione
privata (2/3); Copenaghen,
collezione privata; Milano,
asta Christie's 2399, 20
novembre 2001, n. 261
AP 430c

Riprodotta nel Tomo I
a p. 164

*Esposizioni: San Francisco,
CA 1981* (ill. pp. 30, 32, 40);
Milano 1983; Columbus, OH
1983-1985* (ill. tav. 25)

Bibliografia: Agosti 1987,
ill.; Gualdoni 1998, p. 24
(ill. p. 14); cat. "Christie's
2399", Milano, 2001, n. 261,
ill. p. 135

638

Asta cielare, X, 1978-1980
bronzo, 230 cm,
sez. 10 x 10 x 10 cm
3 esemplari
collezione privata, courtesy
galleria Giò Marconi, Milano;
collezione privata, courtesy
galleria Giò Marconi, Milano;
collezione privata
AP 430d

*Esposizioni: Columbus, OH
1983-1985* (ill. tav. 23)

Bibliografia: Agosti 1987,
ill.; Gualdoni 1998, p. 24
(ill. p. 14)

634

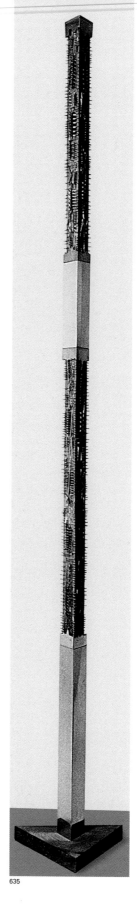

635

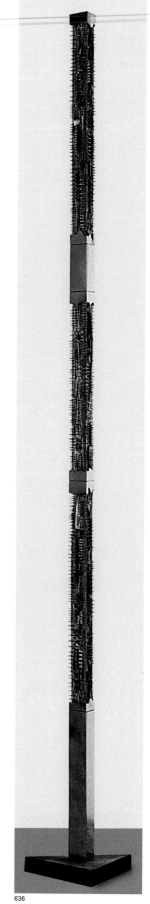

636

639
Asta cielare, XI, 1978-1980
bronzo, 220 cm,
sez. 10 x 10 x 10 cm
1 esemplare
collezione privata
AP 430e
[Variante delle *Aste cielari*
con sezione 10 x 10 x 10 cm;
cfr. cat. 635, 636, 637, 638
(AP 430a, b, c, d)]
*Fotografia non presente
in archivio*

640
Asta cielare, XII, 1978-1980
bronzo, 230 cm,
sez. 10 x 10 x 10 cm
1 esemplare
collezione privata
AP 430f
[Variante delle *Aste cielari*
con sezione 10 x 10 x 10 cm;
cfr. cat. 635, 636, 637, 638
(AP 430a, b, c, d)]
*Fotografia non presente
in archivio*

641
Asta cielare, XIII, 1978-1980
bronzo, 210 cm,
sez. 10 x 10 x 10 cm
1 esemplare
collezione privata
AP 430g
[Variante delle *Aste cielari*
con sezione 10 x 10 x 10 cm;
cfr. cat. 635, 636, 637, 638
(AP 430a, b, c, d)]
*Fotografia non presente
in archivio*

642
Asta cielare, XIV, 1978-1980
bronzo, 280 cm,
sez. x 10 x 10 x 10 cm
1 esemplare
collezione privata, courtesy
galleria Giò Marconi, Milano
(p.a.)
AP 430h

Bibliografia: Gualdoni 1998,
p. 24

637

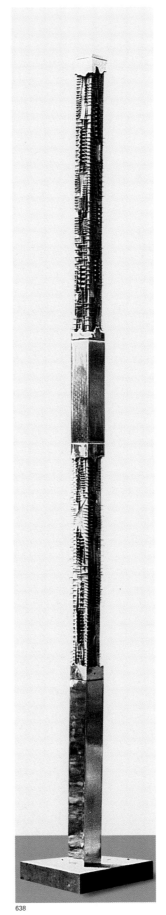

638

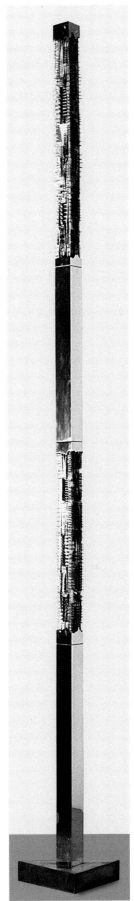

642

643
Asta cielare, XV, 1978-1980
bronzo, 270 cm,
sez. 10 x 10 x 10 cm
1 esemplare
Milano, collezione privata
(p.a.)
AP 430i

Bibliografia: Gualdoni 1998,
p. 24

644
Asta cielare, XVI, 1978-1980
bronzo, 270 cm,
sez. 5 x 5 x 5 cm
1 esemplare
Milano, collezione privata
(p.a.)
AP 430l

Bibliografia: Gualdoni 1998,
p. 24

645
Asta cielare, XVII, 1978-1980
bronzo, 300 cm,
sez. 5 x 5 x 5 cm
1 esemplare
Tokyo, collezione privata
(p.a.)
AP 430m

Esposizioni: *Kanagawa 1994*
(ill. p. 55, particolare)

Bibliografia: Gualdoni 1998,
p. 24

646
Triade, studio, 1979
bronzo, 3 colonne,
ognuna 65 x Ø 6,5 cm
2 esemplari + 2 prove
d'artista
collezione privata, courtesy
Marlborough Gallery;
collezione Donald M. Kendall
(2/2); collezione privata;
collezione dell'artista
AP 411

Bibliografia: Hunter 1982,
ill. p. 109; Hunter[1] 1995,
ill. p. 105

647
Triade, 1979
a) fiberglass, 3 colonne,
ognuna 15 x Ø 1,5 m
1 esemplare
collezione dell'artista
b) 3 colonne: bronzo
e corten; bronzo lucido;
bronzo patinato,
ognuna 15 x Ø 1,5 m
2 esemplari + 1 prova
d'artista
Purchase, NY, The Donald
M. Kendall Sculpture Garden
AP 441

Riprodotta nel Tomo I
a p. 163

Esposizioni: *Firenze 1984*
(ill. pp. 34, 119, fiberglass);
Pavia 1985-1986

(ill. fiberglass)
Bibliografia: Feron 1981, pp.
B1, B2; Russel 1981, pp. B1,
B2; Gabardi 1982, ill. p. 60;
Hunter 1982, ill. pp. 106-107,
113-115, 117; Martin[1] 1982,
ill. p. 102; a. 1983, ill.; cat.
Columbus, OH 1983, ill. tav.
65; Rosenthal 1983, p. 9;
Cristiani 1984, ill.; Favalli,
Moretti 1984, pp. 98-99;
Martinelli 1984, ill.; Mussa[1]
1984, ill. p. 52; Mussa[2] 1984,
pp. 12, 14; Quintavalle[2] 1984,
ill.; Vettese 1984, ill. p. 93;
Cocchia 1985, ill. p. 26;
Golbspan 1985, ill.;
"International Sculpture"
1985, ill.; Lanzone 1985, ill.
pp. 148-149; Sanders 1985,
ill. p. 18; cat. coll. San
Quirico d'Orcia 1985, ill.
p. 110 (particolare); Argan,
Mussa 1986, ill. tavv. 3, 4, 5,
9-10, 11-12, 13-14, 21-22;
Forni 1986, ill. (fiberglass);
"La Provincia Pavese"[1] 1986,
ill. (fiberglass); Libman 1986,
ill. p. 108; m. 1986, ill.
(fiberglass); Moro 1986, ill.
(fiberglass); Peraro[2] 1986,
ill.; Pomodoro[1] 1986, ill.
(fiberglass); Rizzo 1986, ill. p.
103; "Skultura" 1986, ill. p. 6;
Azzolini 1987, ill. (fiberglass);
Banas 1987, ill.; Pancera
1987, ill. p. 64; Sarenco 1987,
ill. p. 6; Scorbati 1987, ill.
(fiberglass); AAVV[2] 1988, ill.
p. 384; Carandente[1] 1988, ill.
p. 65; *Colpo d'ala di Arnaldo
Pomodoro* 1988, ill. pp. 12,
13, 42; Mussa[2] 1988, p. 56;
Perego 1988, ill. p. 23; cat.
coll. Rezzato 1988, ill. p. 37;
Mills 1990, ill. p. 199;
Carrubba 1991, ill. p. 82;
Forbice[2] 1991, ill. p. 91;
Masiero 1992, ill. (fiberglass);
Caprile[1] 1993, ill. p. 40;
Hunter[1] 1995, pp. 80, 91, 98,
104-107 (ill. pp. 106, 108-109);
Tissi 1995,
ill. p. 148; *Arnaldo
Pomodoro. "Sphere within a
Sphere"* 1997, ill. pp. 148-
149; Troisi[1] 1997, p. 16 (ill.
p. 15); Prina[2] 1998, p. 61 (ill.);
cat. Palma di Maiorca 1999,
ill. pp. 50-51; M. Villa 1999,
ill. p. 41; Page 2000, pp. 143-
144; *Scritti critici per Arnaldo
Pomodoro* 2000, ill. p. 142;
Ginesi[2] 2002, ill. p. 21
(fiberglass)

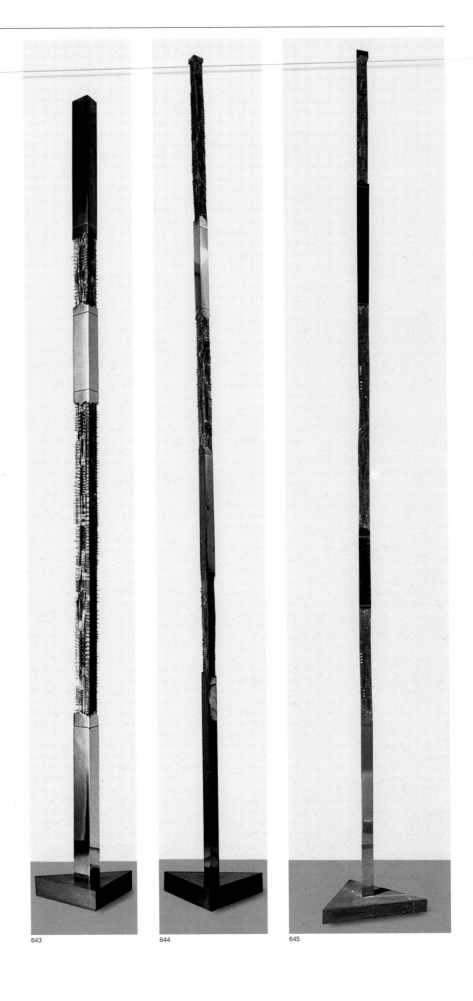

643   644   645

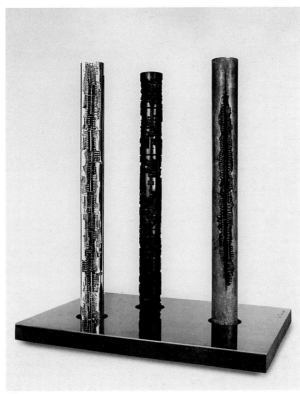

646

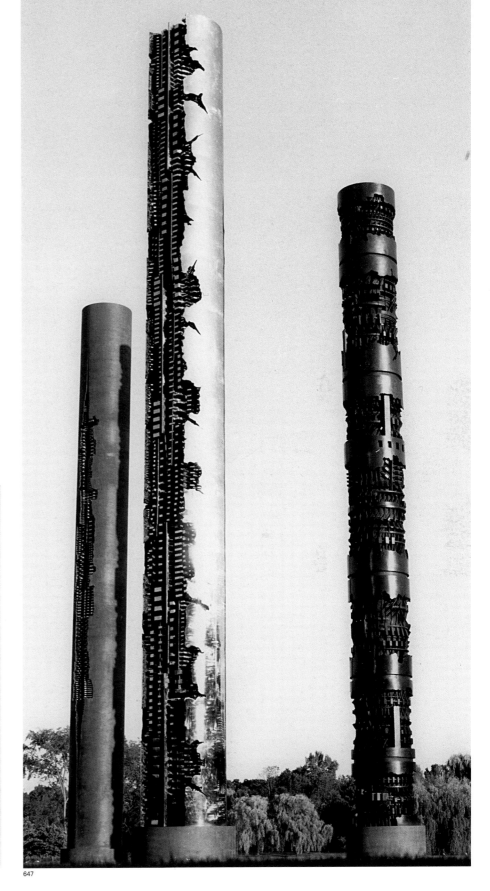

647

648
Disco, 1979
bronzo, Ø 34 cm
4 esemplari + 4 prove
d'artista
collezione privata, courtesy
Marlborough Gallery (1/4);
collezione privata, courtesy
Marlborough Gallery (2/4);
collezione privata, courtesy
Marlborough Gallery (3/4);
collezione privata, courtesy
Marlborough Gallery (4/4);
collezione privata (p.a.);
collezione privata, courtesy
galleria Giò Marconi, Milano
(p.a.); collezione privata
(p.a.); Milano, collezione
privata (p.a.)
AP 413

Esposizioni: Ancona 1984;
Tokyo 1985 (ill. p. 16)

649
Sfera, 1979
bronzo dorato, Ø 30 cm
2 esemplari + 1 prova
d'artista
collezione privata; collezione
privata; collezione privata
AP 400

Esposizioni: Boston, MA 1984

Bibliografia: Scientific Report
1978/79 1979, ill. in copertina;
Brähammar, Garmer 1981,
pp. 361-375 (ill. pp. 372-373);
cat. "Amnesty International",
Santa Fe, 1986, ill. p. 24;
De Stasio[2] 1990, ill.; Arnaldo
Pomodoro. "Sphere within
a Sphere" 1997, ill. p. 99

650
Muro, 1979
fiberglass e polvere di ferro,
36 x 82 x 6,5 cm
9 esemplari + 1 prova d'artista
collezione privata (1/9);
collezione dell'artista
AP 415b

Esposizioni: Pesaro 1980;
Berkeley, CA 1981; Parigi
1982; Milano 1983;
Columbus, OH 1983-1985
(ill. tav. 41)

Bibliografia: Quintavalle
1980; Besozzi 1981, ill. p. 50;
Martin[1] 1982, p. 104 (ill. p.
107); Bortolon 1983, ill. p. 29;
Cavazzini 1984, ill.; cat.
Firenze 1984, ill. p. 164

648

649

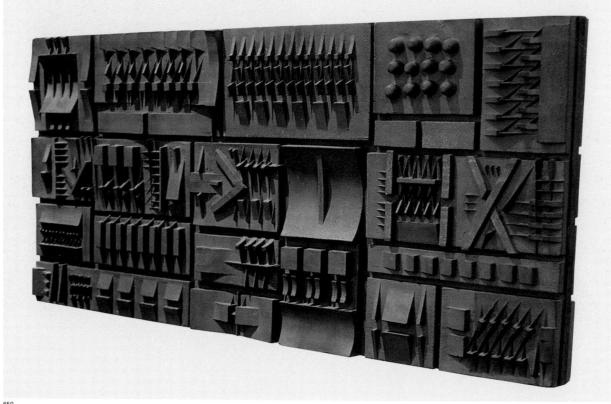

650

651
Porta d'Europa, studio, 1979
bronzo, 80 x 42 x 6 cm
2 esemplari + 1 prova
d'artista
San Francisco, CA, collezione
privata; collezione Dr.
Gabrielle H. Reem e
Dr. Herbert Kayden (2/2);
collezione privata
AP 414

652
Doppia porta, 1979
bronzo, 230 x 185 x 60 cm
2 esemplari + 1 prova
d'artista
collezione privata; Milano,
collezione privata; collezione
dell'artista
AP 410

Esposizioni: Monte Carlo
2001; *Sassoferrato 2001* (ill.
pp. 146-147); *Valencia 2002*
(ill. pp. 30-31); *Cantù 2003*

Bibliografia: Banzo 2002,
ill. p. 45; Caprile[1] 2002, p. 7;
"El Periodico"[3] 2002,
ill. p. 56; Navarcorena[1] 2002,
ill. p. 55; Navarcorena[2] 2002,
ill. p. 55; Solanilla[2] 2002,
ill. p. 36

651

652

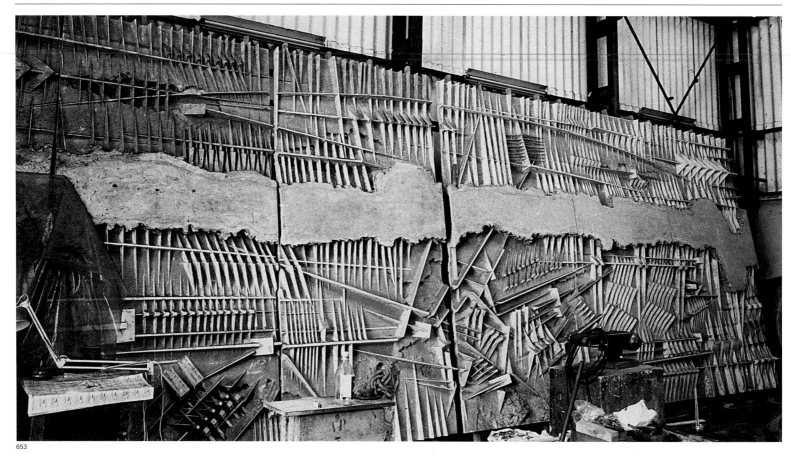

653

653
Orizzonte, 1979-1980
modello in gesso, 320 x 900 cm
collezione dell'artista
AP 442

654
Sfera, 1979-1980
bronzo, Ø 80 cm
2 esemplari + 1 prova d'artista
collezione privata; Londra,
collezione privata (2/2);
collezione privata
AP 417

Esposizioni: Roma 1980
(ill. cat.); *San Francisco, CA
1981* (ill. pp. 24-25, 38, 41)

Bibliografia: Morch 1981, ill.;
cat. "Sotheby's LO0711",
Londra, 2000, n. 34, ill. p. 91

655
Sfera con sfera, 1979-1980
bronzo, Ø 250 cm
2 esemplari + 1 prova d'artista
collezione privata (già
Interprogramme, Lugano);
Kanagawa, The Hakone Open
Air Museum; Parma,
Collezione Barilla di Arte
Moderna, 112
AP 415

Riprodotta nel Tomo I a p. 162

Esposizioni: Tokyo 1981 (ill.
cat.); *Firenze 1984* (ill. pp.
112, 113); Traversetolo 1993
(ill. p. 255, 359); *Kanagawa
1994* (ill. p. 77)

Bibliografia: "Corriere del
Ticino" 1980, ill.; F. 1980, ill.
p. 69; "Giornale del Popolo"
1980, ill.; "Il Giorno" 1981, ill.
p. 23; Schönenberger 1981,
pp. 4-5 (ill. in copertina, tavv.
26, 28-33); vdc 1981; Gabardi
1982, ill. p. 59; Hunter 1982,
ill. p. 135; Schönenberger
1982, ill. p. 51; cat. Columbus,
OH 1983, ill. tav. 67; Alberini
1984, ill.; Boralevi 1984, ill.
pp. 8-9; Favalli, Moretti 1984,
p. 100; Fogliani[2] 1984, ill. p.
109; Galli[1] 1984, ill.; Melville
1984, ill.; p. 184, ill.;
Pomodoro[5] 1984, p. 100 (ill.
pp. 101-102, 103); Positano
1984, ill.; Soavi 1984, ill.;
Lanzone 1985, ill. p. 146;
Argan, Mussa 1986, ill. tavv.
23-24, 25, 26, 27, 28, 29-30;
Costa, Taveggia 1986, ill. p.
34; AAVV[2] 1988, ill. p. 384;
Giordano 1988, ill. p. 16;
Hunter[2] 1988, ill. pp. 202-203;
Yong-Woo 1989, ill. p. 118;
Frend 1990, ill. p. 120; Collina
1993, ill.; Shulman 1993, ill.
p. 7; Crespi 1994, ill.; Guide
Book 1994, ill. p. 183; Coletti
1995, ill.; Maestrini 1996, ill.;
Restany 1999, ill. p. 91

654

655

656
Sfera, 1980
bronzo, Ø 20 cm
9 esemplari + 4 prove d'artista
collezione privata; collezione
privata (2/9); collezione
privata; collezione privata;
collezione privata; collezione
privata; collezione privata;
collezione privata; collezione
privata (9/9); collezione
privata; collezione privata;
collezione privata; collezione
privata
AP 432

657
Sfera, 1980
bronzo, Ø 25 cm
9 esemplari + 1 prova d'artista
collezione Gian Luca e
Margherita Bragiotti (1/9);
collezione privata (2/9);
collezione privata (3/9);
collezione Enrico e Sandra
Seralvo (4/9); collezione
privata, courtesy galleria Giò
Marconi, Milano (5/9);
collezione privata, courtesy
galleria Giò Marconi, Milano
(6/9); collezione privata (7/9);
collezione privata, courtesy
galleria Giò Marconi, Milano
(8/9); collezione dell'artista;
collezione dell'artista
AP 432a

658
Sfera, 1980
bronzo dorato, Ø 30 cm
6 esemplari + 1 prova d'artista
Roma, collezione Silvana
Stipa (1/6); collezione privata;
collezione privata; collezione
privata, courtesy galleria Giò
Marconi, Milano (4/6);
collezione privata, courtesy
galleria Giò Marconi, Milano
(5/6); Milano, Galleria d'arte
Il Castello (6/6); collezione
privata (p.a.)
AP 438

659
Sfera, 1980-1981
bronzo, Ø 9 cm
9 esemplari + 3 prove d'artista
collezione privata; collezione
privata; collezione privata;
collezione privata; San
Francisco, CA, collezione
privata; San Francisco, CA,
collezione privata; collezione
privata; collezione privata;
collezione privata; collezione
privata (09 p.a.); collezione
privata; collezione privata
AP 459

656

657

658

659

660
Piccolo disco, 1980
bronzo, Ø 12 cm
9 + 3 esemplari
Premio "Immagine Italia"
1983, 1984, 1985 (9 esemplari
numerati variamente);
Milano, collezione privata
(1/9); collezione privata (p.a.);
collezione privata (p.a.)
AP 408

661
Disco, 1980
bronzo dorato, Ø 15 cm
9 esemplari + 1 prova
d'artista
Milano, Fondazione Emilio
Carlo Mangini; collezione
privata (2/9); collezione
privata; collezione privata
(4/9); collezione privata;
collezione privata; collezione
privata; collezione privata;
collezione privata; collezione
privata
AP 433

662
Colpo d'ala, studio I, 1980
bronzo dorato,
20 x 19,5 x 26 cm
9 esemplari + 6 prove d'artista
collezione privata (1/9);
collezione privata; collezione
privata; collezione privata;
collezione privata; collezione
privata; collezione privata;
collezione privata; collezione
privata (9/9); Cuneo,
collezione La Gaia (09 p.a.);
collezione privata; Milano,
collezione privata (p.a.);
collezione privata (p.a.);
Milano, collezione Bitta
Leonetti (p.a.); collezione
privata (p.a.)
AP 470

*Esposizioni: Boston, MA
1984; Kanagawa 1994
(ill. pp. 56-57)*

660

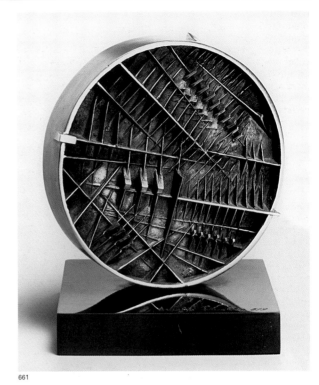
661

662

663
Pagina solare, 1980
bronzo, 60 x 43,5 cm
2 esemplari + 1 prova
d'artista
New York, NY, asta Christie's
1995; San Francisco, CA,
collezione privata; collezione
privata
AP 420b

664
Untitled, 1980
bronzo, 29 x 34 x 8 cm
2 esemplari
Milano, collezione Bitta
Leonetti
AP 435

665
Doppio rilievo, 1980
bronzo dorato, 22 x 12 x 4 cm
9 esemplari + 1 prova
d'artista
collezione privata; collezione
privata; San Francisco, CA,
collezione privata; San
Francisco, CA, collezione
privata; San Francisco, CA,
collezione privata; San
Francisco, CA, collezione
privata; collezione privata;
collezione privata; collezione
privata E.B.M.C. (9/9);
collezione privata
AP 434

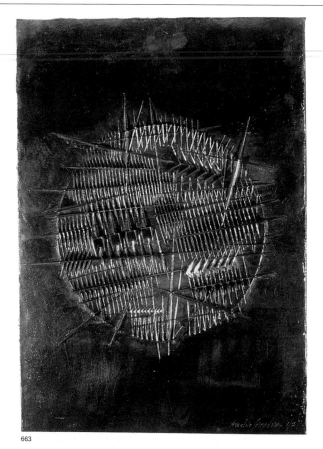

663

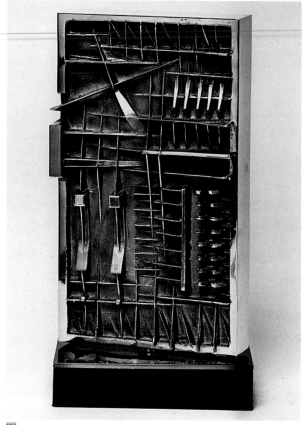

665

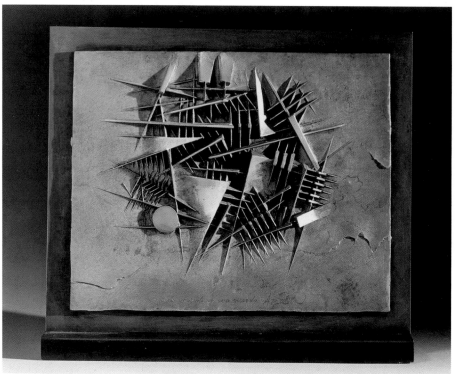

664

666

Orizzonte, 1980
bronzo e ottone brunito,
46 x 74 x 5 cm
2 esemplari + 2 prove d'artista
collezione privata (1/2);
collezione privata; Milano,
collezione privata (02 p.a.,
montato su base in ferro,
47,5 x 74 x 12 cm); collezione
dell'artista
AP 420

667

Grande rilievo, 1980
a) fiberglass,
180 x 300 x 15 cm
3 esemplari
collezione privata; collezione
privata; collezione privata
b) bronzo, 180 x 300 x 15 cm
2 esemplari + 1 prova d'artista
collezione privata; collezione
privata; collezione dell'artista
AP 419
[Di quest'opera è stato
realizzato, come prova, un
esemplare in cemento dalla
Colacem, collocato nel Park
Hotel ai Cappuccini, Gubbio]

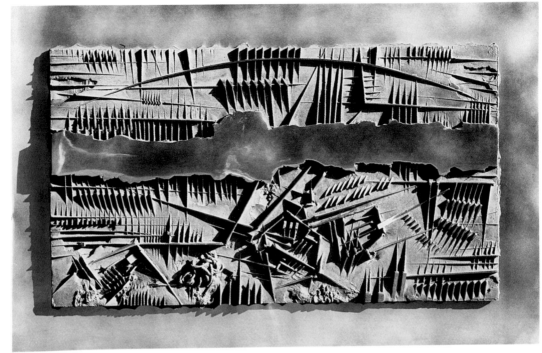

666

667

668
Rilievo, I, 1980-1982
bronzo, 85 x 60 cm
2 esemplari + 2 prove
d'artista
Warm Springs Bay, AK,
collezione Elizabeth Miles
Tullis (1/2); collezione
dell'artista; collezione privata
(artist proof)
AP 443a

669
Rilievo, II, 1980-1982
bronzo, 85 x 60 cm
2 esemplari + 1 prova
d'artista
Pasadena, CA, collezione
Matthew Jamison Tullis (1/2);
collezione dell'artista
AP 443b

670
Rilievo, III, 1980-1982
bronzo, 85 x 60 cm
2 esemplari + 1 prova
d'artista
Santa Barbara, CA, collezione
Richard Barclay Tullis (1/2);
collezione dell'artista
AP 443c

671
Rilievo, IV, 1980-1982
bronzo, 85 x 60 cm
2 esemplari + 1 prova
d'artista
Monroe, MI, collezione
Michael Adams Tullis (1/2);
collezione dell'artista
AP 443d

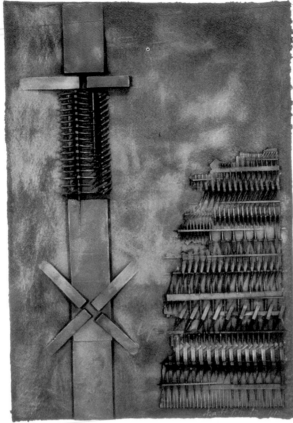

668

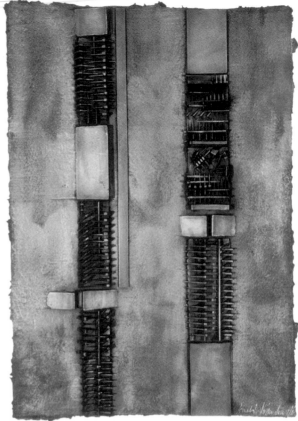

669

670

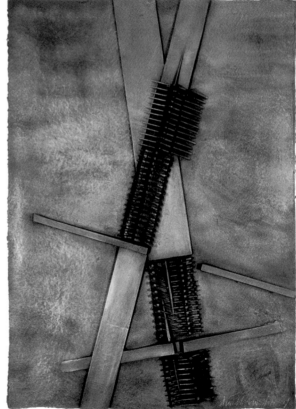

671

672
Asta cielare, XX, 1980-1985
bronzo, 310 cm,
sez. 25 x 25 x 25 cm
2 esemplari + 1 prova
d'artista
collezione privata; collezione
Robert J. e Linda Schmier
(2/2); collezione privata
AP 561

Riprodotta nel Tomo I
a p. 165

Esposizioni: *Ferrara 1987*
(ill. cat.); *New York, NY 1987*
(ill. cat.)

Bibliografia: Agosti 1987;
Guadagnin 1987, ill. p. 3;
Perego 1988, ill.
p. 19; Kaneko 1993, ill. p. 57;
Gualdoni 1998, p. 24

673
Asta cielare, XVIII, 1980-1995
bronzo, 250 cm,
sez. 10 x 10 x 10 cm
1 esemplare
Tokyo, collezione privata
(p.a.)
AP 430n

674
Asta cielare, XIX, 1980-1995
bronzo, 238 cm,
sez. 10 x 10 x 10 cm
1 esemplare
collezione privata (p.a.)
AP 430p

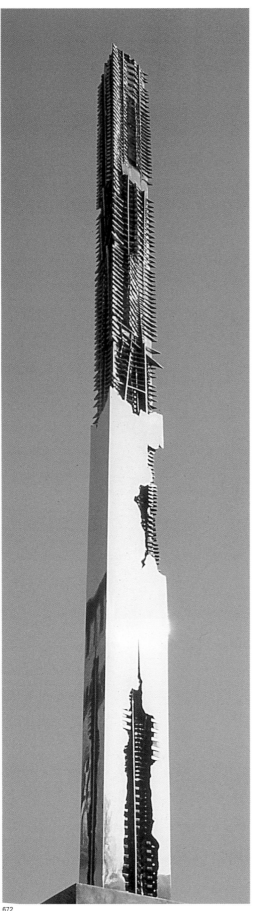

672

673

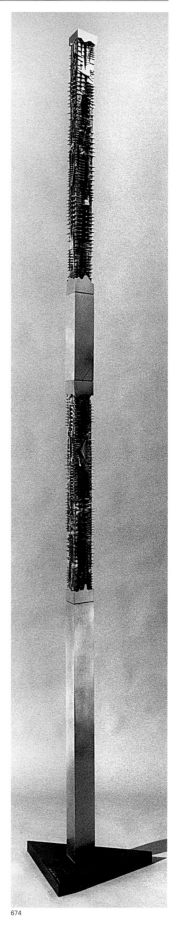

674

675

Sfera con sfera, 1981
bronzo, Ø 20 cm
9 esemplari + 2 prove
d'artista
collezione privata; collezione
privata; collezione privata;
collezione privata; collezione
privata; collezione privata
(6/9); collezione privata;
collezione privata; collezione
privata; collezione privata;
Kanagawa, The Hakone Open
Air Museum (p.a.)
AP 445

Bibliografia: "Il Dovere"
1981, ill.

676

Disco, 1981
bronzo, Ø 40 x 6,5 cm
6 esemplari + 4 prove
d'artista
collezione privata; collezione
privata (2/6); collezione
privata; collezione privata;
collezione privata (5/6);
collezione privata; collezione
privata; collezione privata
(p.a.); collezione privata;
collezione privata
AP 444

677

Disco, 1981
bronzo, Ø 30 cm
3 esemplari + 1 prova
d'artista
San Francisco, CA, collezione
Gail Goldyne e Anne Levine
(1/3); collezione privata;
collezione Dr. Gabrielle H.
Reem e Dr. Herbert Kayden
(3/3); collezione privata,
courtesy galleria Giò
Marconi, Milano
AP 431

Bibliografia: cat. coll.
Numana 1987, ill. p. 8

676

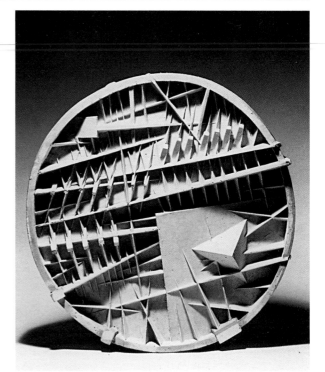
677

675

678
Quadrato, I, 1981
bronzo, 22 x 22 x 5 cm circa
3 esemplari
San Francisco, CA, collezione
privata; collezione privata;
collezione privata
AP 440

Esposizioni: Honolulu
1982-1983 (ill. p. 24)

679
Quadrato, II, 1981
bronzo, 24 x 24 x 5 cm circa
3 esemplari + 1 prova
d'artista
collezione privata; collezione
privata; collezione privata;
collezione privata
AP 457

Esposizioni: *Parigi 1982*

680
Bassorilievo, 1981
bronzo dorato,
32 x 28 cm circa
3 esemplari
collezione privata; collezione
privata; collezione privata
AP 424

678

679

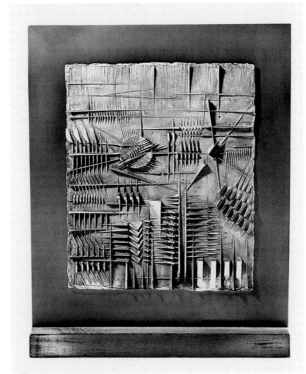

680

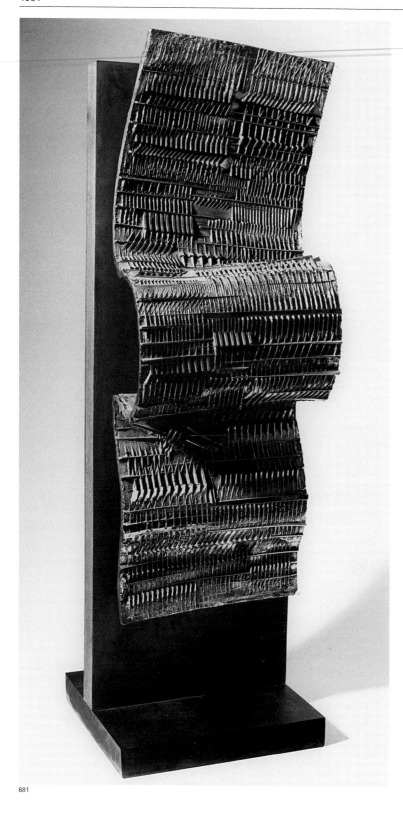

681

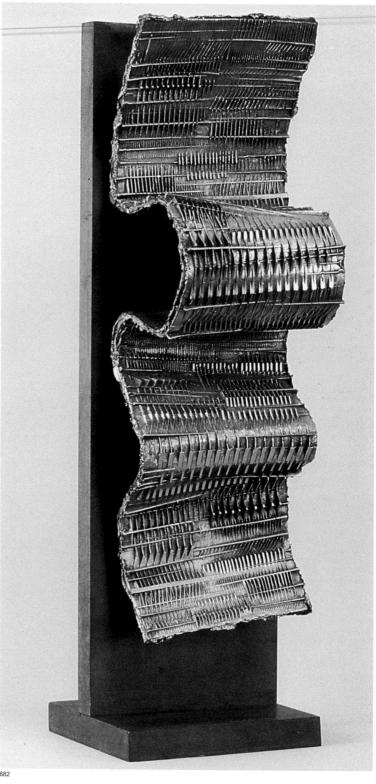

682

681

Foglio n. 3, 1981
bronzo, 82 x 25 x 22 cm
1 esemplare
Milano, collezione Nicoletta
Assirelli
AP 458

Esposizioni: *Portofino 1983;
Boston, MA 1984*

682

Foglio n. 4, 1981
bronzo, 81 x 26 x 23 cm
1 esemplare
Palo Alto, CA, collezione
Nancy S. Mueller (1/1)
AP 458a

Esposizioni: Rohnert Park, CA
1984-1986 (ill. p. 63)

683

I pillari per Amaliehaven, I,
1981
bronzo, 2 colonne,
72 x 6 x 6 cm e 42 x 6 x 6 cm
3 esemplari + 1 prova d'artista
collezione privata; collezione
privata; collezione privata;
Tokyo, collezione privata (p.a.)
AP 471

Esposizioni: *Tokyo 1985*
(ill. p. 17)

684

I pillari per Amaliehaven, II,
1981
bronzo, 2 colonne,
72 x 6 x 6 cm e 42 x 6 x 6 cm
3 esemplari + 1 prova d'artista
collezione privata; collezione
privata; collezione privata
AP 472

685

I pillari per Amaliehaven, III,
1981
bronzo, 2 colonne,
72 x 6 x 6 cm e 42 x 6 x 6 cm
3 esemplari + 1 prova d'artista
+ 1 prova d'artista con una
sola colonna
collezione Gerson Bakar (1/3);
collezione privata; collezione
privata; collezione privata;
collezione Dr. Mark
Haimann (p.a., 1 colonna
42 x 6 x 6 cm)
AP 473

686

I pillari per Amaliehaven, IV,
1981
bronzo, 2 colonne,
72 x 6 x 6 cm e 42 x 6 x 6 cm
3 esemplari + 1 prova d'artista
collezione privata; collezione
privata, courtesy galleria Giò
Marconi, Milano; collezione
Dr. Gerard e Phyllis Seltzer
(3/3); collezione privata
(con variante)
AP 474

Esposizioni: *Ancona 1984*

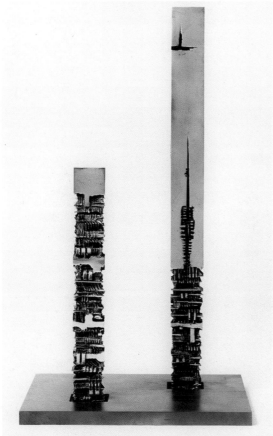
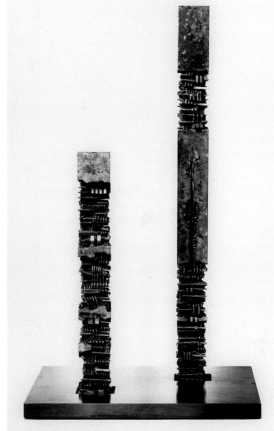

683

684

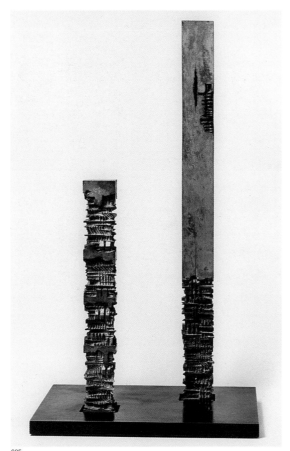
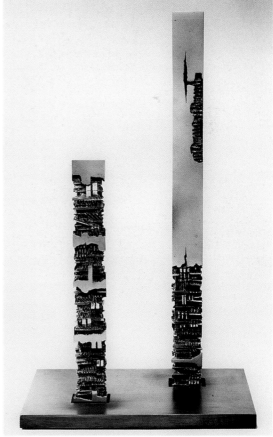

685

686

687
Colonna, studio, 1981
bronzo, 68 x Ø 6,5 cm
3 esemplari + 2 prove d'artista
collezione privata (1/3);
collezione privata; collezione
privata; collezione privata
(03 p.a.); collezione Dr. Mark
Haimann (p.a.)
AP 439

688
Colonna, 1981-1982
bronzo, 500 x Ø 35 cm
2 esemplari + 1 prova d'artista
Roma, collezione privata
(1/2); San Francisco, CA,
Aeroporto internazionale;
Milano, Università
Commerciale Luigi Bocconi
AP 439b

Bibliografia: "Il progresso
fotografico" 1987, ill. p. 68

689
Uccello: a Brancusi, studio II,
1981-1982
bronzo, 36 x 41 x 49 cm
6 esemplari
collezione privata (1/6);
collezione privata (2/6);
collezione privata (3/6);
collezione privata (4/6);
collezione privata (5/6);
Parma, collezione Barilla
di Arte Moderna (06 p.a.)
AP 447

Esposizioni: Boston, MA 1984

Bibliografia: Hunter[1] 1995,
p. 70

690
Colpo d'ala, studio II,
1981-1982
bronzo, 44 x 42 x 49 cm
6 esemplari + 3 prove d'artista
collezione privata (1/6);
collezione privata (2/6);
collezione privata (3/6);
collezione privata (4/6);
collezione privata (5/6);
collezione privata (6/6);
collezione privata, courtesy
galleria Giò Marconi,
Milano (p.a.); collezione
Dr. Gabrielle H. Reem
e Dr. Herbert Kayden (p.a.);
New York, NY, asta
Christie's, 1995 (p.a.)
AP 448

Esposizioni: Portofino 1983;
Columbus, OH 1983-1985
(ill. tav. 29); Jacksonville, FL
1989 (ill. tav. 49)

Bibliografia: Gualdoni 1983,
ill. p. 12; "Futurismo Oggi"
1984, ill.; Hamm 1984, ill.;
cat. coll. Rezzato 1988,
ill. p. 59

688

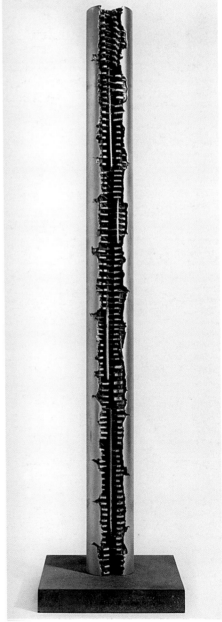

687

691
Colpo d'ala, studio III,
1981-1982
bronzo, 50 x 56 x 60 cm circa
esemplare unico numerato 2/6
Milano, asta Christie's, 24
novembre 2003, n. 228 (2/6)
AP 449

Bibliografia: Lanzone 1985,
ill. pp. 143-144; Mulas 1985,
ill.; cat. "Christie's 2434",
Milano, 2003, n. 228,
ill. p. 72

692
Colpo d'ala, studio IV,
1981-1982
bronzo, 33 x 52 x 42 cm
8 esemplari + 2 prove d'artista
collezione privata (1/8);
collezione privata, courtesy
galleria Giò Marconi, Milano
(2/8); collezione privata (3/8);
collezione privata (4/8);
collezione privata (5/8);
collezione privata, courtesy
galleria Giò Marconi, Milano
(6/8); Torino, collezione
privata (7/8); collezione
privata (8/8); collezione
privata (08 p.a.); Milano,
collezione Ramon Soletti
(p.a.)
AP 449b

Esposizioni: Los Angeles, CA
1999

693
*Colpo d'ala: omaggio
a Boccioni*, 1981-1984
bronzo, 380 x 400 x 550 cm
circa
2 esemplari + 1 prova d'artista
Morciano di Romagna,
Comune di Morciano; Los
Angeles, CA, Department of
Water and Power General
Office Bldg.; collezione
privata (02 p.a.)
AP 449a

Riprodotta nel Tomo I
alle pp. 166, 167

Esposizioni: Firenze 1984
(ill. pp. 47, 48, 170-173)

Bibliografia: Ballo 1984, pp. 7-
30; Galli[2] 1984, ill.; Minervino
1984, (ill.); Mussa[2] 1984, pp.
12, 15; Tallarico 1984, ill.;
Cocchia 1985, ill. p. 27; Argan,
Mussa 1986, tavv. 37-38, 39,
40; Sarenco 1987, ill. p. 11;
Beretta 1988, p. 64;
Carandente[3] 1988, p. 50; *Colpo
d'ala di Arnaldo Pomodoro*
1988, ill. pp. 51, 53-55, 58-59,
60, 61, 63, 101, 103, 105;
Haraga 1988, p. 65; Hendrix
1988, ill.; "Herald Examiner"
1988, ill.; "Los Angeles
Times" 1988, ill. p. 24;
Morrison 1988, ill.; Mussa[2]
1988, p. 58; Pomodoro[5] 1988,

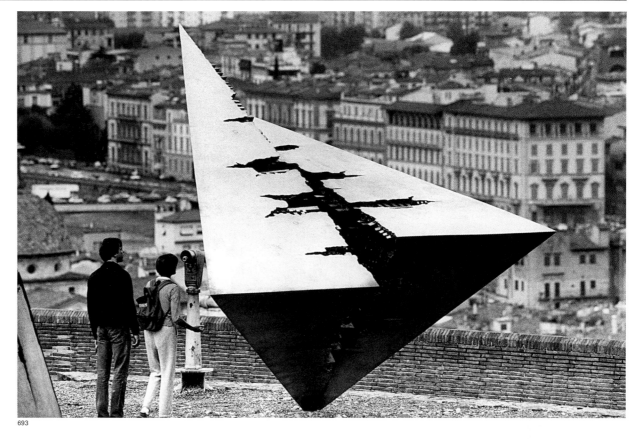

693

p. 11; cat. coll. Rezzato 1988,
ill. p. 58; Sleiter 1988, p. 143;
Wilson 1988, p. 9, (ill.); Rose
1989, ill.; Frend 1990, ill. pp.
120-121; "Il Resto del
Carlino"[1] 1990 (ill.); "Arte in"
1991, ill.; Casadei 1991, ill.;
Di Genova 1991, p. 519 (ill. p.
840); Fabiani 1992, ill. p. 28;
*Italian Heritage Culture
Foundation* 1992, ill.; Caprile[1]
1993, ill. p. 41; Carrubba 1993,
ill. p. 47; Dago 1993, ill. p. 18;
de Gioia[1] 1993, ill. p. 41;
Kaneko 1993, ill. p. 58; Savoia
1993, ill. p. 23; Cecchini 1994,
ill. p. 4; Busnelli 1995, ill. p. 45;
Carandente 1995, pp. 11-20;
Hunter[1] 1995, pp. 70, 312
(ill. p. 70); *Pomodoro Arnaldo*,
ad vocem, 1996, ill. p. 205;
*Arnaldo Pomodoro. "Sphere
within a Sphere"* 1997, ill. p.
139; Salvagni 1997, ill. p. 67;
Troisi[1] 1997, pp. 17-18 (ill. p.
17); Gualdoni 1998, p. 22;
"Los Angeles Times" 1998, ill.
p. 4; Prina[2] 1998, p. 61; Barrie
1999, ill. p. 128; Lucie-Smith
1999, ill. p. 96; cat. Palma di
Maiorca 1999, ill. p. 45; M.
Villa 1999, ill. p. 38; *Scritti
critici per Arnaldo Pomodoro*
2000, ill. pp. 124, 264; AAVV
2001, ill. p. 106; Apa 2001, p.
26 (ill. p. 27); Mancini 2002, ill.
p. 36; Pugnaloni 2002, ill. p. 8;
Bignardi 2003, ill. p. 13

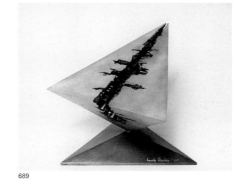

689

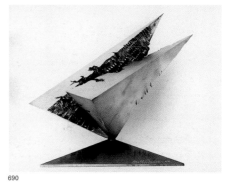

690

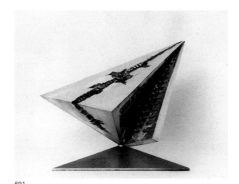

691

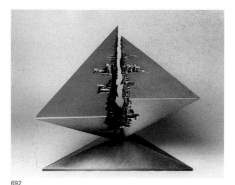

692

694

Sfera, 1981-1982
bronzo, Ø 50 cm
3 esemplari + 1 prova d'artista
collezione Dora Bagassi (1/3);
collezione privata (2/3);
collezione privata, courtesy
galleria Giò Marconi, Milano
(3/3); Milano, asta Sotheby's
MI140, 26 maggio 1998,
n. 175 (03 p.a.)
AP 460

Bibliografia: cat. "Sotheby's
MI140", Milano, 1998, n. 175,
ill. p. 79; cat. "Finarte 1071",
Milano, 1999, n. 188, ill. p. 101

695

Sfera, 1981-1982
bronzo, Ø 120 cm
2 esemplari + 1 prova d'artista
collezione privata (1/2);
Hiroshima, The Fukuyama
Museum of Art; Columbus,
OH, Columbus Museum
of Art
AP 436

Esposizioni: *Portofino 1983*;
Tokyo 1983; *Columbus, OH
1983-1985* (ill. tav. 27); New
York, NY 1984 (ill. tav. 55);
New York, NY 1987 (ill. cat.);
Gainesville, FL 1993

Bibliografia: Hall 1983, ill.;
"Columbus Museum of Art"
1984, ill.; Enns[1] 1984, ill.;
Morris 1984, ill.; Cochran
1985, ill. p. 17; *Italian
Heritage Culture Foundation
1992*, ill.

696

Sfera, 1982
bronzo, Ø 25 cm
6 esemplari + 2 prove
d'artista
collezione privata; collezione
privata; Milano, collezione
privata (3/6); collezione
privata, courtesy galleria Giò
Marconi, Milano; collezione
privata; Roma, collezione
Sanfelice di Bagnoli (6/6);
collezione Gail e Marc
Goldyne (06 p.a.); Milano,
asta Christie's, 24 novembre
2003, n. 229 (p.a.)
AP 454

Bibliografia: Lanzara 1992,
ill. p. 157; cat. "Christie's
2434", Milano, 2003, n. 229,
ill. p. 73

697

Sfera, 1982
bronzo, Ø 50 cm
3 esemplari + 1 prova d'artista
Milano, collezione privata
(1/3); collezione privata (2/3);
collezione privata (3/3);
collezione privata (03 p.a.)
AP 454a

694

695

696

697

698

699

721

722

721
La macchina (Egisto), studio,
1983
bronzo, 29 x 19 x 8 cm
9 esemplari + 2 prove d'artista
collezione privata (1/9);
Venezia, Venice Design Art
Gallery; collezione privata;
Venezia, Venice Design Art
Gallery; Venezia, Venice
Design Art Gallery; collezione
privata; Milano, collezione
Giovanna Miani (7/9);
collezione privata; collezione
privata; collezione privata;
collezione dell'artista (p.a.)
AP 486

Riprodotta nel Tomo I
a p. 177

Esposizioni: Ancona 1984;
San Francisco, CA 1985;
Tokyo 1985 (ill. pp. 24, 25);
New York, NY 1987 (ill. cat.);
Venezia 1988; Zurigo 1988;
Novara 1989; Kanagawa 1994
(ill. p. 58); Finalborgo 1997
(ill. p. 30)

Bibliografia: Leonetti, Fiorani
1985; Selz 1985, p. 125;
Agosti 1987, ill.; *Colpo d'ala
di Arnaldo Pomodoro* 1988,
ill. pp. 92-93

722
La macchina (Egisto), 1983
a) fiberglass,
280 x 200 x 100 cm
1 esemplare
Gibellina, Museo d'Arte
Contemporanea di Gibellina
b) bronzo, 280 x 200 x 100 cm
2 esemplari + 1 prova d'artista
Città di Brisbane, City Square;
collezione dell'artista (02 p.a.)
AP 490

Riprodotta nel Tomo I
a p. 176

Esposizioni: Firenze 1984 (ill.
pp. 182, 183); Pavia 1985-
1986; Ferrara 1987 (ill. cat.);
Brisbane 1988 (ill. p. 75);
Cesena[1] 1995 (ill. pp. 40-41)

Bibliografia: Risset[1] 1984,
p. 20; Cocchia 1985, ill. p. 26;
Lanzone 1985, ill. p. 139;
Leonetti, Fiorani 1985; Argan,
Mussa 1986, tavv. 8, 46, 49-
50; Rizzo 1986, ill. p. 104;
Tagliacarne 1986, ill. p. 37;
Agosti 1987; AAVV[2] 1988, ill.
p. 384; Mussa[2] 1988, p. 56; Di
Genova 1991, pp. 518-519;
"Archivio" 1995, ill. p. 11;
Barilli[1] 1995, pp. 7-16;
Corgnati 1995, ill. p. 118;
Favole 1995, p. 161; Hunter[1]
1995, p. 139 (ill. pp. 154-155);
*Arnaldo Pomodoro. "Sphere
within a Sphere"* 1997, ill. p.
140; Gualdoni 1998, p. 29;
*Scritti critici per Arnaldo
Pomodoro* 2000, ill. pp. 350-
351; *Arnaldo Pomodoro -
Architettura e scultura* 2002,
ill. p. 77

723
La profezia (Cassandra),
studio, 1983
bronzo, 27 x 22 x 8 cm
9 esemplari + 2 prove
d'artista
collezione privata; collezione
privata; collezione privata;
collezione privata; collezione
privata; collezione privata;
collezione privata; collezione
privata; collezione privata;
Milano, collezione privata
(p.a.); collezione dell'artista
(p.a.)
AP 487

Riprodotta nel Tomo I a p. 177

Esposizioni: *Ancona 1984*;
Tokyo 1985 (ill. p. 22); Padova
1986-1987; *New York, NY
1987* (ill. cat.); *Kanagawa 1994*
(ill. p. 58); *Finalborgo 1997*

Bibliografia: Leonetti, Fiorani
1985; Agosti 1987, ill.; *Colpo
d'ala di Arnaldo Pomodoro*
1988, ill. pp. 92-93; Paloscia
1993, ill. p. 50

724
La profezia (Cassandra), 1983
a) fiberglass,
280 x 250 x 100 cm
1 esemplare
Gibellina, Museo d'Arte
Contemporanea di Gibellina
b) bronzo, 280 x 250 x 100 cm
2 esemplari + 1 prova d'artista
Città di Brisbane, City Square;
collezione privata (2/2);
collezione dell'artista (02 p.a.)
AP 491

Esposizioni: *Firenze 1984*
(ill. pp. 178, 179); *Pavia 1985-
1986*; *Ferrara 1987* (ill. cat.);
Brisbane 1988 (ill. p. 75);
Pietrasanta[2] 1993 (ill. p. 59);
Kanagawa 1994 (ill. p. 59);
Cesena[1] *1995* (ill. pp. 40-41,
42-43); *New York, NY 1996*
(ill. pp. 10-11); *Parigi 2002*
(ill. pp. 50, 72-73, 74)

Bibliografia: Risset[1] 1984,
p. 20; Cocchia 1985, ill. p. 26;
Lanzone 1985, ill. p. 137;
Leonetti, Fiorani 1985; Argan,
Mussa 1986, tavv. 8, 48, 49-
50; Rizzo 1986, ill. p. 104;
Agosti 1987; Pancera 1987,
ill. p. 66; Mussa[2] 1988, p. 56;
Carrubba 1991, ill. p. 82;
Di Genova 1991, pp. 518-519;
Caprile[1] 1993, ill. p. 40; Barilli[1]
1995, pp. 7-16; Favole 1995,
p. 161; Hunter[1] 1995, p. 139
(ill. pp. 154-155); Pieri 1995,
ill. p. 48; *Arnaldo Pomodoro.
"Sphere within a Sphere"*
1997, ill. p. 140; Gualdoni
1998, p. 29; *Scritti critici per
Arnaldo Pomodoro* 2000, ill.
pp. 352-353); Lambertini 2002,
ill. p. 50; Restany 2002, p. 16;
AAVV 2003, ill. pp. 61-62

724

725
Rotella fantastica, 1983
bronzo e fiberglass, Ø 250 cm
2 esemplari
Gibellina, Museo d'Arte
Contemporanea di Gibellina;
collezione dell'artista
AP 483a

Esposizioni: *Firenze 1984*
(ill. p. 177); *Cantù 2003*
(ill. pp. 24-25, 27)

Bibliografia: Soldano 1983, ill.
pp. 46, 47, 49; Valdini 1983, ill.;
Chiaretti 1984, ill. p. 18; Pensa
1984, ill. p. 108; r. 1984, ill.;
Rayner 1984, ill.; Isgrò 1985,
ill. in copertina; Lamberti
Zanardi 1990, ill. pp. 84-85

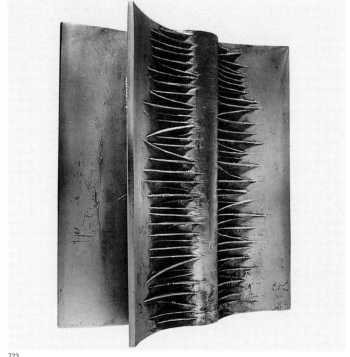

723

726

Torso, I, 1983
bronzo, 44 x 40 x 10 cm
9 esemplari + 1 prova d'artista
collezione privata (1/9); San
Francisco, CA, collezione
privata (2/9); San Francisco,
CA, collezione privata (3/9);
collezione privata (4/9);
collezione privata (5/9); San
Francisco, CA, collezione
privata (6/9); collezione privata
(7/9); collezione dell'artista
(8/9); collezione privata (9/9);
collezione privata (09 p.a.)
AP 504

Esposizioni: Firenze 1984
(ill. pp. 136, 137); *San
Francisco, CA 1985* (ill. p. 11);
Milano 1986; *Venezia 1988*;
Kanagawa 1994 (ill. p. 37);
Padova 2000-2001 (ill. p. 11)

Bibliografia: Chigiotti 1986, ill.
p. 154; Hunter[1] 1995,
ill. p. 177

727

Torso, II, 1983
bronzo patinato,
44 x 40 x 10 cm
9 esemplari + 1 prova d'artista
Milano, collezione privata
(1/9); San Francisco, CA,
collezione privata (2/9);
collezione privata (3/9);
collezione privata (4/9);
collezione privata (5/9); San
Francisco, CA, collezione
privata (6/9); collezione privata
(7/9); collezione dell'artista
(8/9); Milano, collezione
privata (9/9); collezione privata
(09 p.a.)
AP 505

Esposizioni: Firenze 1984; *San
Francisco, CA 1985* (ill. p. 4);
Milano 1986; *Zurigo 1988*;
Padova 2000-2001 (ill. p. 15)

Bibliografia: Hunter[1] 1995,
ill. p. 177

728

Torso, III, 1983
bronzo patinato,
44 x 40 x 10 cm
9 esemplari + 1 prova d'artista
collezione privata (1/9); San
Francisco, CA, collezione
privata (2/9); Milano,
collezione privata (3/9);
Milano, collezione privata
(4/9); collezione privata (5/9);
San Francisco, CA, collezione
privata (6/9); collezione privata
(7/9); collezione dell'artista
(8/9); Milano, collezione
privata (9/9); collezione privata
(09 p.a.)
AP 506

Esposizioni: Firenze 1984 (ill.
p. 136); *San Francisco, CA
1985* (ill. p. 11); *Tokyo 1985*

726

727

728

729

730

(ill. p. 25); *Milano 1986*;
Venezia 1988; *Zurigo 1988*;
Kanagawa 1994 (ill. p. 37);
Padova 2000-2001 (ill. p. 13)

Bibliografia: "Geijutsu
Shincho"[1] 1994, ill. p. 100;
Hunter[1] 1995, ill. p. 177

729
Torso, IV, 1983
bronzo patinato,44 x 40 x 10
cm
9 esemplari + 1 prova d'artista
Milano, collezione privata
(1/9); collezione privata (2/9);
collezione privata (3/9);
collezione privata (4/9);
collezione privata (5/9);
San Francisco, CA, collezione
privata (6/9); Milano,
collezione privata (7/9);
collezione dell'artista (8/9);
Milano, collezione privata
(9/9); collezione privata
(09 p.a.)
AP 507

Esposizioni: *Firenze 1984*
(ill. pp. 136, 137); *San
Francisco, CA 1985* (ill. p. 10);
Milano 1986; *Zurigo 1988*;
Kanagawa 1994 (ill. p. 37);
Padova 2000-2001 (ill. p. 19)

730
Torso, V, 1983
bronzo patinato,
44 x 40 x 10 cm
9 esemplari + 1 prova d'artista
Milano, collezione privata
(1/9); collezione privata (2/9);
collezione privata (3/9);
Milano, collezione privata
(4/9); collezione privata (5/9);
San Francisco, CA, collezione
privata (6/9); Milano,
collezione privata (7/9);
collezione dell'artista (8/9);
Milano, collezione privata
(9/9); collezione privata
(09 p.a.)
AP 508

Esposizioni: *Firenze 1984*; *San
Francisco, CA 1985* (ill. p. 10);
Milano 1986; *Padova 2000-
2001* (ill. p. 17)

731
*Sette rilievi in via Terraggio,
Milano*, 1983
collocati sulla facciata
dell'edificio
bronzo, ognuno 60 x 60 cm
1 esemplare
Milano, collezione privata
AP 495b

Bibliografia: T. 1986, ill.;
"La mia casa" 1987, ill. p. 58;
Rossotti 1989, ill. pp. 40, 42

731

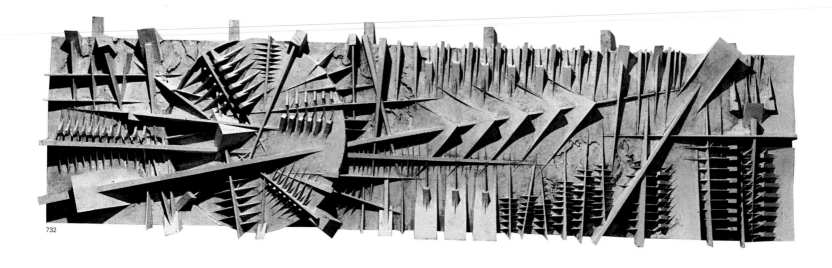

732

733

732
Orizzonte, 1983
bronzo, 80 x 325 x 25 cm circa
2 esemplari + 1 prova d'artista
collezione privata; collezione
dell'artista
AP 493

733
Murale in movimento,
1983-1984
bronzo, 20 x 400 x 10 cm
9 esemplari + 1 prova d'artista
New York, NY, Cavaliero Fine
Arts (2/9); collezione privata;
Morciano di Romagna, Banca
Popolare Valconca (7/9);
collezione dell'artista (8/9)
AP 510b

Esposizioni: Firenze 1984;
New York, NY 1987 (ill. cat.
fiberglass); *Venezia 1988*;
Zurigo 1988; *Rimini 1995* (ill.
pp. 22-23); *Terni 1995-1996*
(ill. pp. 66-67); *Marsala 1997*
(ill. pp. 114-115); *Trento 1997*;
Palma di Maiorca 1999;
Sassoferrato 2001 (ill. pp. 56-57)

Bibliografia: Ferri 1984,
(ill. p. 20); Marozzi[2] 1984,
(ill. p. 4); Hunter[1] 1995, ill. pp.
298-299; Troisi[1] 1997, p. 22

734
Cippo, I, 1983-1984
bronzo patinato,
230 x 112 x 40 cm
2 esemplari + 1 prova d'artista
collezione privata (1/2);
collezione privata (2/2);
Milano, FAP (02 p.a.)
AP 499

Riprodotta nel Tomo I
a p. 180

Esposizioni: Gubbio 1984 (ill.
p. 59); Chicago 1985 (ill. p.
289); *San Francisco, CA 1985*
(ill. pp. 14, 19, 27); *Milano
1986* (ill. cat.); *Malcesine
1987* (ill. tav. 19); *New York,
NY 1987* (ill. cat.); Venezia[2]
1988 (ill. p. 76); *Zurigo 1988*;
Novara 1989; *Bolzano 1994*
(ill. cat.); Pergola 1994;
Roma[1] *1994*; Sartirana 1994;

Ancona[2] 1994-1995 (ill.
pp. 93, 94); *Rimini 1995* (ill.
pp. 25, 26-27); *Terni 1995-
1996* (ill. p. 65); *Finalborgo
1997* (ill. p. 37); Seoul 1999;
Parigi 2002 (ill. pp. 78, 79)

Bibliografia: Mussa[4] 1984,
p. 59; cat. coll. San Quirico
d'Orcia 1985, ill. p. 109; Selz
1985, p. 124 (ill. p. 125); Barilli
1986, ill.; Caprile[1] 1986, ill.;
Caprile[2] 1986, ill.; Causa
Picone 1986, ill.; Chiarini 1986,
ill. p. 9; cat. coll. Firenze 1986,
ill. p. 6; "La Provincia Pavese"[2]
1986, ill.; Quintavalle 1986, ill.
p. 23; Ritter 1986, ill.; cat. coll.
Numana 1987, ill. p. 70;
Sarenco 1987, ill. p. 9; Thorn-
Petit 1987, ill. p. 137;
Carandente[4] 1988, p. 57; cat.
coll. Mosca 1988, ill. p. 86;
De Maio 1990, ill. p. 51;
"Luce" 1990, ill.; Forbice[2]
1991, ill. p. 95; Forbice[3] 1991,
ill.; De Maio 1993, ill. p. 34;
Kaneko 1993, ill. p. 58; Elkann
1994, ill. p. 58; Martin 1994,

pp. 14-15; Reggiori[2] 1994, ill.
p. 34; Hunter[1] 1995, pp. 139-
140; Caprile[3] 1997,
p. 13; *Scritti critici per Arnaldo
Pomodoro* 2000, ill. pp. 180,
347; Masoero[1] 2002, ill. p. 4;
AAVV 2003, ill. p. 67

735
Cippo, II, 1983-1984
a) fiberglass,
282 x 79 x 35 cm
1 esemplare
Milano, collezione privata
b) bronzo, 282 x 79 x 35 cm
2 esemplari + 1 prova d'artista
Palm Springs, CA, Palm
Springs Desert Museum,
dono di Herb e Grace Boyer;
Milano, FAP; collezione
dell'artista
AP 513

Riprodotta nel Tomo I
a p. 180

Esposizioni: San Francisco,
CA 1985 (ill. pp. 13, 19, 27);
Firenze 1986; *Milano 1986*;

New York, NY 1987 (ill. cat.);
Venezia[2] 1988 (ill. p. 76);
Zurigo 1988; *Novara 1989*;
Bolzano 1994 (ill. cat.); *Roma[1]
1994*; Sartirana 1994;
Ancona[2] 1994-1995 (ill. p. 94);
Rimini 1995 (ill. pp. 25, 26-
27); *Terni 1995-1996* (ill. p.
65); *Finalborgo 1997* (ill. p.
37); *Parigi 2002* (ill. p. 78)

Bibliografia: Selz 1985, p. 124
(ill. p. 125); "La Provincia
Pavese"[2] 1986, ill.; Thorn-
Petit 1987, ill. p. 137;
Carandente[4] 1988, p. 57; cat.
coll. Mosca 1988, ill. p. 86;
De Maio 1990, ill. p. 51;
"Luce" 1990, ill.; Forbice[2]
1991, ill. p. 95; Forbice[3] 1991,
ill.; De Maio 1993, ill. p. 34;
Kaneko 1993, ill. p. 58; Martin
1994, pp. 14-15; Hunter[1] 1995,
pp. 139-140; Caprile[3] 1997, p.
13; *Scritti critici per Arnaldo
Pomodoro* 2000, ill. pp. 180,
347; Masoero[1] 2002, ill. p.4;
Fiz 2002, ill. p.19; AAVV 2003,
ill. p. 67

734-735

736

736

Disco solare, 1983-1984
bronzo, Ø 370 x 120 cm
2 esemplari + 1 prova
d'artista
collezione privata;
Englewood, CO, Museum of
Outdoor Arts (2/2); Mosca,
Museo di Arte Contemporanea
AP 496

Riprodotta nel Tomo I
alle pp. 178-179

Esposizioni: Firenze 1984
(ill. p. 28); Brisbane 1988
(ill. p. 74)

Bibliografia: Cocchia 1985, ill.
p. 27; Lanzone 1985, ill. p.
145; Argan, Mussa 1986,
tavv. 6, 41, 42, 43; Costa,
Taveggia 1986, ill. p. 35;
Sarenco 1987, ill. p. 11;
Averna 1989, ill. p. III;

"Avvenire" 1989, ill.;
Belpietro 1989, ill. pp. 32-35;
"Corriere della Sera" 1989,
ill.; "Giornale di Brescia"
1989, ill.; "Il Mattino di
Padova" 1989, ill.; "La
Sicilia" 1989, ill.; M. 1989, ill.
p. 3; Perazzi 1989, ill. in
copertina e pp. 39, 42-46;
Bianco 1990, ill. p. 10; Frend
1990, ill. pp. 116-117, 120;
Fogli 1990, p. 30 (ill.);
Graciova 1990, ill. p. 48; P.
1990, ill.; Rancati 1990, ill.;
Brambilla 1991, ill. pp. 62-63;
Di Genova 1991, pp. 518-519;
Donati 1991, ill. p. 47;
Caprile[2] 1992, ill. p. 82;
Cobolli Gigli, Fagetti 1992, ill.
p. 78; Fabiani 1992, ill. p. 30;
Carrubba 1993, ill. p. 47;
Kaneko 1993, ill. in copertina;
Savoia 1993, ill. p. 23; Martin
1994, ill. p. 17; Reggiori[2]

1994, ill. p. 33; Clerici 1995,
ill. p. 90; Caprile[3] 1997, p. 13;
Troisi[1] 1997, ill. p. 14; Prina[2]
1998, p. 62 (ill. p. 51); Lucie-
Smith 1999, p. 96 (ill. p. 97);
cat. Palma di Maiorca 1999,
ill. p. 47; M. Villa 1999, ill. p.
39; *Arnaldo Pomodoro -
Architettura e scultura* 2002,
ill. p. 68; Petrignani 2003, ill.
p.120

737
Cubo, 1983-1984
bronzo, 84 x 84 x 84 cm
2 esemplari + 1 prova d'artista
collezione privata; collezione
privata; collezione privata
AP 495

738
Asse del movimento, II,
1983-1987
bronzo, 170 x 175 x 150 cm
2 esemplari + 1 prova d'artista
collezione privata, courtsey
Marlborough Gallery; Milano,
FAP (2/2); collezione privata
(02 p.a.)
AP 577

Esposizioni: *Novara 1989*;
Rozzano 1990 (ill. p. 62);
Bolzano 1994 (ill. cat.);
Kanagawa 1994 (ill. p. 60);
Torino 1994; *Ancona*[2] *1994-
1995* (ill. p. 95); *Brescia 1995*
(ill. pp. 18,19); *Rimini 1995*
(ill. p. 19); *Williamsburg 2003*
(ill. p. 9)

Bibliografia: Pomodoro[1]
1989; Quaglino 1989, ill. p.
19; Martin 1994, pp. 15-16;
Reggiori[2] 1994, ill. pp. 34-35;
"Sankei Shimbun"[3] 1994, ill.;
"Sankei Shimbun"[4] 1994, ill.;
Hunter[1] 1995, p. 139
(ill. p. 148); "Il Ponte" 1995,
ill.; "La Repubblica" 1995, ill.;
Calcagnini[1] 1997, ill.;
Cavallucci 1997, ill.; Cerri[2]
1997, ill. p. 90; Planca 1998,
ill. p. 86

737

738

739
Telaio dell'invenzione,
studio, 1983-1984
a) fiberglass dorato,
80 x 65 x 40 cm
1 esemplare
collezione dell'artista
b) bronzo, 80 x 65 x 40 cm
1 esemplare + 3 prove d'artista
collezione privata; collezione
P.L.G. (01 p.a.); collezione
privata (p.a.); collezione
dell'artista
AP 512

Esposizioni: *Firenze 1984*;
Milano 1985; *Zurigo 1988*;
Palma di Maiorca 1999

Bibliografia: mur. [Muritti]
1985

740
Papyrus, 1984
bronzo, 225 x 86 x 28 cm
2 esemplari + 1 prova d'artista
collezione privata (1/2);
collezione privata (2/2);
Milano, FAP (02 p.a.)
AP 517

Riprodotta nel Tomo I
alle pp. 182-183

Esposizioni: *San Francisco,
CA 1985* (ill. p. 25); *Milano
1986* (ill. cat.); *Ferrara 1987*
(ill. cat.); *New York, NY 1987*
(ill. cat.); *Venezia*[2] *1988*;
Zurigo 1988; *Novara 1989* (ill.
cat.); *San Paolo 1989*;
Finalborgo 1997 (ill. pp. 44-
45); *Monte Carlo 2001*

Bibliografia: Agosti 1987;
Sarenco 1987, ill. p. 5;
Carandente[4] 1988, p. 57;
Cecchetti 1988, ill. p. 611;
AAVV 1992, ill.; Caprile[2] 1993,
pp. 90-92 (ill. p. 92); Dago
1993, ill. p. 16; de Gioia[1]
1993, ill. p. 44; Hunter[1] 1995,
ill. pp. 102-103; Baradel 1997,
ill. p. 41; *Scritti critici per
Arnaldo Pomodoro* 2000, ill.
p. 357; Gualdoni[2] 2001, p. 15
(ill. p. 13); McDowell 2001,
ill. p. 53

739

740

741
Colpo d'ala, 1984
bronzo, 150 x 180 x 208 cm
2 esemplari + 1 prova d'artista
collezione privata; Aichi,
Aichi Prefectural Museum of
Art, dono della Japan Lottery
Association (2/2); collezione
dell'artista
AP 509

Esposizioni: *New York, NY
1987* (ill. cat.); *Zurigo 1988*;
San Paolo 1989 (ill. p. 86);
Palma di Maiorca 1999;
Parigi 2002 (ill. p. 71)

Bibliografia: Ballo 1984,
pp. 7-30; *Colpo d'ala di
Arnaldo Pomodoro* 1988, ill.
pp. 52-53, 56-57, 59, 64, 104-
105, 107, 108; Sleiter 1988,
ill. p. 143; Andreoli 2000, ill.
p. 76; Colonetti 2000, ill. p.
35; *Scritti critici per Arnaldo
Pomodoro* 2000, ill. p. 355;
Minetti 2002, ill. p. 88;
Restany 2002, p. 16;
Valembois 2002, ill. p.41;
AAVV 2003, ill. pp. 51-55

742
Colpo d'ala, 1984
bronzo, 108 x 134 x 174 cm
8 esemplari + 1 prova
d'artista
collezione privata
AP 516

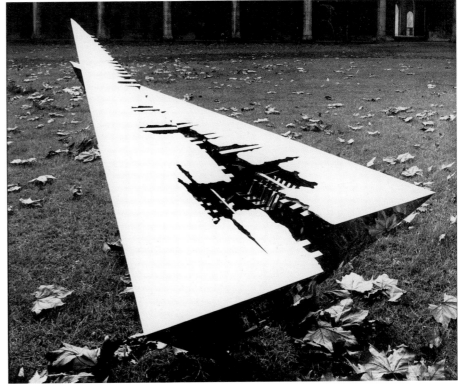

741

742

743
Lancia, 1984
bronzo, 280 cm,
sez. 5 x 5 x 5 cm
esemplare unico
Milano, collezione privata
AP 497

744
Disco pulsante, studio, 1984
bronzo, Ø 20 cm
9 esemplari + 2 prove
d'artista
collezione privata; collezione
privata; collezione Elaine e
Robert Postal; collezione
privata; collezione privata;
collezione privata; collezione
privata; collezione privata;
collezione privata; collezione
privata; collezione privata
AP 501

745
Disco pulsante, I, 1984
bronzo, Ø 200 cm
esemplare unico
Oakland, CA, World
Savings Bank
AP 500a

Bibliografia: Piccichè 1986,
ill.

746
Disco pulsante, II, 1984
bronzo, Ø 200 x 53 cm
2 esemplari + 1 prova
d'artista
collezione privata; collezione
privata; Parma, Università
degli Studi di Parma, Facoltà
di Ingegneria
AP 500

*Esposizioni: San Francisco,
CA 1985* (ill. pp. 17,18, 26);
Milano 1986

Bibliografia: Baker 1985, ill.
p. 37; Morch 1985, ill. p. E4;
Selz 1985, p. 125 (ill. p. 124);
m. 1986, ill.; Masoero 1986,
ill. p. 74; "Fashion" 1987, ill.
p. 3; "Tuttodolce" 1989, ill.;
"Gazzetta di Parma"[2] 1990,
ill.; Teodoro 1995, ill. p. 164

747

748

743

749

747
Rilievo, 1984
bronzo, 51 x 36 x 4,5 cm
2 esemplari + 1 prova
d'artista
collezione privata; collezione
privata; collezione privata
AP 502

748
Rilievo, 1984
bronzo, 51 x 36 x 4,5 cm
2 esemplari + 1 prova
d'artista
La Jolla, CA, collezione
Sheila e Hughes Potiker
(1/2, con supporto e base,
53,5 x 36 x 13 cm); collezione
privata; collezione privata
AP 503

749
Bassorilievo, 1984
bronzo dorato, 54 x 40 cm
2 esemplari + 1 prova d'artista
collezione privata; collezione
privata; collezione privata
AP 519

746

744

745

750
Forze del profondo e del cielo, studio, 1984-1985
bronzo, 45 x 99 x 10 cm
9 esemplari + 1 prova
d'artista
collezione privata (2/9);
collezione dell'artista
AP 514

Esposizioni: *Venezia 1991*;
Basilea 1997 (ill. p. 15); Seoul
1997 (ill. p. 15); Seoul 1999

751
*Forze del profondo e del
cielo*, 1984-1985
bronzo, 7 elementi di varie
dimensioni collocati sulla
parete
esemplare unico
Milano, Banca Intesa
AP 514b

Bibliografia: Tagliacarne
1986, ill. p. 36; Cremascoli
1988, ill.; Sanesi 1992, ill. p.
8; Hunter[1] 1995, pp. 139, 316
(ill. pp. 140-141); Troisi[1] 1997,
p. 18

750

751

752
Telaio dell' invenzione,
1984-1985
bronzo e ferro,
215 x 202 x 110 cm
esemplare unico
collezione Leandro Gualtieri
AP 512a

Esposizioni: Milano 1985

Bibliografia: "Arte" 1985,
ill. p. 98; "GAP Italia" 1985,
ill.; mur. [Muritti] 1985; Nardi
1985, (ill.); Noceto 1985,
ill. p. 93

753
Colonna, 1984-1985
bronzo, 360 x 50 x 50 cm
1 esemplare + 1 prova
d'artista
collezione Riccardo Miani;
collezione privata
AP 511

Bibliografia: Muti 1991,
ill. p. 382

752

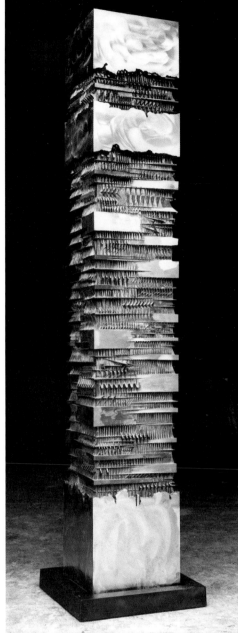

753

754
Lancia di luce per Terni,
1984-1991
acciaio corten e acciaio
inossidabile, 30 m,
sez. 5 x 5 x 5 m
esemplare unico
Città di Terni
AP 645

Riprodotta nel Tomo I
a p. 181

Bibliografia: Bonomi 1985;
"Il Messaggero" 1990, ill.;
"La Nazione" 1990, ill.;
Carandente 1995, pp. 11-20;
Coletti 1995, ill.; "Corriere
dell'Umbria"[1] 1995; "Corriere
dell'Umbria"[2] 1995; De Pirro
1995, ill.; "Il Messaggero"
1995; Mencarelli 1995, ill.;
cat. Terni 1995, ill. in
copertina e pp. 25-39
(lavorazione e montaggio);
Tissi 1995, p. 152; "Il
Messaggero" 1996, ill. p. 17;
Lambertini[2] 1996, pp. 71-73
(ill. p. 73); AAVV 1997, ill.
p. 138; Caprile[3] 1997, p. 13;
Barrie 1999, ill. p. 130;
M. Villa 1999, ill. p. 41

755
Lancia di luce, II, 1985
bronzo lucido e bronzo
patinato, 700 cm,
sez. 120 x 120 x 120 cm
3 esemplari + 1 prova
d'artista
Milano, collezione privata
(1/3); collezione dell'artista
AP 541

755

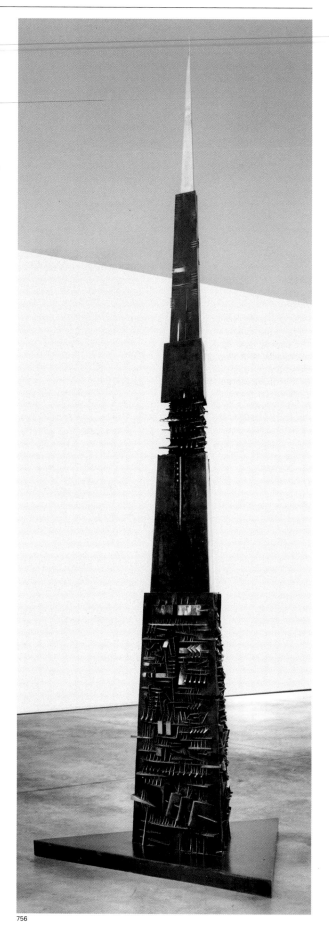

756

756
Lancia di luce, I, 1985
bronzo lucido e bronzo
patinato, 328 cm,
sez. 43 x 43 x 43 cm
6 esemplari + 1 prova d'artista
collezione privata; collezione
privata; collezione
privata; collezione privata;
collezione privata; Hiroshima,
Hiroshima City Museum of
Contemporary Art (6/6);
collezione dell'artista (06 p.a.)
AP 520

Esposizioni: *San Francisco, CA
1985* (ill. pp. 21, 26); *Milano
1986* (ill. cat.); *New York, NY
1987* (ill. cat.); Bologna 1989
(ill. p. 117); Sartirana 1992 (ill.
p. 26); *Bolzano 1994* (ill. cat.);
Roma[1] *1994; Rimini 1995* (ill.
p. 21); *Terni 1995-1996* (ill. p.
69); *Finalborgo 1997* (ill. p. 40);
Palermo 1998

Bibliografia: Selz 1985,
p. 124; "Linea Uomo" 1986,
ill.; Masoero 1986, ill. p. 74;
Quintavalle 1986, ill. p. 23; De
Paoli[1] 1989, ill. p. 104; Caprile[1]
1993, ill. p. 44; Martin 1994,
pp. 15-16; Reggiori[2] 1994, ill.
pp. 34-35; Hunter[1] 1995, p. 300
(ill. p. 303); Caprile[3] 1997, p.
13; *Scritti critici per Arnaldo
Pomodoro* 2000, ill. p. 354

754

757

Torre a spirale, studio I, 1985
bronzo dorato, 40 x Ø 8 cm
9 esemplari + 3 prove d'artista
collezione privata (1/9);
collezione privata (2/9);
collezione privata (3/9);
collezione Garner H. Tullis
(4/9); collezione privata (5/9);
collezione privata (6/9);
collezione privata (7/9);
collezione privata (8/9);
Venezia, Venice Design Art
Gallery (9/9); collezione
privata (09 p.a.); Venezia,
Venice Design Art Gallery;
collezione privata
AP 536

Esposizioni: Venezia 1988

Bibliografia: Gregotti[2] 1990,
ill. p. 38

758

Torre a spirale, studio II, 1985
bronzo dorato, 40 x Ø 8 cm
9 esemplari + 1 prova d'artista
collezione privata; collezione
privata; collezione privata;
collezione privata; collezione
privata; collezione privata;
collezione Robert e Linda
Schmier (7/9); collezione
privata; collezione privata;
Brisbane, collezione Philip
Bacon (p.a.)
AP 537

Esposizioni: Venezia 1988

759

Torre a spirale, studio III, 1985
bronzo dorato, 38 x Ø 8,5 cm
9 esemplari + 4 prove d'artista
collezione privata; collezione
privata; San Francisco, CA,
collezione privata; collezione
privata; collezione privata;
collezione privata; collezione
privata; collezione privata;
collezione privata; collezione
privata; collezione Dr.
Gabrielle H. Reem e Dr.
Herbert Kayden (I/III p.a.);
Milano, collezione Ada
Masoero; collezione privata
(II/III)
AP 547

Esposizioni: Roma 1987
(ill. p. 113)

760

Torre a spirale, studio IV, 1985
bronzo dorato , 27 x Ø 6 cm
9 esemplari + 4 prove d'artista
collezione privata; collezione
privata; collezione privata;
collezione privata; collezione
privata; collezione privata;
collezione privata; collezione
privata; collezione privata;
collezione privata; collezione
privata; Pesaro, collezione
privata (p.a.); collezione
Fiorenzo Mancini (p.a.)
AP 548

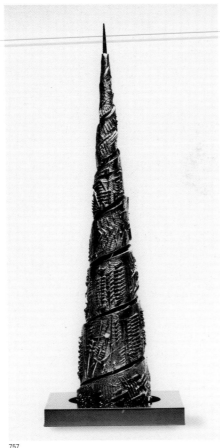

757

758

759

760

761

Torre a spirale, I, 1985
bronzo, 230 x Ø 50 cm
3 esemplari + 1 prova d'artista
collezione privata (1/3);
collezione privata; collezione
privata; collezione privata
(03 p.a.)
AP 531a

Esposizioni: *Milano 1986*
(ill. cat.); *Venezia 1988*;
Zurigo 1988

Bibliografia: Eccher 1986, ill.
p. 3; Martin 1986, ill. p. 56;
Tagliacarne 1986, ill. p. 35;
Buriana 1987, ill. (fiberglass);
Thorn-Petit 1987, ill. p. 137;
"Magazine Italiano" 1988, ill.;
Perego 1988, ill. p. 18; Muti
1991, ill. p. 385

762

Torre a spirale, II, 1985
bronzo , 230 x Ø 50 cm
3 esemplari + 1 prova d'artista
Parma, Collezione Barilla di
Arte Moderna, n. 502;
collezione privata; collezione
privata; collezione privata
AP 531b

Esposizioni: *Milano 1987*;
Firenze[2] 1988 (ill. p. 30);
Venezia 1988; Rozzano 1990
(ill. p. 63)

Bibliografia: Abbiati 1987, ill.;
M. Fini 1987, ill. pp. 4-5;
Sarenco 1987, ill. p. 9; *Colpo
d'ala di Arnaldo Pomodoro*
1988, ill. p. 83; cat. coll.
Mosca 1988, ill. p. 87;
Paloscia 1988, ill.; Hunter[1]
1995, ill. p. 160; Pasini 1995,
ill.; cat. "Sotheby's MI160",
Milano, 1999, ill. p. 103

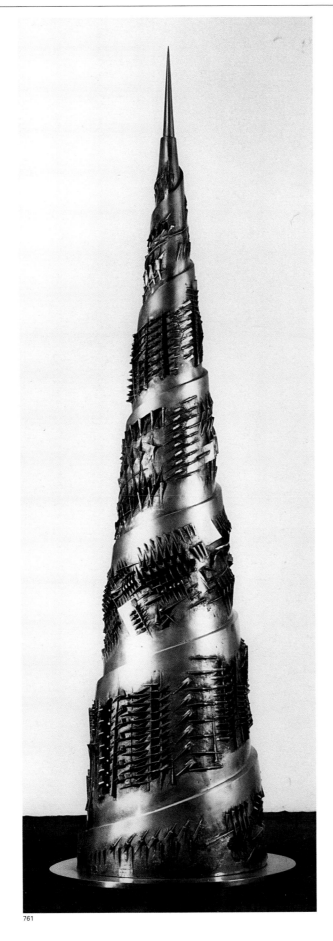

761

762

763
Asta cielare, studio, 1985
bronzo dorato, 49 cm,
sez. 5 x 5 x 5 cm
6 esemplari + 5 prove d'artista
collezione privata; Firenze,
collezione privata (2/6);
collezione privata; collezione
privata; collezione privata;
collezione privata; collezione
privata; collezione privata;
collezione privata; collezione
privata; collezione privata
AP 524

764
Colonna, 1985
bronzo, 260 x Ø 40 cm
2 esemplari + 1 prova d'artista
collezione privata; collezione
privata; collezione privata
AP 553

Esposizioni: *New York, NY
1987* (ill. cat.)

Bibliografia: Hunter[1] 1995,
ill. p. 161

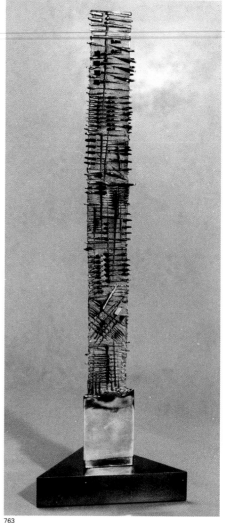
763

764

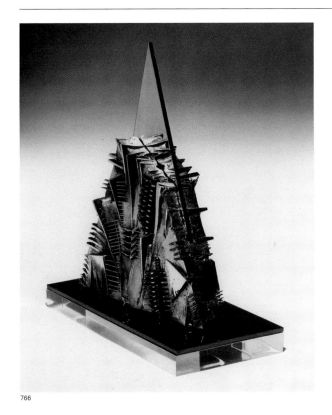

766

765
Colonna, 1985
fiberglass bianco,
152 x Ø 40 cm
esemplare unico
collezione privata
AP 553a

Bibliografia: Muti 1991,
ill. p. 385

766
Piramide, 1985
bronzo dorato, 28 x 20 x 9 cm
9 esemplari + 1 prova d'artista
collezione privata; collezione
privata; collezione privata;
Venezia, Venice Design Art
Gallery; Pesaro, collezione
privata (5/9); collezione
privata; collezione privata;
collezione privata; collezione
privata (9/9); collezione
privata
AP 532

*Esposizioni: Venezia 1988;
Novara 1989*

765

767
Disco del sole, 1985
bronzo, Ø 258 x 66 cm
1 esemplare + 1 prova
d'artista
collezione ABN AMRO REAL,
Brasile, n. 0369 (1/1);
collezione privata
AP 552

Bibliografia: *Disco del sole*
1986, ill.; K. 1986, ill.; Ritter
1987, ill. pp. 441-442
(fiberglass); Schneider 1987,
ill.; Lovino 1989, ill.;
Parmiggiani 1989, ill.;
"Gazzetta di Carpi" 1990, ill.
p. VIII; Rizzi 1990, ill. p. 105;
Telò, Zanetti 1992, p. 148
(ill. pp. 150-151); AAVV[1] 1993,
ill.; Massa 1995, ill. p. 64

768
Sfera, 1985
bronzo, Ø 25 cm
6 esemplari + 1 prova
d'artista
collezione privata; collezione
privata; collezione privata;
collezione privata (4/6); San
Francisco, CA, collezione
privata; collezione privata;
collezione privata
AP 521

769
Sfera, 1985
bronzo, Ø 30 cm
6 esemplari + 1 prova
d'artista
collezione privata; collezione
privata; collezione privata;
San Francisco, CA, collezione
privata; collezione privata;
Milano, collezione Dr.
Leonardo Soresi (6/6); San
Francisco, CA, collezione
privata
AP 522

Bibliografia: Quintavalle[1]
2000, ill. p. 41

770
Sfera, 1985
bronzo, ø 40
6 esemplari + 1 prova
d'artista
collezione privata; collezione
privata; collezione privata,
courtesy galleria Giò
Marconi, Milano; collezione
privata; San Francisco, CA,
collezione privata; collezione
privata; Venezia, Venice
Design Art Gallery
AP 523

Esposizioni: Milano[1] 1986

771
Sfera, 1985
bronzo dorato, Ø 15 cm
9 esemplari + 4 prove d'artista
Milano, asta Finarte 856,
6 aprile 1993, n. 97; Brescia,

767

collezione privata (2/9);
collezione privata; collezione
privata; Genova, asta Boetto,
25 marzo 2002; collezione
privata; collezione privata
(7/9); collezione privata;
collezione privata; collezione
privata (p.a.); collezione
privata; collezione privata;
collezione privata
AP 525

Bibliografia: "Business Art"
1993, ill.; cat. "Finarte",
Milano, 1993, n. 97, ill. p. 37;
*Arnaldo Pomodoro. "Sphere
within a Sphere"* 1997,
ill. p. 97

772
Sasso, I, 1985
bronzo dorato, 15 x 12 cm
circa
9 esemplari + 6 prove
d'artista + prototipo in bronzo
Venezia, Venice Design Art
Gallery; collezione privata;
collezione privata; collezione
privata; collezione privata;
collezione privata; collezione
privata; collezione privata;
Venezia, Venice Design Art
Gallery; collezione privata;
collezione Jacqueline Risset;
collezione privata; collezione
privata; collezione privata;

Milano, collezione privata;
collezione dell'artista
(prototipo)
AP 526

Esposizioni: Venezia 1988

773
Sasso, II, 1985
bronzo dorato,
5 x 10,5 x 7,5 cm
9 esemplari + 3 prove
d'artista + prototipo in
argento
collezione privata; collezione
privata; Venezia, Venice
Design Art Gallery; collezione
privata; collezione privata;

collezione privata; collezione
privata (7/9); collezione
privata (p.a.); collezione
privata (9/9); collezione
privata; collezione privata;
collezione privata; collezione
dell'artista (prototipo)
AP 527

Esposizioni: Venezia 1988

774
Sasso, III, 1985
bronzo dorato,
10 x 6,5 x 5,5 cm
6 esemplari variamente
numerati + prototipo
in argento

794

Giroscopio, studio, 1986
bronzo e ferro, Ø 50 cm
9 esemplari + 1 prova
d'artista + prototipo in
fiberglass
collezione privata; collezione
privata; collezione privata;
collezione privata; Venezia,
Venice Design Art Gallery;
Venezia, Venice Design Art
Gallery; collezione Angiola e
Gianni Manzo (7/9); Venezia,
Venice Design Art Gallery
(8/9); collezione privata;
collezione privata; collezione
privata (prototipo)
AP 565

Esposizioni: *Malcesine 1987*
(ill. tav. 30); *Milano³ 1987*;
New York, NY 1987 (ill. cat.);
Venezia 1988; *Zurigo 1988*;
Bergamo 1991-1992
(ill. p. 235)

Bibliografia: Robertazzi 1987,
ill. p. 23; "Art in America"
1988, ill. p. 94; Facchinelli
1988, ill. p. 20; Manzo 1988,
ill.; Perego 1988, ill. p. 21;
cat. "Finarte 1104", Milano,
2000, n. 83, ill. p. 38

795

Sfera, 1986
bronzo, Ø 15 cm
9 esemplari + 2 prove
d'artista
collezione privata (1/9);
collezione E.B.M.C. (2/9);
collezione privata (3/9);
collezione privata (4/9);
collezione privata (5/9);
collezione privata (6/9);
collezione privata (7/9);
collezione privata (8/9);
collezione privata (9/9);
collezione Anna e Giulio
Castelli (09 p.a.); collezione
Massimo Vitta Zelman (p.a.)
AP 546a

796

Sfera, 1986
bronzo, Ø 30 cm
6 esemplari + 2 prove
d'artista
collezione privata (1/6);
collezione privata (2/6);
collezione privata (3/6);
collezione privata (4/6);
collezione privata (5/6);
collezione privata (6/6);
collezione privata (06 p.a.);
collezione dell'artista (p.a.)
AP 560

791

793

794

795

796

797
Lunghe tracce concentriche,
1986
a) fiberglass, 8 x 94 x 103 cm
1 esemplare
collezione dell'artista
b) bronzo, 8 x 94 x 103 cm
9 esemplari + 1 prova
d'artista
Milano, collezione privata
(2/9); collezione privata;
collezione dell'artista
AP 563

Esposizioni: Malcesine 1987
(ill. tav. 32); *New York, NY
1987* (ill. cat.); *Venezia 1988;
Zurigo 1988; Kanagawa 1994*
(ill. p. 65); *Cesena[1] 1995*
(ill. p. 71); *Marsala 1997*
(ill. pp. 104-105); *Trento 1997;
Varese 1998-1999* (ill. p. 80);
*Palma di Maiorca 1999;
Sassoferrato 2001* (ill. pp. 59,
60-61)

Bibliografia: "Capital" 1988,
ill.; Caprile[1] 1993, ill. p. 46;
Barilli[1] 1995, pp. 7-16; Hunter[1]
1995, pp. 280, 316 (ill. pp.
292-293); "Flash Art" 1997,
ill. p. 17; Troisi[1] 1997, p. 21;
Prina[2] 1998, p. 61

798
Foglio, IV, 1986
bronzo dorato,
29 x 14,5 x 10 cm
9 esemplari + 2 prove d'artista
collezione Willa Spivak (1/9);
collezione privata; collezione
privata; collezione privata;
collezione privata; collezione
privata; collezione privata;
collezione privata; collezione
privata; collezione privata;
collezione privata
AP 559

Bibliografia: Restany 1994,
ill. p. 55

799
Foglio, V, 1986
bronzo dorato,
29 x 14,5 x 10 cm
9 esemplari + 1 prova
d'artista
collezione privata; collezione
privata; collezione privata;
collezione privata; collezione
privata; collezione privata;
collezione privata; collezione
privata; collezione privata
(p.a.)
AP 570

Esposizioni: Zurigo 1988

Bibliografia: cat. "Concert
Nobles", Bruxelles, 1988,
ill. p. 49

797

798

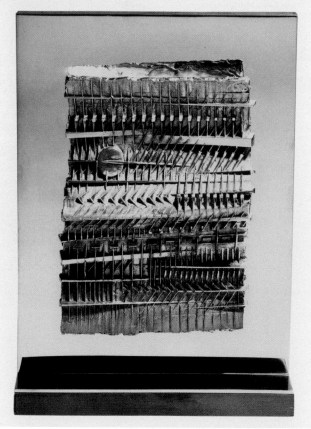

799

800
Rilievo, 1986
bronzo, 44 x 59 cm
2 esemplari + 1 prova
d'artista
collezione privata; collezione
privata; collezione privata
AP 587

Esposizioni: Novara 1989

801
Amica-Time, 1986
bronzo, 45 x 31 x 3 cm
2 esemplari
collezione dell'artista;
collezione privata
AP 588

Bibliografia: Bertoldi 1987,
p. 46

802
Murale dell'Alceste, 1986
bronzo, 47 x 90 cm
9 esemplari + 2 prove
d'artista
collezione privata; collezione
privata, Queensland,
Australia (2/9); collezione
privata (3/9); collezione
privata (4/9); collezione
dell'artista (5/9); Milano,
collezione privata; collezione
privata (p.a.)
AP 605

*Esposizioni: Novara 1989;
Zurigo 1996; Finalborgo 1997*
(ill. pp. 54-55)

800

801

802

803

803
Cavallo per Didone, 1986
alluminio, 35 x 76 x 36 cm
6 esemplari + 1 prova
d'artista
collezione privata; collezione
dell'artista
AP 583

Bibliografia: Del Pozzo 1986,
ill.

804

Guscio, I, studio, 1986-1987
bronzo patinato,
32 x 20 x 14,5 cm
9 esemplari + 1 prova
d'artista
Oakland, CA, collezione
Nicholas Averill Wirtz; San
Francisco, CA, collezione
privata; San Francisco, CA,
collezione privata; collezione
privata; collezione privata;
collezione privata; Venezia,
Venice Design Art Gallery;
collezione A. Simoncelli (8/9);
collezione dell'artista
AP 566

Esposizioni: *Zurigo 1988*;
Novara 1989; *Venezia 1991*;
Sartirana 1994; *Roma²*
1994-1995

805

Guscio, II, studio, 1986-1987
bronzo patinato,
32 x 20 x 14,5 cm
9 esemplari + 1 prova d'artista
+ 1 prova d'artista in acciaio
inox
collezione privata; Venezia,
Venice Art Gallery; New
York, NY, Cavaliero Fine Arts
(3/9); collezione dell'artista;
Aosta, Regione Autonoma
della Valle d'Aosta (acciaio
inox, p.a.)
AP 566a

Esposizioni: *Venezia 1988*;
Venezia³ 1988 (acciaio inox);
Aosta 1990-1991 (ill. p. 59,
acciaio inox); Monaco 2003
(ill. p. 28)

Bibliografia: Zanchi Anselmi
1988, ill. p. 93

806

Guscio, III, studio, 1986-1987
bronzo, 32 x 38 x 14,5 cm
9 esemplari + 1 prova
d'artista
collezione privata; collezione
privata; collezione privata;
collezione privata; collezione
privata; collezione
dell'artista; New York, NY,
Cavaliero Fine Arts (7/9);
Venezia, Venice Design Art
Gallery; Venezia, Venice
Design Art Gallery
AP 567

Esposizioni: *Novara 1989*;
Venezia 1991

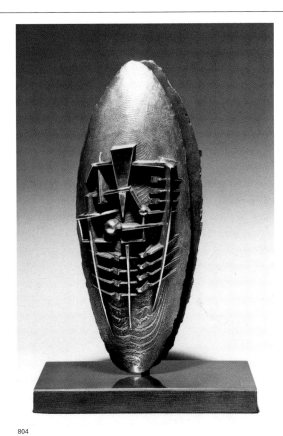

804

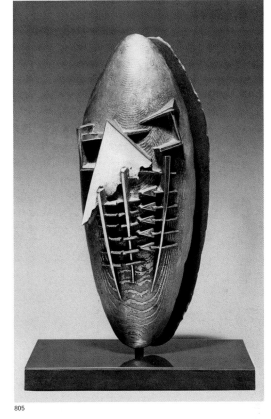

805

806

807
Giroscopio, I, 1986-1987
bronzo e ferro, Ø 380 cm
2 esemplari + 2 prove
d'artista
Tokyo, Ambasciata d'Italia,
già Sanyo Securities Trading
Room, Tokyo; collezione
privata (2/2); collezione
privata; collezione dell'artista
AP 589

Riprodotta nel Tomo I
alle pp. 188-189

Esposizioni: *Monte Carlo
2001* (ill. cat.); *Parigi 2002*
(ill. pp. 66, 67); *Ischia 2003*
(ill. p. 18, fiberglass)

Bibliografia: "The Shinbijutsu
Shinbun" 1989, ill. pp.
114-115; Caprile 1990, ill.;
Carrubba 1991, ill. p. 84;
Forbice[2] 1991, ill. p. 90;
Fabiani 1992, ill. p. 32;
Kaneko 1993, ill. p. 52;
Hunter[1] 1995, p. 139 (ill. pp.
158-159); Pasini 1995, ill.;
*Arnaldo Pomodoro. "Sphere
within a Sphere"* 1997, ill.
pp. 144-145; Le Ray 2001, ill.
p. 7; Comte 2002, ill.; Dasi
2002, ill.; AAVV 2003, ill. pp.
17, 39, 45, 48-51, 55, 95

808
Giroscopio, II, 1986-2001
bronzo, Ø 56 cm
8 esemplari + 2 prove
d'artista
San Francisco, CA, collezione
privata (1/8); collezione
privata, courtesy
Marlborough Gallery (2/8);
collezione privata (3/8);
collezione privata (4/8);
collezione privata (5/8);
collezione privata (6/8);
collezione privata (7/8);
collezione privata (8/8);
collezione privata (08 p.a.);
Torino, collezione privata
(p.a.)
AP 770

Esposizioni: Bergamo 2003
(ill. p. 59); *Ischia 2003* (ill. p.
19); *Williamsburg, VA 2003*
(ill. p. 16)

Bibliografia: Porta 2002,
ill. p. 79

807

808

836

Porte dell'Edipo, 1988
bronzo, 63 x 74 x 40 cm
9 esemplari + 2 prove
d'artista
collezione privata; collezione
privata (2/9); collezione
privata; collezione privata;
collezione privata; collezione
privata; collezione privata;
San Francisco, CA, collezione
Roselyne Chroman Swig
(8/9); collezione privata;
collezione privata; Milano,
FAP (p.a.)
AP 606

Esposizioni: *Zurigo 1988*;
Novara 1989; *Kanagawa 1994*
(ill. p. 40); *Milano*[1] *1995*;
Sarzana 1995 (ill. p. 148);
Roma 1997-1998; *Cantù 2003*

Bibliografia: Pomodoro[4]
1988, pp. 30-38, 39-44 (ill. p.
30); de Gioia[1] 1993, ill. p. 43;
Hunter 1994, pp. 29-31;
"Yukan Fuji" 1994, ill.; Barilli[2]
1995, pp. 7-15; Ragazzi 1995,
pp. 131-151; *Scritti critici per
Arnaldo Pomodoro* 2000, ill.
pp. 362, 363

837

*Portale per "Oedipus Rex"
di Igor Stravinsky*, 1988
bronzo, 11,8 x 9,4 x 0,6 m
1 esemplare + 1 prova
d'artista
1 esemplare in corso di
fusione
AP 606b

Esposizioni: *Castellamonte
1995*; *Milano*[1] *1995* (esposto
il modello in polistirolo
dipinto e legno in entrambe)

Bibliografia: Contursi 1995,
ill. p. 13; Grasso 1995, ill.;
Tinetti 1995, ill.

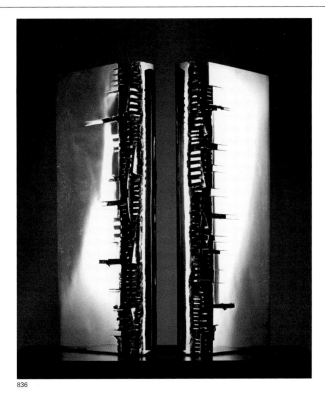
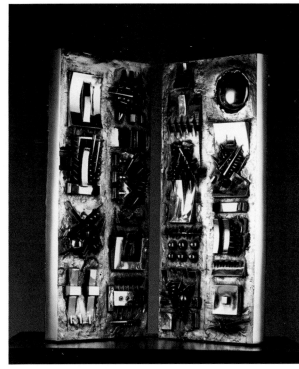

836

837

838

Obelisco "Cassodoro", 1988
a) fiberglass,
590 x 90 x 90 cm
1 esemplare
collezione dell'artista
b) bronzo, 590 x 90 x 90 cm
2 esemplari + 1 prova
d'artista
Comune di Lampedusa (1/2 -
525 x 90 x 90 cm); collezione
privata (2/2); collezione
dell'artista
AP 607

Riprodotta nel Tomo I
a p. 200

Esposizioni: Bolzano 1994
(ill. cat.); *Roma*[1] *1994*;
Cesena[1] *1995* (ill. p. 49);
Parigi 1995 (ill. p. 37); *Terni
1995-1996* (ill. p. 73); *Marsala
1997* (ill. p. 120); Gaiole in
Chianti 1999-2000 (ill. p. 93);
Parigi 2002 (ill. p. 75); *Ischia
2003* (ill. p. 24, fiberglass)

Bibliografia: "Il Panteco"
1989, ill.; Leonetti 1989;
*L'obelisco di Arnaldo
Pomodoro nella piazza di
Lamedusa* 1989, ill.; Venturoli
1989; Caprile[1] 1993, ill. p. 42;
Kaneko 1993, ill. p. 61;
Savoia 1993, ill. p. 23; Martin
1994, p. 16; Barilli[1] 1995, pp.
7-16; Favole 1995, p. 160 (ill.
p. 160); Hunter[1] 1995, p. 139
(ill. p. 143); "Il Resto del
Carlino" 1995, ill.; Salvagni
1996, ill. p. 66; Vagheggi
1996, ill.; *Arnaldo Pomodoro.
"Sphere within a Sphere"*
1997, ill. p. 143; Cerri[1] 1997,
ill. pp. 43, 45; Cerri[2] 1997, ill.
p. 89; Corgnati[1] 1997, ill.;
Cremascoli 1997, ill. p. 22;
"L'Arca" 1997, ill.; Masoero[3]
1997, ill. p. 95; Occhipinti
1997, ill.; Troisi[1] 1997, p. 18;
Hagge 1999, ill. p. 12
(fiberglass); "Il Giornale del
Gallo Nero" 1999, ill. p. 22
(fiberglass); cat. Palma di
Maiorca 1999, ill. p. 55;
Andreoli 2000, ill. p. 74;
*Scritti critici per Arnaldo
Pomodoro* 2000, ill. p. 364;
Dasi 2002, ill.; AAVV 2003,
ill. pp. 39, 42-45; Marino[2]
2003, ill. p. 19; Minervino
2003, ill. p. 9

838

839
Senza titolo, 1988
argento con elemento
circolare in oro, 12 x 5 cm
Premio Luigi De Luca
esemplare unico
AP 609a

840
Senza titolo, 1988
bronzo dorato, 17 x 13 x 3 cm
esemplare unico
collezione privata, opera
trafugata
AP 605a
[Da quest'opera è stata tratta
una edizione di 15 esemplari
e 6 prove d'artista con
dimensioni 9 x 7,5 x 2 cm
per la società Sclavo, Siena]

Bibliografia: AAVV[1] 1988, ill.
in copertina; "Stile arte"
2003, ill. p. 46 (erronea
attribuzione a Giò Pomodoro)

841
Ruota, 1988
bronzo dorato, Ø 11 cm
9 esemplari + 3 prove
d'artista
collezione privata; San
Francisco, CA, collezione
privata; collezione privata;
collezione privata; collezione
privata; collezione privata;
Bergamo, collezione privata;
collezione privata; collezione
privata (9/9); collezione
privata; collezione privata;
collezione privata
(09 p.a., con varianti)
AP 619

842
Trofeo Enzo Ferrari,
1988-1989
oro e argento, 38 x 22 cm
esemplare unico
per Automobile Club di
Milano e Autodromo
Nazionale di Monza
AP 623

840

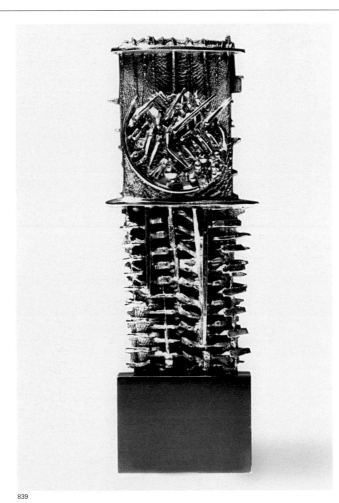

839

841

842

843
Colonna, 1988-1989
bronzo, 970 x Ø 35 cm
2 esemplari + 2 prove
d'artista
San Francisco, CA, Hyatt
Hotel; collezione dell'artista;
Groupe Compagnie
Nationale à Portefeuille (p.a.
con variante: opera suddivisa
in 3 colonne rispettivamente
di 300 x Ø 35 cm, 300 x
Ø 35 cm e 400 x Ø 35 cm);
collezione privata (p.a. con
variante: 470 x Ø 35 cm)
AP 622

Riprodotta nel Tomo I
a p. 201

Esposizioni: Monte Carlo
1995 (ill. pp. 56, 57); *Palma di
Maiorca 1999*

Bibliografia: "San Francisco
Chronicle" 1990, ill. p. B4;
Cerri[1] 1997, ill. p. 46

844
Colonna, I, 1989
bronzo , 240 x Ø 35 cm
2 esemplari + 1 prova d'artista
collezione privata (1/2);
collezione privata (2/2);
collezione privata (02 p.a.)
AP 621a

845
Colonna, II, 1989
bronzo, 250 x Ø 35 cm
2 esemplari + 1 prova d'artista
collezione privata; collezione
privata, courtesy Guggenheim
Asher Associates (2/2);
collezione privata (02 p.a.)
AP 621b

Esposizioni: Kanagawa 1994
(ill. p. 69)

Bibliografia: "Geijutsu
Shincho" 1991, ill.

846
Sfera con sfera, 1989-1990
bronzo, Ø 400 cm
esemplare unico
Città del Vaticano, Musei
Vaticani, Cortile della Pigna
AP 610

Riprodotta nel Tomo I
alle pp. 203, 204-205

Bibliografia: Argan 1990;
Casaroli 1990; F. 1990, ill.;
Fogli 1990, ill. p. 31; "Il
Giornale d'Italia" 1990, ill.;
"Il Tempo" 1990, ill.; "Libertà"
1990, ill.; Paternostro 1990,
ill.; Patruno 1990, ill. p. 46;
Pietrangeli 1990; Pomodoro[8]
1990; Singleton 1990, p. 7
(ill.); Trucchi 1990, p. IV (ill.);
v. [Vincitorio] 1990, p. 9 (ill.);
"Vanity Fair" 1990, ill. p. 222;
Aprico 1991, ill.; Donati 1991,
ill. p. 47; Forbice[2] 1991, ill.
pp. 92-93; Forbice[3] 1991, ill.;

843

844

845

Nys 1991, pp. 88-93 (ill. pp.
89-90); Fabiani 1992, ill. p. 31;
Pavarini 1992, ill.; Caprile[1]
1993, ill. p. 47; Carrubba
1993, ill. p. 47; Dago 1993, ill.
p. 18; Kaneko 1993, ill. p. 60;
Savoia 1993, ill. p. 23;
Vincenti 1993, pp. 80-81 (ill.
p. 83); Carandente 1994, p.
23; Cingoli 1994, ill. p. 27;
Lani 1994, ill.; Martin 1994,
ill. p. 11; Carandente 1995,
pp. 11-20; Hunter[1] 1995, pp.
70, 114 (ill. pp. 72-75); Tissi
1995, ill. p. 150; "Architectour
Italy 96" 1996, ill. p. 14;
*Arnaldo Pomodoro. "Sphere
within a Sphere"* 1997, ill.
pp. 103, 104-105, 112, 113;
Grifoni 1997, ill. p. 19; Troisi[1]
1997, pp. 11-22 (ill. p. 15);
Gualdoni 1998, ill. p. 13;
Prina[2] 1998, p. 61; Corradini
1999, ill.; Lucie-Smith 1999,
ill. p. 99; cat. Palma di
Maiorca 1999, ill. p. 56; *Scritti
critici per Arnaldo Pomodoro*
2000, ill. p. 172; Apa 2001,
p. 20 (ill. pp. 22-23); *Arnaldo
Pomodoro - Architettura e
scultura* 2002, ill. p. 73;
Pomodoro Arnaldo[2], ad
vocem, 2002, ill. p. 561

847
Sfera con sfera, studio,
1989-1990
bronzo, Ø 30 cm
9 esemplari + 1 prova d'artista
collezione privata (1/9);
collezione privata; collezione
privata; collezione privata,
courtesy galleria Giò
Marconi, Milano; collezione
privata (5/9); San Francisco,
CA, collezione privata; New
York, NY, Cavaliero Fine Arts
(7/9); collezione privata,
courtesy galleria Giò
Marconi, Milano; collezione
privata; collezione privata
AP 625

846

847

848

848
Papyrus per Darmstadt,
studio, 1988-1989
a) fiberglass,
90 x 200 x 80 cm
2 esemplari
collezione dell'artista;
Darmstadt, Oberpostdirektion
b) bronzo e ferro,
90 x 200 x 80 cm
9 esemplari + 1 prova d'artista
collezione dell'artista (2/9)
AP 615

Esposizioni: *Venezia 1991*;
Kanagawa 1994 (ill. p. 68);
Cesena[1] *1995* (ill. pp. 76-77);
Marsala 1997 (ill. pp. 108-
109); *Trento 1997*; *Varese
1998-1999* (ill. p. 87); *Palma
di Maiorca 1999*; *New York*[2],
NY 2000; *Sassoferrato 2001*
(ill. pp. 68, 69)

Bibliografia: Carandente[4]
1988, p. 57; Pallini 1991, ill.
p. 233; Panza 1992;
"Papyrus" 1992, ill.; Caprile[2]
1993, pp. 90-92 (ill. p. 92);
"Weekly"[1] 1994, ill. p. 163;
Barilli[1] 1995, pp. 7-16; Hunter[1]
1995, pp. 91, 170, 280; Troisi[1]
1997, p. 22; Ferrario 1998, ill.;
Pomodoro[5] 2002, ill. p. 45

849
Un'elica per Leonardo, 1989
bronzo dorato e bronzo
argentato, 35 x Ø 18 cm
esemplare unico
collezione Dr. Gabrielle H.
Reem e Dr. Herbert Kayden
(1/1)
AP 616

850
Scultura verticale,
studio, 1989
bronzo dorato e ferro,
33 x 10 x 10,5 cm
1 esemplare + 1 prova d'artista
collezione privata; collezione
dell'artista
AP 626a

851
Senza titolo, 1989
argento o bronzo dorato
o bronzo, 35 x 31 x 14 cm
I, II e III premio per la
prima edizione del concorso
internazionale "Arte in
piazza", promosso da Klinker
Sire Spa, 1989
3 esemplari + 1 prova
d'artista in bronzo
Klinker Sire Spa (argento,
1/3; bronzo dorato, 2/3;
bronzo, 3/3); collezione
privata (bronzo, p.a.)

Bibliografia: Mistrangelo 1989,
ill. p. 14; "Riabita" 1990, ill.

849

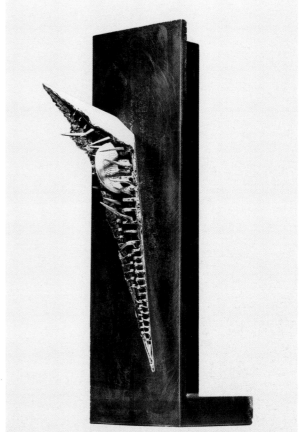

850

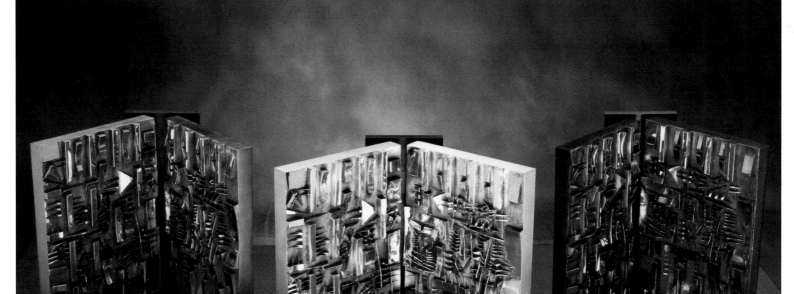

851

852

Porte del sapere, I, 1989
bronzo, 48,5 x 50,5 x 24,5 cm
9 esemplari + 2 prove
d'artista + 3 prove d'artista
in cemento
collezione privata, courtesy
Marlborough Gallery (1/9);
collezione privata; collezione
privata; collezione privata;
collezione privata (5/9);
Venezia, Venice Design Art
Gallery; collezione privata
(7/9); collezione privata (8/9);
collezione privata (9/9);
collezione privata;
collezione dell'artista (p.a.);
Darmstadt, collezione privata
(cemento, p.a.); Darmstadt,
collezione privata (cemento,
p.a.); collezione privata;
(cemento, p.a.)
AP 630a

Esposizioni: *Venezia 1991*;
New York, NY 1996 (ill. p.
17); *Finalborgo 1997* (ill. pp.
50-51); *Palermo 1998*;
Palma di Maiorca 1999;
Sassoferrato 2001 (ill. pp. 70,
71, 72, 73)

Bibliografia: Caprile[2] 1992,
pp. 82-85 (ill. p. 83); Caprile[3]
1997, p. 13; Planca 1998, ill.
p. 83; Colombo 1999, ill. p.
31; Gualdoni[2] 2001, p. 15

853

Porte del sapere, II, 1989
bronzo, 49,5 x 50,5 x 24,5 cm
9 esemplari + 1 prova
d'artista + 1 prova d'artista
in cemento
collezione privata (1/9);
collezione privata; collezione
privata; collezione privata
(4/9); collezione privata (5/9);
Bolzano, Museion (6/9);
collezione dell'artista (7/9);
collezione privata (8/9);
collezione privata (9/9);
Stanford, CA, Cantor Center
for Visual Arts at Stanford
University (a.p.); collezione
dell'artista (cemento, p.a.)
AP 630b

Esposizioni: *Venezia 1991*;
Sartirana 1994; *Brescia 1995*;
Cesena[1] *1995* (ill. pp. 78, 79);
Forte dei Marmi 1996; *San
Paolo 1996* (ill. cat.); *Toronto
1996*; *Marsala 1997* (ill. pp.
110-111); *Trento 1997*; *Varese
1998-1999* (ill. pp. 88, 89)

Bibliografia: "Il Mattino
dell'Alto Adige" 1994, ill.;
Baldassarre[1] 1996, p. 17;
Baldassarre[2] 1996, ill. p. 3;
Balfour Bowen 1996, p. 10;
Hanna 1996, p. 62; Caprile[3]
1997, p. 13; Buzio Negri 1998,
ill. p. 33; Ferrario 1998, ill.;
Buzio Negri 1999, ill.;

852

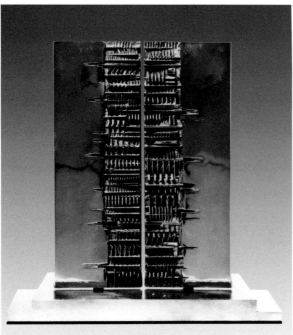

853

865
Scultura verticale, 1990
bronzo, 340 x 80 x 90 cm circa
2 esemplari + 1 prova
d'artista
collezione privata;
collezione dell'artista;
prova d'artista inserita
nell'environment *Frecce
al cielo*
(cfr. cat. 900, AP 667)
AP 626

Bibliografia: Muti 1991,
ill. p. 385; Pederiali 1996,
ill. in copertina e p. 114

865

866
Untitled, 1990-1991
bronzo, 385 x 230 x 177 cm
2 esemplari + 1 prova
d'artista
Comune di Desenzano
(bronzo e corten); Genova,
Centro di Biotecnologie
Avanzate; collezione privata
AP 650

Bibliografia: "Brescia Oggi"
1992, ill.; Caprile[1] 1992;
Carrozza 1992, ill. p. 19; mac
1992, ill.; Gobbetti 1994, ill.

867
Spirale, studio I, 1990
bronzo dorato,
50,5 x Ø 11 cm
9 esemplari + 2 prove
d'artista
collezione privata (1/9);
collezione privata (2/9);
collezione privata (3/9);
collezione privata (4/9);
collezione privata (5/9);
Brisbane, collezione Philip
Bacon (6/9); collezione
privata (7/9); collezione
privata (8/9); collezione
privata, courtesy
Marlborough Gallery (9/9);
collezione privata (09 p.a.);
collezione privata
AP 641

Esposizioni: Venezia 1991;
Brescia 1995 (ill. p. 35);
Milano[2] 1995; Forte dei
Marmi 1996; Roma 1996; San
Paolo 1996; Zurigo 1996;
Basilea 1997 (ill. p. 14);
Pesaro 1997; Seoul 1997 (ill.
p. 14); Seoul 1999

Bibliografia: Dago 1993,
ill. p. 16

868
Spirale, studio II, 1990
bronzo dorato, 27 x Ø 13 cm
9 esemplari + 3 prove
d'artista
collezione privata (1/9);
Venezia, Venice Design Art
Gallery; Venezia, Venice
Design Art Gallery; collezione
privata; collezione privata
(5/9); collezione privata (6/9);
collezione privata; collezione
privata; collezione privata;
collezione privata, courtesy
galleria Giò Marconi, Milano;
collezione privata; collezione
privata (p.a.)
AP 643

Esposizioni: Venezia 1991

869
Spirale aperta, studio, 1990
bronzo dorato,
53,5 x Ø 28,5 cm
9 esemplari + 1 prova
d'artista

867

868

869

866

collezione privata (1/9);
collezione privata (2/9);
Tokyo, Gallery Universe;
collezione privata (4/9);
collezione privata (5/9);
collezione privata (6/9);
collezione privata (7/9);
collezione dell'artista (8/9);
collezione privata (9/9);
collezione privata E.B.M.C.
(09 p.a.)
AP 642

*Esposizioni: Venezia 1991;
Brescia 1995; Forte dei
Marmi 1996; New York, NY
1996* (ill. p. 25); *San Paolo
1996* (ill. cat.); *Zurigo 1996;*
Basilea 1997 (ill. p. 12); Seoul
1997 (ill. p. 12); *Palermo
1998; San Francisco, CA
1998; Venezia 1998; Palma di
Maiorca 1999; Seoul 1999;
Monte Carlo 2001* (ill. cat.)

Bibliografia: Planca 1998, ill.
p. 82; Gualdoni, Prina 1999,
ill. p. 8; Gualdoni[2] 2001, p. 15

870
Studio, 1990
bronzo dorato, Ø 13 cm
9 esemplari + 2 prove d'artista
collezione privata; collezione
privata; collezione privata;
collezione privata; Venezia,
Venice Design Art Gallery;
Venezia, Venice Design Art
Gallery; Venezia, Venice
Design Art Gallery; collezione
privata; Venezia, Venice
Design Art Gallery; collezione
privata; Venezia, Venice
Design Art Gallery
AP 637

Esposizioni: *Venezia 1991*

871
Papyrus per Darmstadt, 1990
bronzo, cemento e corten,
I elemento 10 x 4 m
II elemento 4 x 4 m
III elemento 6 x 4 m
esemplare unico
Darmstadt, Posttechnisches
Zentralamt
AP 635b

Riprodotta nel Tomo I
alle pp. 210-211, 212, 213

Bibliografia: "Materie
plastiche ed elastomeri"
1992, p. 399; Panza 1992;
"Papyrus" 1992; Trevisan
1992, ill.; Caprile[1] 1993, ill.
pp. 42-43; Carrubba 1993, ill.
p. 45; de Gioia[1] 1993, ill. p.
43; Kaneko 1993, ill. p. 60;
Savoia 1993, ill. p. 23;
Wolbert 1993, ill.; Cingoli
1994, ill. p. 28; Barilli[1] 1995,
pp. 7-16; Hunter[1] 1995, pp.
91, 170, 280 (ill. pp. 281-283,
284-285); *Arnaldo Pomodoro.
"Sphere within a Sphere"*
1997, ill. pp. 124-127; Troisi[1]
1997, p. 22; Gualdoni 1998,
ill. p. 13; Prina[2] 1998, p. 61
(ill. pp. 62, 63); Barrie 1999,
ill. p. 131; cat. Palma di
Maiorca 1999, ill. pp. 58-59;
Bignardi 2003, ill. p. 9

872
Sfera, 1990
bronzo dorato, Ø 8 cm

9 esemplari + 3 prove d'artista
+ prototipo in argento
collezione privata; collezione
privata; collezione privata;
collezione privata; collezione
privata; collezione privata;
collezione privata (7/9);
collezione privata; Oakland,
CA, collezione Nicholas
Averill Wirtz; collezione
privata; collezione privata;
collezione privata;
collezione dell'artista
(prototipo)
AP 628

873
Studio, 1990
bronzo dorato,
17 x 15 x 28 cm
9 esemplari + 2 prove
d'artista
collezione privata; Venezia,
Venice Design Art Gallery;
collezione privata; collezione
privata; Venezia, Venice
Design Art Gallery; collezione
privata, courtesy

Marlborough Gallery (6/9);
collezione privata (7/9);
collezione privata (9/9);
collezione privata (09p.a.);
collezione privata
AP 644

Esposizioni: *Venezia 1991*;
New York, NY 1996

874
Sfera, 1990
bronzo, Ø 40 cm
9 esemplari + 2 prove d'artista
collezione Marilli (1/9);
Pesaro, collezione Enzo
Mancini e Franca Mancini
(2/9); collezione privata,
courtesy Marlborough
Gallery; Venezia, Venice
Design Art Gallery; collezione
privata; collezione privata
(6/9); Monza, collezione Dr.
Roberto Pancirolli (7/9);
collezione privata (8/9);
collezione Phyllis e William
Mack (9/9); collezione privata
(09 p.a.); collezione privata
AP 627

Esposizioni: Sartirana 1994

Bibliografia: Dago 1993,
ill. p. 14

875
Sfera, 1990
bronzo, Ø 50 cm
9 esemplari + 2 prove d'artista
collezione privata (1/9);
Pesaro, Banca Popolare
dell'Adriatico (2/9); collezione
privata (3/9); Milano,
collezione privata (4/9);
INARCO / John Cavaliero (5/9);
collezione privata (6/9);
collezione privata (7/9);
collezione privata, courtesy
galleria Giò Marconi, Milano
(8/9); Venezia, Venice Design
Art Gallery (9/9); Milano,
collezione Carlo Orsi (09 p.a.);
Milano, collezione privata (c.p.)
AP 634

Esposizioni: Milano[1] 1994 (ill.
p. 213); *Forte dei Marmi 1996*

Bibliografia: Muti 1991,
ill. p. 381

871

876

Sfera con sfera, studio, 1990
bronzo, Ø 30 cm
9 esemplari + 1 prova d'artista
collezione privata (1/9);
collezione privata (2/9);
collezione privata (3/9);
collezione privata (4/9);
collezione privata (5/9);
collezione privata, courtesy
Marlborough Gallery (6/9);
collezione ABN AMRO REAL,
Brasile, n. 0070 (7/9); Milano,
TAD FIN Spa (8/9); collezione
privata (9/9); collezione privata
(09 p.a.)
AP 647

Esposizioni: Milano[2] 1994;
Francavilla al Mare 1995 (ill. p.
55); *New York, NY 1996*; *San
Paolo 1996* (ill. cat.)

Bibliografia: "La Voce"[2] 1994,
ill.; "Panorama" 1994, ill.
p. 168

870

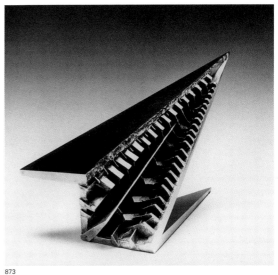

873

872

876

874

875

877
*Fondale per i Paraventi:
a Jean Genet*, 1990
bronzo patinato, 34 x 50 cm
9 esemplari + 1 prova
d'artista
collezione dell'artista (2/9);
Milano, collezione privata;
collezione privata (9/9);
collezione privata
AP 651

Esposizioni: Venezia 1991;
Cantù 2003

Bibliografia: Dago 1993,
ill. p. 16

878
Rilievo, 1990
bronzo e legno,
24,5 x 17 x 6 cm
esemplare unico
ANLAIDS (p.a.), dono
dell'artista
AP 640a

Bibliografia: cat. "Finarte",
Milano, 1992, n. 129, ill. p. 46

879
Rilievo, 1990
bronzo e legno,
24,5 x 17 x 6 cm
esemplare unico
Roma, collezione privata (p.a.)
AP 640b

880
Spirale, bassorilievo, 1991
bronzo e legno,
27,5 x 19 x 6 cm
3 esemplari + 3 prove d'artista
collezione privata (1/3);
collezione privata (2/3);
collezione privata (3/3);
collezione privata (03 p.a.);
collezione privata (p.a.);
collezione dell'artista
AP 666

881
Sole, bassorilievo, I, 1991
bronzo e legno,
27,5 x 19 x 6 cm
3 esemplari + 3 prove
d'artista
collezione privata (1/3);
Venezia, Venice Design
Art Gallery (2/3); collezione
privata (3/3); collezione
privata (p.a.); collezione
privata (p.a.); collezione
dell'artista
AP 665

877

879

878

880

881

893
Rotativa di Babilonia, 1991
bronzo, Ø 150 x 40 cm
2 esemplari + 1 prova
d'artista
collezione privata (1/2);
collezione dell'artista (2/2);
collezione dell'artista
AP 663

Riprodotta nel Tomo I
alle pp. 218, 219

Esposizioni: *Kanagawa 1994*
(ill. pp. 74, 75); *Brescia 1995*
(ill. in copertina e pp. 24, 25,
39); *Milano²* 1995; *New York,
NY 1996* (ill. pp. 34-35);
Zurigo 1996 (ill.); *San Leo
1997-1998* (ill. pp. 22, 23, 49,
72, 77, 79, 80); *Roma 1999*
(ill. p. 140); Gaiole in Chianti
1999-2000; *Caserta 2000*
(ill. pp. 47, 48); *Parigi 2002*
(ill. pp. 53, 60-61); Torino 2002
(ill. pp. 38-39, 91)

Bibliografia: Dago 1993, ill.
pp. 14-15; de Gioia[1] 1993, ill.
p. 39; Kaneko 1993, ill. p. 52;
AAVV 1995, ill.; caj. 1995, ill.;
Corgnati 1995, ill. p. 118;
Hunter[1] 1995, p. 276 (ill. pp.
274-275); Masoero[1] 1995, ill.;
Schwendenwien 1996, ill.
p. 58; Corgnati[1] 1997, ill.; Fiz[2]
1997, ill. p. 20; Spadoni 1997,
ill.; Bonito Oliva 1998, pp. 37-
57; "Comune di San Leo"
1999, ill.; Lucie-Smith 1999,
ill. p. 98; Severi 1999, ill.
p. 56; Caroli 2000, ill.; *Scritti
critici per Arnaldo Pomodoro*
2000, ill. p. 374; Gualdoni[1]
2001, ill. p. 77; Mazingarbe
2002, ill. p.74; AAVV 2003,
ill. p. 71

893

894

Disco, studio, 1991
bronzo, Ø 20 cm
9 esemplari + 2 prove
d'artista
collezione privata (1/9);
collezione privata; San
Francisco, CA, collezione
privata; Venezia, Venice
Design Art Gallery (4/9);
collezione privata, courtesy
Marlborough Gallery (5/9);
collezione privata (6/9);
collezione privata (7/9);
collezione privata; collezione
privata; collezione privata;
collezione privata (p.a.)
AP 656

Esposizioni: Sartirana 1994;
Roma[2] *1994-1995*; *Brescia
1995*; West Palm Beach, FL
1997-1998 (ill. p. 73)

895

Sfera, 1991
bronzo, Ø 18 cm
9 esemplari + 2 prove
d'artista
collezione privata; collezione
privata (2/9); San Francisco,
CA, collezione privata;
collezione privata (4/9);
collezione Alberto Ferrara
(5/9); Venezia, Venice Design
Art Gallery (6/9); Venezia,
Venice Design Art Gallery
(7/9); collezione privata (8/9);
Venezia, Venice Design Art
Gallery (9/9); collezione
privata (09 p.a.); Milano,
collezione Mariella Tirelli
Ricci (p.a.)
AP 655

Esposizioni: San Francisco,
CA 1996

896

Sfera, 1991
bronzo, Ø 70 cm
2 esemplari + 1 prova
d'artista
collezione privata (1/2);
Modena, Monimarc Srl (2/2);
Londra, asta Christie's 6526,
23 ottobre 2001, n.138
AP 661

Bibliografia: cat. "Christie's
6526", Londra, 2001, n. 138,
ill. pp. 102-103

894

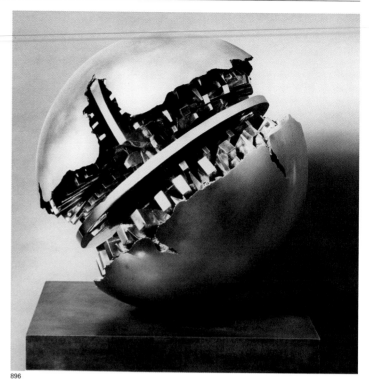

896

897

898

895

897
Sfera con sfera, studio, 1991
bronzo, Ø 30 cm
9 esemplari + 1 prova
d'artista
collezione privata; collezione
privata (2/9); collezione
privata (3/9); collezione
privata (4/9); collezione
privata (5/9); collezione
privata, courtesy
Marlborough Gallery (6/9);
collezione privata (7/9);
Casa Ripamonti (8/9);
Atlanta, GA, collezione
privata (9/9); collezione
privata (09 p.a.)
AP 648

Esposizioni: *Kanagawa 1994*
(ill. p. 72); *Brescia 1995*
(ill. pp. 20, 21); *New York, NY
1996*

898
Sfera con sfera, 1991
bronzo, Ø 120 cm
2 esemplari + 1 prova
d'artista
collezione privata (1/2);
collezione privata (2/2);
collezione privata (02 p.a.)
AP 658

Bibliografia: cat. "Sotheby's
MI167", Milano, 2000, n. 289,
ill. pp. 118-119

899
Sfera con sfera, 1991
bronzo, Ø 330 cm
2 esemplari + 1 prova
d'artista
Tokyo, Amada Hotel (1/2);
Des Moines, IA, collezione
American Republic
Insurance Company (2/2);
New York, NY, United
Nations Plaza
AP 659

Riprodotta nel Tomo I
alle pp. 220-221

Esposizioni: *Cesena*[1] *1995* (ill.
p. 51); *Brescia 1995* (ill. pp.
12-13); *New York, NY 1996*
(ill. pp. 20-21); *Varese 1998-
1999* (ill. pp. 66, 67)

Bibliografia: Vincenti 1993,
ill. pp. 80-81; Carandente
1994, p. 23; Barilli[1] 1995, pp.
7-16; Di Paolo 1995, p. 17
(ill.); Hunter[1] 1995, p. 306;
Isgrò 1995, pp. 5-6;
Caprile 1996, p. 11 (ill.);
Picornell 1996, ill. p. 2;
Schwendenwien 1996, p. 58;
"The New York Times" 1996,
ill. p. 37; "The Toronto Star"
1996, ill.; *Arnaldo Pomodoro.
"Sphere within a Sphere"*
1997, pp. 12-13, 56, 68, 74,
84, 94, 96, 102 (ill. in
copertina e pp. 24-29, 32-35,
37, 41-49, 51-53);

899

"Arrivederci" 1997, p. 92
(ill.); Barina 1997, ill. pp. 53-
55; Cerri[2] 1997, ill. p. 93; Fiz[1]
1997, ill. p. 38; Grifoni 1997,
ill. p. 20; Ballo 1998, ill. p. 33;
Barile 1998, ill. p. 21;
Duroselle 1998, ill. in
copertina; Giuliani[1] 1998, ill.
p. 10; Giuliani[3] 1998, ill. p. 14;
Irace 1998, ill. p. 187; Barrie
1999, ill. p. 129; Bartellini
1999, ill.; Dionigi 1999, ill.
p. 25; Lucie-Smith 1999, ill.
pp. 94-95; M. Villa 1999, ill.
p. 39; Caprile[1] 2002, p. 10;
Pomodoro[5] 2002, ill. p. 44;
Bignardi 2003, ill. p. 10

900
Frecce al cielo, 1991-1992
bronzo, environment
composto di 8 elementi di
varie dimensioni, già posti
sulle due facciate dell'edificio
della Maeda House
Foundation, Tokyo
esemplare unico
INARCO / John Cavaliero,
già Yaemi Maeda, Tokyo
AP 667

Bibliografia: Hunter[1] 1995,
pp. 312, 316 (ill. pp. 314-315);
Salvagni 1997, ill. p. 65

900

914
Disco in forma di rosa del deserto n. 2, 1993-1994
bronzo, Ø 130 x 40 cm
2 esemplari + 1 prova
d'artista
collezione privata, courtesy
Marlborough Gallery (1/2);
collezione privata, courtesy
Marlborough Gallery (2/2);
collezione privata
(02 p.a.)
AP 680a

Esposizioni: *New York, NY
1996* (ill. pp. 28-29); *Palermo
1998*; *Varese 1998-1999* (ill.
p. 98)

Bibliografia: Planca 1998,
ill. p. 83

915
*Disco in forma di rosa del
deserto n. 1*, 1993-1994
bronzo, Ø 320 x 100 cm
2 esemplari + 1 prova
d'artista
Milano, Banca Intesa (1/2);
Grand Rapids, MI, Frederik
Meijer Gardens and
Sculpture Park (2/2);
collezione dell'artista
AP 680

Esposizioni: *Milano 2001*;
Parigi 2002 (ill. pp. 25, 54,
54-55)

Bibliografia: Hunter[1] 1995, p.
144 (ill. pp. 152-153); Sanesi
1995, pp. 131-135 (ill. in
copertina e pp. 92, 94-95, 96);
Tazartes 1996, ill.;
"Vernissage" 1996, ill. in
copertina; *Arnaldo
Pomodoro. "Sphere within a
Sphere"* 1997, ill. pp. 146-
147; Troisi[1] 1997, p. 18 (ill. p.
18); Gualdoni[1] 2001, ill. p. 78;
Antenucci Becherer 2002, p.
102 (ill. pp. 100, 101, 102,
103); Fiz 2002, ill. p. 19;
Lambertini 2002, ill. p. 51;
Minetti 2002, ill. p. 90;
Petrignani 2002, ill. p.199;
Restany 2002, p. 16; AAVV
2003, ill. pp. 32-33, 35

915

916
La grande prua, studio I,
1993-1994
bronzo, 11,5 x 11,5 x 6,2 cm
8 esemplari + 1 prova
d'artista
collezione dell'artista
AP 685a

917
La grande prua, studio II,
1993-1994
bronzo, 20 x 20 x 12 cm
2 esemplari + 1 prova
d'artista
Comune di Rimini
(esemplare inserito nel
plastico del progetto della
scultura per Federico Fellini,
p.a.); collezione dell'artista
AP 685b

Bibliografia: "Gente" 1994,
ill. p. 37; "La Voce"[1] 1994;
Reggiori[1] 1994, p. 18;
Spaggiari 1994; Tonelli[1] 1994

918
La grande prua, 1993-1994
bronzo, 170 x 170 x 130 cm
2 esemplari + 2 prove
d'artista
collezione privata (1/2);
Tokyo, Contemporary
Sculpture Center (2/2);
collezione privata (02 p.a.);
collezione dell'artista
AP 686a

Esposizioni: *New York, NY
1996* (ill. pp. 44-45); *Caserta
2000* (ill. pp. 51, 52, 54, 55);
Pesaro 2001; *Parigi 2002* (ill.
p. 86)

Bibliografia: Ebony 1996, p.
112; Gualdoni[1] 2001, ill. p. 77;
Dasi 2002, ill; Restany 2002,
p. 16; AAVV 2003, ill. pp. 39,
42-44

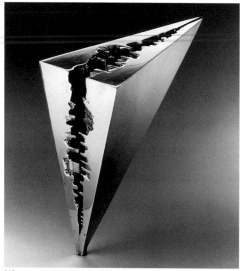

916

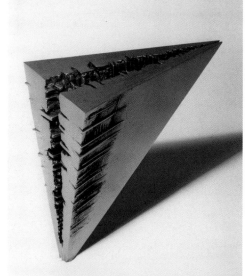

917

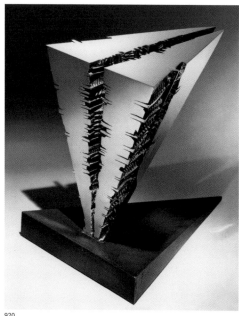

920

918

716

919
La grande prua: omaggio a Federico Fellini, 1993-1994
bronzo, 375 x 375 x 270 cm
esemplare unico
Rimini, Cimitero, sulla tomba di Federico Fellini e Giulietta Masina
AP 686

Riprodotta nel Tomo I
a p. 223

Bibliografia: Caricato 1994, ill. p. 20; "Corriere di Rimini"[2] 1994, ill.; Tonelli[2] 1994, ill.; Trevisan 1994, ill.; "Casse 2000" 1995, ill. p. 38; Hunter[1] 1995, pp. 300, 306 (ill. pp. 304-305); Di Bussolo 1996, ill. p. 16; Salvagni 1996, ill. p. 67; *Arnaldo Pomodoro. "Sphere within a Sphere"* 1997, ill. pp. 136-137; Sassi 1997, pp. 24-27

920
La prua, 1993-2000
bronzo, 48 x 40,5 x 54 cm
8 esemplari + 2 prove d'artista
collezione privata, courtesy Marlborough Gallery (1/8); Venezia, Venice Design Art Gallery (2/8); collezione privata (3/8); collezione privata (4/8); collezione privata (5/8); collezione privata (6/8); Venezia, Venice Design Art Gallery (7/8); collezione privata (8/8); collezione privata (08 p.a.); collezione dell'artista
AP 763

Esposizioni: New York[1], NY 2000; Monte Carlo 2001 (ill. cat.); Pesaro 2001

919

922

921
La freccia, studio, 1993-1994
bronzo, 50 x 75 x 26 cm
1 esemplare + 1 prova
d'artista
collezione privata (1/1);
collezione dell'artista
AP 687

922
La freccia, 1993-1995
bronzo, 198 x 468 x 167 cm
2 esemplari + 1 prova
d'artista
collezione privata (1/2);
Parigi, UNESCO (2/2);
collezione dell'artista
AP 687a

Riprodotta nel Tomo I
alle pp. 224-225

*Esposizioni: New York, NY
1996* (ill. pp. 42-43); *Palma di
Maiorca 1999; Parigi 2002*
(ill. pp. 30, 30-31, 32, 32-33)

Bibliografia: Ebony 1996,
p. 112 (ill. p. 112);
Schwendenwien 1996, p. 58;
*Scritti critici per Arnaldo
Pomodoro* 2000, ill. pp. 368-
369; Restany 2002, p. 16;
Valembois 2002, ill. p. 41;
AAVV 2003, ill. pp. 60-61;
Patruno 2003, ill. p. 62

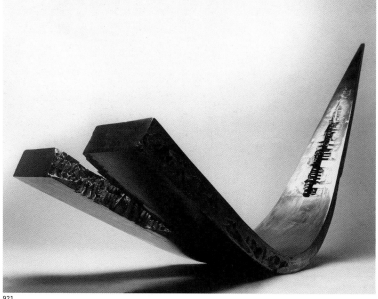

921

Riprodotta nel Tomo I
alle pp. 232-233, 234, 235

Esposizioni: *San Leo 1997-
1998* (ill. pp. 34, 82, 83, 85-86,
fiberglass); *Parigi 2002* (ill.
pp. 18-19, 44, 44-45, 46, 47)

Bibliografia: Fiz[2] 1997, ill. p.
20 (fiberglass); Ballo 1998, ill.
p. 37 (fiberglass); Bonito
Oliva 1998, pp. 37-57; cat.
Palma di Maiorca 1999, ill.
pp. 64-65 (fiberglass); Barilli
2002, ill. p. 29; Cao 2002, ill.
p. 60; Caprile[2] 2002, ill. p. 17;
Fiz 2002, ill. p. 19; Lambertini
2002, ill. p. 49; Masoero[1]
2002, ill. p. 5; Mazingarbe
2002, ill. p. 74; Minetti 2002,
ill. p. 87; Montanari[1] 2002, ill.
p. 33; Petrignani 2002, p. 199;
Porta 2002, ill. p. 79;
Pouchard 2002, ill. p. 15;
Risset 2002, pp. 21, 22; Serra
2002, ill. p. 71; Valembois
2002, ill. p. 39; Valerio 2002,
ill. p. 100; Vecchi[3] 2002,
ill. p. 98; AAVV 2003, ill. pp.
12-13, 36-37, 89; Bignardi
2003, ill. p. 14

956
Sfera, 1996
bronzo, Ø 20 cm
9 esemplari + 2 prove
d'artista
collezione privata (1/9);
collezione privata (2/9);
collezione privata (3/9);
collezione privata (4/9);
collezione privata (5/9);
collezione privata (6/9);
collezione privata (7/9);
collezione privata (8/9);
collezione Robert e Linda
Schmier (9/9); Milano,
collezione Dr. Giuseppina
Araldi Guinetti (09 p.a.); New
York, NY, collezione Mr. e
Mrs. Thomas L. Hughes (p.a.)
AP 711

Esposizioni: *Zurigo 1996*

957
Sfera con sfera, 1996
bronzo, Ø 30 cm
9 esemplari + 2 prove d'artista
collezione privata (1/9);
Friburgo, Svizzera, Diane
S.A. (2/9); collezione privata
(3/9); collezione privata (4/9);
collezione privata (5/9);
collezione privata (6/9);
collezione privata (7/9);
Venezia, Venice Design Art
Gallery (8/9); collezione
privata (9/9); Venezia, Venice
Design Art Gallery (09 p.a.);
Caracas, collezione Paolo
Marinelli P. (p.a.)
AP 720

Esposizioni: *Venezia 1997;
Venezia 1998*; *Los Angeles,
CA 1999*

956

957

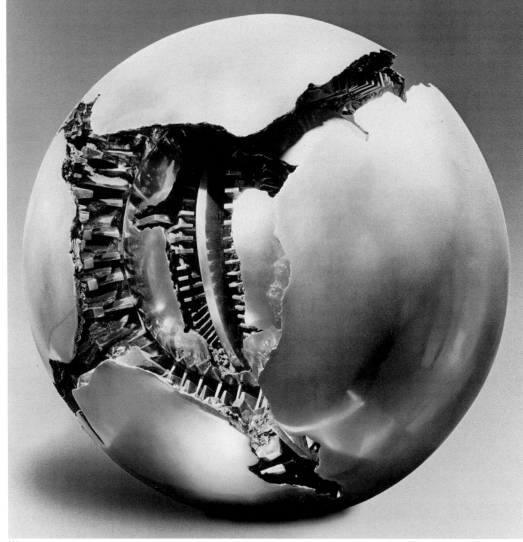

952

958

987
Porta dei Re del Duomo di Cefalù, studio I, 1997-1998
bronzo, 70 x 34 x 10 cm
esemplare unico
collezione dell'artista
AP 731

Esposizioni: Palermo 1998

Bibliografia: Corradini[1] 1997; Ballo 1998, pp. 32-37 (ill. in copertina e p. 34); Certa 1998, p. 23; Laguardia 1998; "Libertà" 1998; Masoero 1998, p. 33; Nicita 1998, p. 19; Pallini 1998; Paternostro[1] 1998; Pomodoro[4] 1998, p. 34; Prestigiacomo[1] 1998; Prestigiacomo[2] 1998; Troisi[1] 1998; Troisi[2] 1998; Trovato[2] 1998, p. 46; Turco, Macaluso 1998; Colombo 1999, pp. 26-31; Giordano[1] 1999, pp. 24-25; "Giornale di Sicilia" 1999, p. 58; Gualdoni, Prina 1999, p. 12 (ill. p. 11); Nicita 1999; Apa[1] 2000, p. 114 (ill. p. 115); Fusaro 2000, ill.; Leonetti 2000, p. 284; *Scritti critici per Arnaldo Pomodoro* 2000, ill. p. 272; Apa 2001, p. 29; Condina 2001, ill. p. 53; Gualdoni[2] 2001, p. 16; Pomodoro[5] 2002, ill. p. 56

988
Porta dei Re del Duomo di Cefalù, studio II, 1997-1998
bronzo e ferro,
106 x 100 x 80 cm
8 esemplari + 1 prova d'artista
collezione dell'artista (08 p.a.)
AP 731a

Esposizioni: New York[2], NY 2000; Sassoferrato 2001 (ill. pp. 82, 83)

Per i riferimenti bibliografici cfr. cat. 987 (AP 731)

989
Porta dei Re del Duomo di Cefalù, studio III, 1997-1998
bronzo, 28 x 15 x 5 cm
8 esemplari + 2 prove d'artista
collezione privata (2/8); collezione privata (3/8)
collezione privata (su lastra di ferro, 90 x 60 cm, p.a.)
AP 731b

Esposizioni: Milano 2001 (ill. p. 85)

Per i riferimenti bibliografici cfr. cat. 987 (AP 731)

988

990
Croce per Padre Pio,
studio, 1997-1998
bronzo, 31,5 x 28,5 x 7,5 cm
8 esemplari + 2 prove
d'artista
collezione privata; collezione
privata (senza supporto, su
base quadrata); collezione
privata (3/8); collezione
privata; collezione privata;
Milano, collezione privata;
Milano, collezione privata;
collezione privata; collezione
dell'artista; collezione privata
AP 735

Bibliografia: Pomodoro[5]
2002, ill. p. 54

991
Sfera di San Leo, studio n. 1,
1997-1998
bronzo, Ø 30 cm
8 esemplari + 1 prova
d'artista
collezione privata (1/8);
collezione privata (2/8);
collezione privata (3/8);
collezione privata (4/8);
collezione privata (5/8);
collezione privata (6/8);
collezione privata (7/8);
collezione privata (8/8);
collezione privata (08 p.a.)
AP 732

Esposizioni: Varese 1998-
1999 (ill. pp. 104, 105); Monte
Carlo 2001 (ill. cat.)

Bibliografia: Gualdoni, Prina
1999, ill. p. 9; Ravarini 1999,
ill. p. 53

992
Rilievo doppio, 1997-1999
bronzo, 14 x 13 x 4,5 cm
9 esemplari + 2 prove
d'artista
collezione privata (1/9);
collezione privata (2/9);
collezione privata (3/9);
collezione privata (4/9);
collezione A.S. (5/9);
collezione privata (6/9);
collezione privata (7/9);
collezione privata (8/9);
collezione privata (9/9);
Pesaro, collezione privata;
collezione privata
AP 757

993
Sfera con sfera, 1997-1999
bronzo, Ø 120 cm
3 esemplari + 1 prova
d'artista
INARCO / John Cavaliero
(1/3); collezione privata (2/3);
collezione privata (3/3); San
Francisco, CA, collezione
privata (03 p.a.)
AP 744

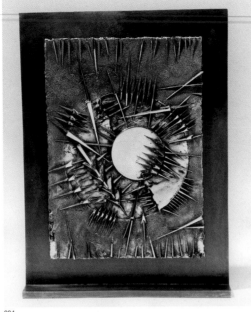

994

995

991

996

992

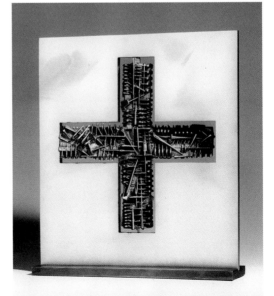

990

994
Rilievo, 1998
bronzo, 43,5 x 32,5 x 9 cm
8 esemplari + 1 prova
d'artista
collezione privata (1/8);
collezione privata, courtesy
Marlborough Gallery (2/8);
collezione privata (3/8);
collezione privata (4/8);
collezione privata (5/8);
collezione privata (6/8);
Casale Monferrato, collezione
privata (7/8); Pesaro,
collezione privata (8/8);
collezione privata (p.a.)
AP 739

Esposizioni: *Roma 1999*;
Udine 1999; *Pesaro 2001*;
Williamsburg 2003 (ill. p. 10)

995
Rilievo, 1998
bronzo, 32,5 x 25 x 8 cm
3 esemplari + 1 prova
d'artista
collezione privata (1/3);
Casale Monferrato, collezione
privata (2/3); collezione
privata (3/3); collezione
privata (03 p.a.)
AP 743

Esposizioni: *Monte Carlo
2001*

996
Sfera di San Leo, studio n. 2,
1998
bronzo, Ø 12 cm
8 esemplari + 2 prove
d'artista
collezione privata (1/8);
collezione privata (2/8);
collezione dell'artista;
collezione privata (p.a.)
AP 733

993

997
Spirale aperta, 1998
a) fiberglass, 321 x Ø 140 cm
1 esemplare
collezione dell'artista
b) bronzo, 321 x Ø 140 cm
esemplare unico
collezione privata
AP 736

*Bibliografia: Scritti critici
per Arnaldo Pomodoro* 2000,
ill. p. 376; Mozzato[1] 2003,
ill. pp. 103, 105

998
Disco con sfera, 1998
bronzo, Ø 210 x 80 cm
2 esemplari + 1 prova
d'artista
collezione privata, Italia (1/2);
collezione privata (2/2);
collezione privata (02 p.a.)
AP 738

998

999
Porta con sole, 1998
bronzo e cristallo,
270 x 170 x 25 cm
1 esemplare + 1 prova
d'artista
collezione privata
AP 734

999

748

1000

Piramide, 1998
bronzo, 81,5 x 86 x 86 cm
8 esemplari + 2 prove
d'artista
collezione privata (1/8);
collezione privata (2/8);
collezione privata (3/8);
collezione M. Timm Bergold
(4/8); collezione privata (5/8);
collezione privata (6/8);
collezione privata (7/8);
collezione privata (8/8);
collezione privata, courtesy
galleria Giò Marconi, Milano
(08 p.a.); Milano, collezione
privata (p.a.)
AP 742

Esposizioni: New York[1], *NY
2000; Padova 2000-2001*
(ill. p. 29); *Monte Carlo 2001*
(ill. cat.)

1001

Tomba Elio Rossi Passavanti,
1998
bronzo e corten,
66,5 x 250 x 250 cm
esemplare unico
Terni, Cimitero Urbano
AP 737

1002

Disco, 1999
bronzo, Ø 85 x 50 cm
8 esemplari + 2 prove d'artista
collezione privata (1/8);
collezione privata (2/8);
collezione privata (3/8);
collezione privata (4/8);
collezione privata (5/8);
collezione privata, courtesy
galleria Giò Marconi, Milano
(6/8); collezione privata (7/8);
collezione privata (8/8);
collezione privata (08 p.a.);
collezione dell'artista (p.a.)
AP 753

Esposizioni: New York[1], *NY
2000; Monte Carlo 2001* (ill.
cat.); *Vicenza 2001;
Williamsburg 2003* (ill. p. 17)

Bibliografia: Porta 2002,
ill. p. 77

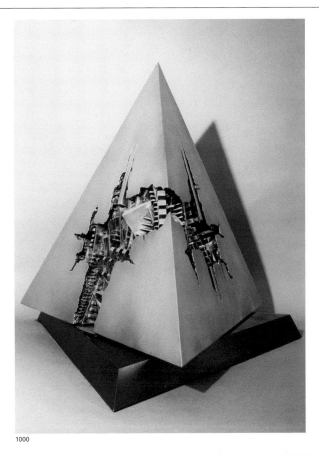

1000

1002

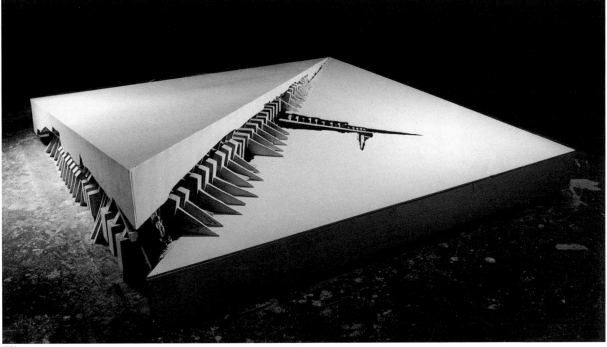

1001

1003
Asta cielare, XXIII, 1998
bronzo, 270 cm,
sez. 16 x 16 x 16 cm
8 esemplari + 2 prove d'artista
collezione dell'artista (1/8);
collezione privata, courtesy
Marlborough Gallery (2/8);
Macerata, Pinacoteca Palazzo
Ricci, Fondazione Cassa di
Risparmio della Provincia
di Macerata (3/8); collezione
privata (4/8); collezione
privata (5/8); Milano,
collezione privata (6/8);
collezione privata (7/8);
collezione privata (8/8);
collezione privata (08 p.a.);
collezione dell'artista (p.a.)
AP 740

1004
Rilievo, 1998
bronzo e ferro,
29,5 x 37 x 7,5 cm
2 esemplari
collezione privata; collezione
dell'artista
AP 741

1005
Rilievo, 1999
bronzo, 43,5 x 32,5 x 9 cm
3 esemplari + 1 prova
d'artista
collezione privata (1/3);
collezione privata (2/3);
Milano, collezione privata
(03 p.a.)
AP 761

Esposizioni: *Monte Carlo
2001* (ill. cat.)

1006
Rilievo doppio, 1999
bronzo, 20,5 x 15 x 5,5 cm
8 esemplari + 3 prove
d'artista
collezione privata (1/8);
collezione privata (2/8);
collezione privata, courtesy
Marlborough Gallery (3/8);
Firenze, collezione privata
(4/8); collezione privata (5/8);
collezione privata (6/8);
collezione privata (7/8);
collezione privata (8/8);
collezione privata (08 p.a.);
collezione privata (p.a.);
collezione privata (p.a.)
AP 747

Esposizioni: *Roma 1999*;
New York[1], *NY 2000*

Bibliografia: cat. "Finarte
1207", Milano, 2003, ill. n.
784

1007
Rilievo, 1999
bronzo, 32,5 x 25 x 8 cm
3 esemplari + 2 prove
d'artista
collezione privata (1/3);

collezione privata, Belgio
(2/3); collezione privata (3/3);
collezione privata (03 p.a.);
Casale Monferrato, collezione
privata (p.a.)
AP 760

Esposizioni: *Monte Carlo
2001*

1008
Rilievo doppio, 1999
bronzo, 20,5 x 15 x 5,5 cm
8 esemplari + 5 prove
d'artista
collezione privata (1/8);
Casale Monferrato, collezione
privata (2/8); collezione
privata (3/8); collezione
privata (4/8); collezione
privata (5/8); collezione
privata (6/8); collezione
privata (7/8); collezione
privata (8/8); Milano,
collezione Bitta Leonetti
(08 p.a.); Milano, collezione
privata; collezione privata
(p.a.); collezione privata
(p.a.); collezione privata (p.a.)
AP 748

Esposizioni: *Roma 1999*;
New York[1], *NY 2000*

Bibliografia: cat. "Tel Aviv
Museum of Art", Monte
Carlo, 2003, ill. tav. n. 8

1009
Rilievo doppio, 1999
bronzo, 20,5 x 15 x 5,5 cm
8 esemplari + 5 prove
d'artista
collezione privata (1/8);
collezione privata, courtesy
galleria Giò Marconi, Milano
(2/8); collezione privata (3/8);
Novara, collezione privata
(4/8); collezione privata (5/8);
collezione privata (6/8);
collezione privata (7/8);
collezione privata (8/8);
collezione R.S. (08 p.a.);
collezione privata (p.a.);
collezione privata E.B.M.C.
(p.a.); collezione privata
(p.a.); collezione privata (p.a.)
AP 746

Esposizioni: *Milano*[3] *1999*
(ill. p. 79); *New York*[1], *NY
2000*

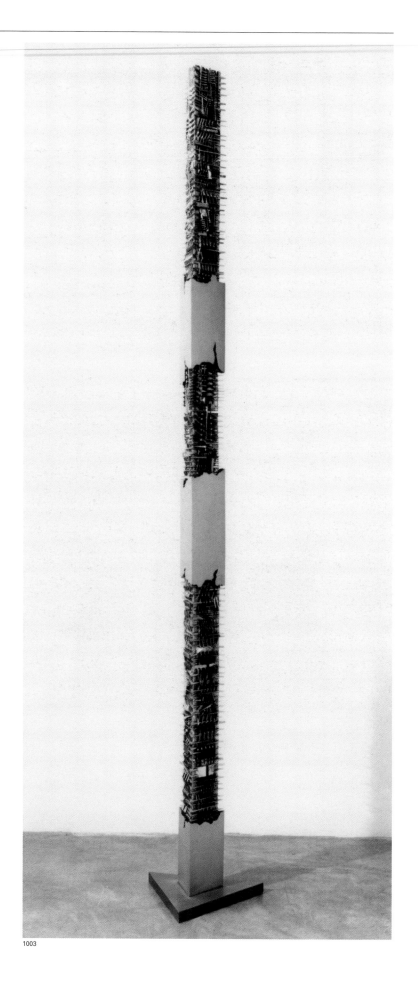

1003

1005

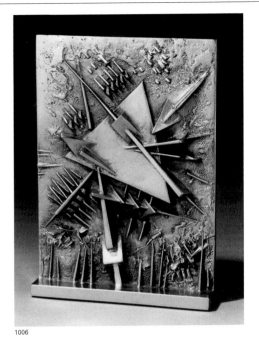

1006

1007

1008

1009

1004

1010

1010
La battaglia, nella volta della
Sala d'Armi del Museo
Poldi Pezzoli, 1998-2000
volta trattata con stucco di
rame; elementi scultorei in
fiberglass ricoperti di lamina
di piombo, 14 x 4 m
esemplare unico
Milano, Museo Poldi Pezzoli
AP 743a

Riprodotta nel Tomo I
alle pp. 243, 244-245

Bibliografia: Mojana 1998;
Pellis 1998; "Abitare" 2000,
pp. 41-42 (ill. p. 42); Beccaria
2000, p. 172; Bonazzoli[1] 2000,
p. 31; Bonazzoli[2] 2000; Cirillo[2]
2000, ill.; "Class" 2000, p. 28
(ill.); Crippa 2000; Leonetti
2000, pp. 281-282; Masoero[3]
2000, p. 18 (ill. pp. 18-19);
Masoero[4] 2000, p. 44; "Mimu,
Milano Musei" 2000;
Montaldi 2000, pp. 8-11 (ill.
pp. 9, 11); Pacifico 2000;
Paolucci 2000, ill.; Pettinelli
2000, pp. 42-43 (ill.);
Pomodoro[1] 2000, p. 6; *Scritti
critici per Arnaldo Pomodoro*

2000, ill. p. 280; Valagussa
2000, ill.; Zanni 2000, pp.
56-61; Cavazzini 2001, ill.;
Morpurgo 2001, p. 56;
Pomodoro[5] 2002, ill. p. 53

1011
Rilievo doppio, 1999
bronzo, 58,5 x 19,5 x 11 cm
8 esemplari + 2 prove
d'artista
collezione privata, courtesy
galleria Giò Marconi, Milano
(1/8); collezione privata (2/8);
Boca Raton, FL, collezione
Mr. e Mrs. Jack E.
Sonnenblick (3/8); collezione
privata (4/8); collezione
Caleffi (5/8); collezione
Armando Ginesi (6/8);
collezione privata (7/8);
Venezia, Peggy Guggenheim
Collection (The Solomon
R. Guggenheim Foundation,
New York, NY) (8/8);
collezione privata (08 p.a.);
collezione privata (p.a.)
AP 745

Esposizioni: Roma 1999;
Monte Carlo 2001 (ill. cat.)

Modellino dell'intera
Sala d'Armi del Museo
Poldi Pezzoli

1012

Triangolo n. 1, 1999
bronzo, 21,5 x 17,5x 6 cm
8 esemplari + 2 prove
d'artista
collezione privata (1/8);
collezione privata (2/8);
collezione privata (3/8);
collezione privata (4/8);
collezione privata (5/8);
collezione privata (6/8);
collezione privata (7/8);
collezione privata (8/8);
collezione privata (08 p.a.);
collezione privata (p.a.)
AP 751

*Esposizioni: New York[1], NY
2000*

1013

Triangolo n. 2, 1999
bronzo, 21,5 x 17,5 x 6 cm
8 esemplari + 5 prove
d'artista
collezione privata (1/8);
collezione privata (2/8);
collezione privata (3/8);
Milano, collezione privata
(4/8); collezione privata (5/8);
collezione privata (6/8);
collezione privata (7/8);
collezione privata (8/8);
Milano, collezione privata
(08 p.a.); collezione privata;
collezione privata; collezione
privata; collezione privata
(p.a.)
AP 751a

*Esposizioni: New York[1], NY
2000; Williamsburg 2003*
(ill. p. 8)

1014

Piramide, 1999
bronzo, 26 x 21 x 10 cm
8 esemplari + 2 prove
d'artista
collezione privata (1/8);
collezione privata (2/8);
collezione privata (3/8);
collezione privata (4/8);
collezione privata (5/8);
collezione privata (6/8);
collezione privata (7/8);
collezione privata (8/8);
collezione privata (08 p.a.);
collezione privata (p.a.)
AP 752

*Esposizioni: New York[1], NY
2000; Pesaro 2001*

1011

1012

1013

1014

1015

Torre a spirale, IV, 1999
bronzo, 105 x Ø 30 cm
8 esemplari + 2 prove
d'artista
collezione privata (1/8);
collezione privata (2/8);
collezione privata (3/8);
collezione privata (4/8);
collezione privata (5/8);
collezione privata (6/8);
collezione privata (7/8);
collezione privata (8/8);
collezione privata (08 p.a.);
collezione dell'artista (p.a.)
AP 762

Esposizioni: New York[1]*, NY
2000; Padova 2000-2001*
(ill. p. 30)

1016

Novecento, studio, 1999
bronzo, 300 x Ø 90 cm
8 esemplari + 2 prove
d'artista
collezione privata, Italia (1/8);
collezione privata (2/8); Città
di Saragozza, chiostro del
Centro de Historia (3/8); Città
di Belluno (4/8); collezione
privata (5/8); collezione
dell'artista (6/8); Milano,
collezione privata; collezione
dell'artista; collezione privata
(08 p.a.)
AP 759

Esposizioni: New York[2]*, NY
2000; Monte Carlo 2001*
(ill. cat.); *Pesaro 2001;
Sassoferrato 2001* (ill. p. 89);
Valencia 2002 (ill. p. 63);
Ischia 2003 (ill. p. 30);
Marsiglia 2003 (ill. p. 178)

*Bibliografia: Scritti critici per
Arnaldo Pomodoro 2000*, ill.
p. 377; Altmann 2001, ill. p. 7;
"Cote d'Azur" 2001, ill. p. 91;
Germak 2001, ill.; "Monaco
Zeitung" 2001, ill.; Niccolini[4]
2001, ill.; Caprile[1] 2002, p. 10;
"El Periodico"[2] 2002, ill.;
"El Periodico"[3] 2002, ill.
p. 56; Pomodoro[5] 2002, ill.
p. 43; Porta 2002, ill. p. 78;
Solanilla[2] 2002, ill. p. 36

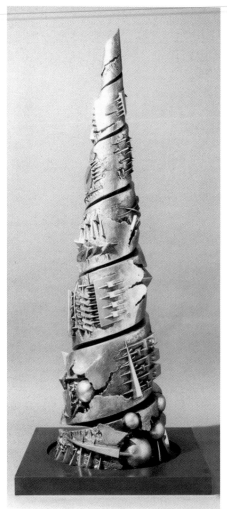

1015

1016

1017
Asta cielare, XXIV, 1999
bronzo, 250 cm,
sez. 15 x 15 x 15 cm
8 esemplari + 2 prove
d'artista
collezione dell'artista (1/8);
collezione privata (2/8);
collezione privata;
Darmstadt, Hessisches
Landesmuseum, collezione
Simon Spierer (4/8);
collezione privata (5/8);
collezione privata (6/8);
collezione dell'artista (7/8);
collezione privata (08 p.a.)
AP 755

Bibliografia: Ragazzola 2003,
ill. p. 328

1018
Doppia asta cielare, IV, 1999
bronzo, 520 cm,
sez. 15 x 15 x 15 cm
2 esemplari + 1 prova
d'artista
collezione dell'artista
AP 749

Esposizioni: *Palma di
Maiorca 1999*; *Valencia 2002*

Bibliografia: Caprile[1] 2002,
pp. 8, 11; "El Periodico"[3]
2002, ill. p. 56

1017

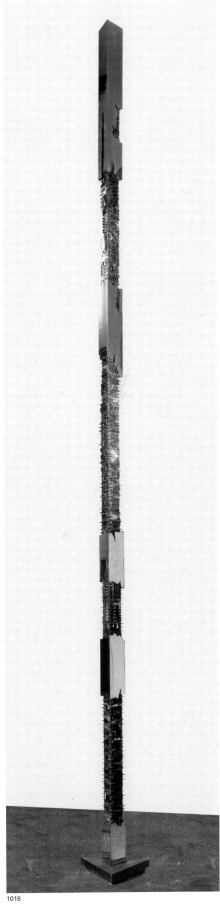

1018

1019
Piramide, 1999
bronzo, 22 x 22 x 22 cm
5 esemplari + 1 prova
d'artista
collezione privata (1/5);
collezione privata (2/5);
collezione privata (3/5);
collezione privata (4/5);
collezione privata (5/5);
collezione dell'artista (05 p.a.)
AP 754

Esposizioni: New York[1], *NY
2000*

1020
Croce e Altare per Padre Pio,
1999
croce: bronzo,
240 x 250 x 35 cm
altare: pietra, profili in
bronzo, 90 x 240 x 120 cm e
base in bronzo, 250 x 250 cm
esemplare unico
San Giovanni Rotondo,
chiesa di Padre Pio
AP 735a

Riprodotta nel Tomo I
alle pp. 240, 241

Bibliografia: Leonetti 2000,
p. 287; Apa 2001, p. 28
(ill. p. 31); "Edizioni Frati
Cappuccini" 2001, p. 6 (ill.);
Patruno 2001, pp. 72-73

1021
The Site of Silence, 1999
bronzo, 18 x 118 x 108 cm
3 esemplari + 1 prova
d'artista
collezione dell'artista
(03 p.a.)
AP 764

Esposizioni: New York[2], *NY
2000*

Bibliografia: Pomodoro[5]
2002, ill. p. 61

1019

1021

1026
Rilievo, 2000
bronzo, 33,5 x 25 x 8 cm
3 esemplari + 1 prova
d'artista
Venezia, Venice Design Art
Gallery (1/3); collezione
privata (2/3); collezione
privata (3/3); collezione
privata (03 p.a.)
AP 767

*Esposizioni: Monte Carlo
2001*

1027
Rilievo, 2001
bronzo, 33,5 x 25 x 8 cm
3 esemplari + 1 prova d'artista
collezione privata (1/3);
collezione privata (2/3);
collezione privata (3/3);
collezione Maria Castelli Luti
(03 p.a.)
AP 774

1028
Anelli, 2001
bronzo, ognuno Ø 15 cm
8 esemplari + 2 prove
d'artista
collezione Dr. Gabrielle H.
Reem e Dr. Herbert Kayden;
collezione privata; collezione
privata; collezione dell'artista
AP 773a

1026

1027

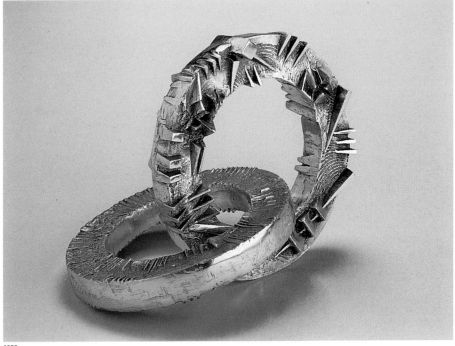

1028

1029
Corona radiante per la cattedrale di St. John a Milwaukee, studio, 2001
con crocifisso di Giuseppe Maraniello
bronzo, 70 x Ø 45 cm
teca in plexiglas,
90 x 55 x 55 cm
6 esemplari + 2 prove d'artista + 3 prove d'artista (crocifisso con variante, struttura portante in ferro e legno, 100 x 55 x 55 cm)
collezione privata; Milano, collezione privata; collezione dell'artista; collezione privata; Milwaukee, WI, Arcidiocesi di Milwaukee (p.a. con variante); Milano, collezione Giuseppe Maraniello (p.a. con variante); collezione dell'artista (p.a. con variante)
AP 771

Bibliografia: McConnaha 2002, ill. p. 1; Montalto 2003, ill. pp. 70, 72, 73

1030
Corona radiante, 2001
legno, fiberglass e rame,
Ø 400 cm
crocifisso in bronzo di Giuseppe Maraniello,
240 x 240 cm
esemplare unico
Milwaukee, WI, Cathedral of St. John the Evangelist
AP 777a

Riprodotta nel Tomo I
alle pp. 254-255, 256, 257

Bibliografia: "News", Istituto Italiano di Cultura 2002, p. 3

1029

1031
Stele, I, 2001
bronzo, 270 x 30 x 20 cm
3 esemplari + 1 prova
d'artista
collezione privata (1/3);
collezione privata (2/3)
AP 776a

Riprodotta nel Tomo I
alle pp. 248, 249

1032
Stele, II, 2001
bronzo, 270 x 30 x 20 cm
3 esemplari + 1 prova
d'artista
collezione privata (1/3);
collezione dell'artista (2/3)
AP 776b

Riprodotta nel Tomo I
alle pp. 248, 249

1033
Stele, III, 2001
bronzo, 270 x 30 x 20 cm
3 esemplari + 1 prova
d'artista
collezione privata (1/3);
collezione privata (2/3)
AP 776c

Riprodotta nel Tomo I
alle pp. 248, 249

1034
Asta cielare, XXV, 2001
bronzo, 36 cm,
sez. 16 x 16 x 16 cm
esemplare unico
Milano, Giardino Calderini
(p.a.)
AP 768

Bibliografia: Nicolato 2001,
ill.

1031

1032

1033

1035

Piramide, 2002
bronzo, 31 x 23 x 9 cm
8 esemplari + 2 prove
d'artista
collezione privata (1/8);
collezione privata (2/8);
collezione privata (3/8);
collezione privata (4/8);
collezione privata (5/8);
Venezia, Venice Design
Art Gallery (6/8); collezione
privata (7/8); Venezia, Venice
Design Art Gallery (8/8);
collezione privata (08 p.a.);
collezione privata, Svizzera
(p.a.)
AP 777

Esposizioni: *Ischia 2003*
(ill. p. 5)

1036

Untitled, 2002
bronzo, 30 x 15 x 6 cm
8 esemplari + 3 prove
d'artista
collezione privata (1/8);
Roma, collezione privata
(2/8); collezione privata (3/8);
collezione privata (4/8);
collezione privata (5/8);
Venezia, Venice Design
Art Gallery (6/8); collezione
privata (7/8); collezione
privata (8/8); collezione
privata (08 p.a.); collezione
Famiglia Porro (p.a.);
collezione privata (prova
d'artista)
AP 778

1034

1035

1036

1037
Pagina solare, 2002
bronzo, 63 x 45 cm
8 esemplari + 2 prove
d'artista
collezione privata (1/8);
collezione privata (2/8);
collezione Giuseppe e Adele
Tristano (3/8); collezione
privata (4/8); collezione
privata (5/8); collezione
privata (6/8); collezione
privata (7/8); collezione
dell'artista; collezione privata
(08 p.a.); Milano, collezione
privata
AP 780

Esposizioni: Ischia 2003
(ill. p. 37)

1038
Rilievo, 2002
bronzo, 33,5 x 25 x 8 cm
3 esemplari + 2 prove
d'artista
collezione privata (1/3);
collezione privata (2/3);
collezione Gianfranco Lagala
(3/3); collezione Mauro e
Stefania (03 p.a.); collezione
privata (p.a.)
AP 784

1039
Disco, 2002
bronzo, Ø 22,5 x 6 cm
8 esemplari + 2 prove
d'artista
collezione privata (1/8);
collezione privata (2/8);
collezione privata (3/8);
collezione privata (4/8);
collezione privata (5/8);
collezione privata (6/8);
collezione privata (7/8);
collezione privata (8/8);
Milano, collezione privata
(08 p.a.); collezione privata
(p.a.)
AP 779

1040
Giroscopio, studio, 2002
bronzo e ferro, Ø 25 cm
2 esemplari + 1 prova
d'artista
collezione privata (1/2);
collezione privata (2/2);
collezione dell'artista
AP 783

1037

1038

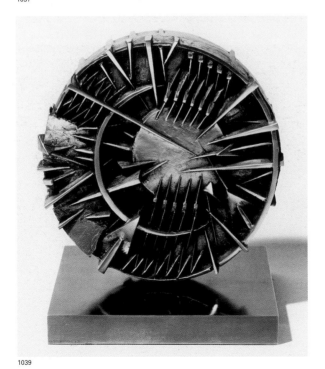

1039

1040

1041
Piramide, 2002
bronzo, 60 x 70 x 70 cm
8 esemplari + 2 prove
d'artista
Milano, collezione privata;
collezione privata (2/8);
collezione privata (3/8);
collezione privata (4/8);
collezione dell'artista (5/8);
collezione privata (6/8);
collezione privata (7/8);
collezione privata (8/8)
AP 788

1042
*"Dedica", tomba Giorgio
Bassani*, 2002
bronzo, 80 x 50 x 17 cm
(basamento: 10 x 179 x 179 cm)
esemplare unico
Ferrara, Cimitero Ebraico
AP 786

Bibliografia: "Corriere della
Sera"[2] 2003, ill. p. 33;
"Corriere Romagna" 2003,
ill. p. 34; Dondi 2003, ill. p. V;
Fumagalli 2003, ill. p. 24;
"La Nuova Ferrara"[1] 2003,
ill. pp. 1, 25; "La Nuova
Ferrara"[2] 2003, ill. p. 10;
"L'Arena" 2003, ill. p. 39;
Minute 2003, ill. p. 20; Neri
2003, ill. p. 15; Pazzi 2003, ill.
p. 35; "Vivere Milano, La
Stampa" 2003, ill. p. 2

1041

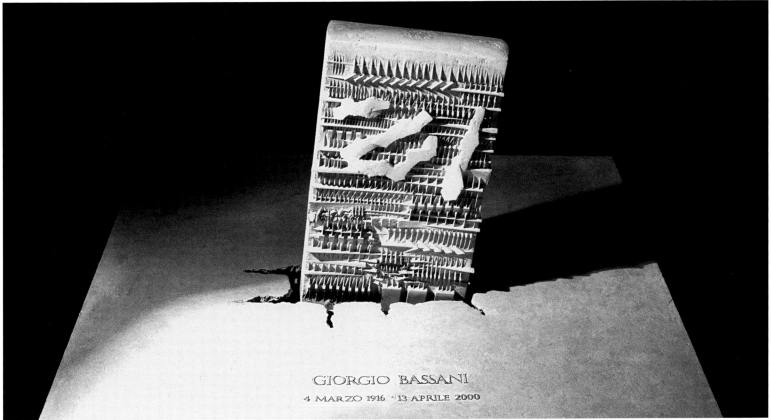

1042

1043

1043
Tomba Famiglia Nespoli,
2002-2003
bronzo, 79,5 x 42 x 42 cm
esemplare unico
AP 791

1044
Sfera, 2002
bronzo, Ø 30 cm
8 esemplari + 2 prove
d'artista
collezione privata, courtesy
Marlborough Gallery (1/8);
Milano, collezione privata
(2/8); Venezia, Venice Design
Art Gallery (3/8); collezione
privata (4/8); collezione
privata (5/8); collezione
privata (6/8); Milano,
collezione privata (7/8);
collezione privata (8/8);
collezione privata (08 p.a.);
collezione dell'artista
AP 782

1045
Sfera, 2002
bronzo, Ø 50 cm
8 esemplari + 2 prove
d'artista
collezione privata;
collezione privata (2/8);
collezione privata (3/8);
collezione privata (4/8);
collezione privata (5/8);
Pesaro, collezione Enzo e
Franca Mancini (8/9);
collezione privata (08 p.a.)
AP 775a

1046
Rotante, 2002
bronzo, Ø 30 cm
8 esemplari + 3 prove
d'artista
collezione privata (1/8);
collezione privata (2/8);
collezione privata (3/8); Fano,
collezione Pietro e Valeria
Fenici (4/8); collezione privata
(5/8); Monaco, collezione
SAS Le Prince Ranier III (6/8);
collezione privata (7/8);
collezione privata (8/8);
collezione privata (08 p.a.);
Milano, collezione Biscontini
(p.a.); collezione dell'artista
AP 781

1047
Sfera con sfera, 2002
bronzo, Ø 50 cm
8 esemplari + 2 prove
d'artista
collezione privata (1/8);
collezione privata (2/8);
collezione privata (3/8);
collezione privata (4/8);
collezione privata (7/8);
collezione privata (08 p.a.);
collezione privata
AP 776

1044

1045

1046

1047

1048
Centenarium , 2002-2004
a) fiberglass, 585 x Ø 250 cm
1 esemplare
collezione dell'artista
b) bronzo, 585 x Ø 250 cm
esemplare unico per il
centenario Ferrari 1902-2002
Cantine Ferrari dei
F.lli Lunelli
AP 785

Riprodotta nel Tomo I
alle pp. 258, 259

1048

1049
Orizzonte, 2003
bronzo, 90 x 430 cm
1 esemplare + 1 prova
d'artista
Milano, collezione privata (1/1)
AP 792

1050
Rilievo, 2003
bronzo, 33,5 x 25 x 8 cm
3 esemplari + 1 prova
d'artista
collezione privata (1/3);
collezione privata (2/3);
collezione privata (3/3);
collezione privata, courtesy
galleria Giò Marconi, Milano
(03 p.a.)
AP 799

1051
Tracciati, 2003
a) fiberglass, 125 x 125 x 17 cm
1 esemplare
Monte Carlo, Croix-Rouge
Monégasque, dono dell'artista
b) bronzo, 125 x 125 x 17 cm
2 esemplari + 1 prova
d'artista
AP 789

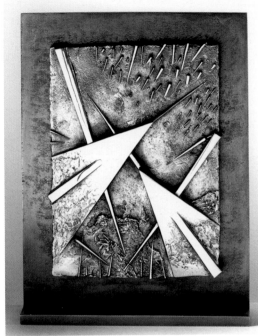

1050

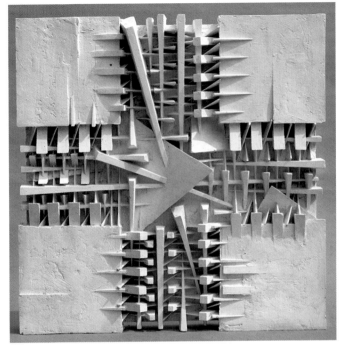

1051

1049

1052
Punto dello spazio,
studio, 2003
bronzo e corten, Ø 23 x 4 cm
8 esemplari + 2 prove
d'artista
collezione privata (1/8);
Milano, collezione privata
(2/8); collezione privata (3/8);
collezione privata (4/8);
collezione privata (5/8);
collezione privata (6/8);
collezione dell'artista (7/8);
Milano, collezione privata (08
p.a.); collezione privata (p.a.)
AP 797

1053
Punto dello spazio, 2003
bronzo e corten,
Ø 250 x 40 cm
3 esemplari + 1 prova
d'artista
collezione dell'artista (1/3)
AP 798

Riprodotta nel Tomo I
alle pp. 264, 265

1053

1052

1054
Porte del sapere, 2003
a) fiberglass,
320 x 260 x 45 cm
1 esemplare
collezione dell'artista
b) bronzo, 320 x 260 x 45 cm
1 esemplare + 1 prova
d'artista
collezione privata
AP 787

Riprodotta nel Tomo I
alle pp. 260-261, 262-263

1054

1054

1055
Soglia: a Eduardo Chillida,
studio, 2003
bronzo, 60 x 67 x 40 cm
8 esemplari + 2 prove
d'artista
collezione privata (1/8);
collezione dell'artista (2/8);
collezione privata (3/8);
Milano, collezione privata (4/8)
AP 793

Riprodotta nel Tomo I
a p. 266

1056
Soglia: a Eduardo Chillida,
2003
bronzo, 191,5 x 140 x 105 cm
3 esemplari + 1 prova
d'artista
Bilbao, Homenaje a Chillida
Collection, Gruppo Urvasco
(1/3); collezione dell'artista
(2/3)
AP 796

Riprodotta nel Tomo I
a p. 267

1055

1055

1057
Porte della luna e del sole,
2003-2004
bronzo, 270 x 210 x 38 cm
1 esemplare + 1 prova
d'artista
collezione privata
AP 800

Riprodotta nel Tomo I
alle pp. 268, 269

1057

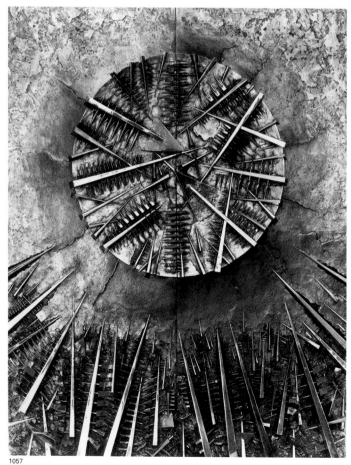

1057